D0525938

Merci pour les souvenirs

Cecelia AHERN

Merci pour les souvenirs

Traduit de l'anglais (Irlande)
par Maryse Leynaud

Titre original :
THANKS FOR THE MEMORIES

© Cecelia Ahern, 2008

Pour la traduction française :
© Éditions Flammarion, 2010

Je dédie ce livre à mes grands-parents,
Olive et Raphael Kelly, Julia et Con Ahern.
Avec tout mon amour.
Merci pour les souvenirs.

Prologue

Ferme les yeux et fixe l'obscurité.

Le conseil de mon père quand je n'arrivais pas à dormir, enfant. Il ne voudrait pas me voir le suivre maintenant, pourtant j'ai décidé de m'y efforcer. Je fixe cette noirceur incommensurable qui s'étend bien au-delà de mes paupières closes. Je gis immobile sur le sol, mais j'ai la sensation d'être installée au point le plus élevé que je puisse atteindre ; cramponnée à une étoile dans le ciel nocturne, jambes pendantes au-dessus du néant froid et sombre. Je jette un dernier regard à mes doigts serrés sur la lumière et me laisse aller. Je descends, je tombe puis je flotte, je descends à nouveau, et je me prépare à l'atterrissage de ma vie.

Je sais maintenant, tout comme lorsque, petite fille, je luttais contre le sommeil, que derrière l'écran translucide de mes paupières closes se cachent des couleurs. Elles me narguent, me défient d'ouvrir les yeux et de me réveiller tout à fait. Des éclairs rouges, orangés, jaunes et blancs constellent mon obscurité. Je refuse d'ouvrir les yeux. Je me rebelle et serre les paupières plus fort pour faire obstacle aux particules de lumière, simples distractions qui nous tiennent éveillés, mais signes d'une vie au-delà.

En moi pourtant ne subsiste aucune trace de vie. Rien que je puisse sentir, de l'endroit où je gis, au bas de l'escalier. Mon cœur bat plus vite maintenant, seul combattant encore debout sur le ring, gant de boxe rouge qui pompe victorieusement dans les airs, qui refuse d'abandonner. C'est la seule part de moi qui soit prête à lutter, la seule part qui ait jamais lutté. Il s'efforce d'envoyer le sang partout, de soigner, remplacer ce que je perds. Mais le sang quitte mon corps à mesure que le cœur l'envoie, formant son propre océan, noir et profond, autour de moi, là où je suis tombée.

Vite, vite, vite. On veut toujours aller vite. On n'a jamais assez de temps ici, on essaie toujours d'arriver là-bas. J'aurais dû partir d'ici il y a cinq minutes, je devrais déjà être là-bas. Le téléphone se remet à sonner et je mesure l'ironie de la situation. J'aurais pu prendre mon temps et décrocher maintenant.

Maintenant, pas tout à l'heure.

J'aurais pu prendre tout mon temps pour descendre chaque marche. Mais on veut toujours aller vite, tous. Tous, sauf mon cœur. Il ralentit à présent. Je ne m'en inquiète plus beaucoup. Je pose la main sur mon ventre. Si mon bébé est parti, comme je le soupçonne, je le rejoindrai là-bas. Là-bas... Où ça ? N'importe où. Mon bébé est si jeune. Qui serait-il – ou elle – devenu ? Encore une question. Mais là-bas, je serai sa mère.

Là-bas, pas ici.

Je lui dirai, je suis désolée, mon trésor. Je suis désolée d'avoir gâché tes chances, ma chance... notre chance d'une vie ensemble. Mais ferme les yeux et fixe l'obscurité maintenant, comme maman, et nous trouverons notre chemin.

Un bruit retentit dans la pièce et je sens une présence.

— Oh, mon Dieu, Joyce, oh, mon Dieu. Tu m'entends, ma chérie ? Oh, mon Dieu, oh, mon Dieu. Non, pas ça, Seigneur, pas ma Joyce, ne me prenez pas ma Joyce. Accroche-toi, ma chérie. Je suis là. Papa est là.

Je n'ai pas envie de m'accrocher et je me sens capable de le lui dire. Je m'entends geindre, un gémissement animal qui me choque, me terrifie. J'ai un plan. Je veux le lui dire. Je veux m'en aller, parce que alors je pourrai rejoindre mon enfant.

Alors, pas maintenant.

Il a stoppé ma chute mais je n'ai toujours pas atterri. Il m'aide à me tenir en équilibre sur rien, il hésite, et moi, je suis forcée de prendre une décision. Je veux continuer à tomber mais il appelle l'ambulance et m'agrippe la main avec une telle férocité qu'on croirait que c'est lui qui se crampponne à la vie. Comme si j'étais tout ce qu'il a. Il écarte les cheveux de mon front en pleurant bruyamment. Je ne l'avais jamais entendu pleurer. Même pas à la mort de maman. Il s'accroche à ma main de toutes les forces de son vieux corps, je ne savais pas qu'il en avait autant, et je me rappelle que je suis tout ce qu'il a et que lui, comme autrefois, représente à nouveau mon univers entier. Le sang continue de courir en moi, pressé. Vite, vite, vite, on veut toujours aller vite. Peut-être que je vais encore trop vite. Peut-être que l'heure n'est pas venue pour moi de partir.

11

Je sens la peau rêche de vieilles mains qui serrent les miennes, si intenses et familières que je suis obligée d'ouvrir les yeux. La lumière les emplit et j'entrevois son visage, une expression que je ne veux plus jamais voir. Il s'accroche à son bébé. Je sais que j'ai perdu le mien ; je ne peux pas le laisser perdre le sien. En prenant ma décision, je commence déjà à pleurer mon enfant. J'ai atterri, l'atterrissage de ma vie. Et mon cœur pompe toujours.

Même brisé, il continue de fonctionner.

UN MOIS PLUS TÔT

1

— La transfusion sanguine, annonce le docteur Fields depuis l'estrade dans une des salles de conférences du bâtiment des Arts à Trinity College, consiste à injecter une partie du sang ou des produits sanguins d'une personne dans le système circulatoire d'une autre. La transfusion sanguine peut traiter certains problèmes médicaux, comme une forte hémorragie due à un traumatisme, une opération chirurgicale, un choc ou une défaillance du mécanisme de production des globules rouges.

« Voici les faits. En Irlande, on a besoin de trois mille dons par semaine. Seuls trois pour cent des Irlandais donnent leur sang, sur une population de presque quatre millions. Une personne sur quatre aura besoin d'une transfusion à un moment de sa vie. Regardez autour de vous maintenant.

Cinq cents têtes se tournent à gauche, à droite, promènent leur regard alentour. Des ricanements gênés rompent le silence.

Le docteur Fields élève la voix pour couvrir le bruit.

— Au moins cent cinquante personnes dans cette salle auront besoin d'une transfusion sanguine à un moment de leur vie.

Cette phrase les réduit au silence. Une main se lève.

— Oui ?

— Une transfusion, ça représente combien de sang ?

— Quelle est la longueur d'un bout de ficelle, abruti ? apostrophe une voix dans les rangées du fond.

Une boule de papier froissé s'envole vers la tête du jeune homme qui a posé la question.

— C'est une excellente question.

Elle scrute l'obscurité, sourcils froncés, incapable de distinguer les étudiants derrière la lumière du projecteur.

— Qui l'a posée ?

— Dover, crie une voix de l'autre côté de la salle.

— Je suis sûre que M. Dover peut répondre lui-même. Quel est votre prénom ?

— Ben, répond-il d'une voix découragée.

Des rires éclatent. Le docteur Fields soupire.

— Merci de votre question, Ben – et sachez tous qu'il n'y a pas de questions idiotes. C'est le but même de la semaine du Sang pour la vie. Elle doit vous permettre de poser toutes les questions qui vous viennent à l'esprit, d'apprendre tout ce que vous avez besoin de savoir sur la transfusion, avant, peut-être, de donner votre sang aujourd'hui ou demain, dans la semaine sur le campus, ou même régulièrement à l'avenir.

La porte principale s'ouvre, éclairant la salle obscure. Justin Hitchcock entre, la lumière blanche du projecteur révèle son expression concentrée. Il tient sous son bras une pile de dossiers, qui se mettent à glisser. Il lève un genou pour les remettre en place. Dans sa main droite, il porte à la fois une serviette pleine à craquer et un gobelet de café en équilibre précaire. Il rabaisse lentement son pied levé vers le sol, comme s'il exécutait un mouvement de tai-chi, et un sourire soulagé s'ébauche sur son visage quand le calme se rétablit. Quelqu'un ricane et l'équilibre est à nouveau compromis.

Doucement, Justin. Détourne les yeux de ce gobelet et évalue la situation. Une femme sur l'estrade, cinq cents gosses. Tout le monde te regarde. Dis quelque chose. Quelque chose d'intelligent.

— Je suis confus, annonce-t-il à l'obscurité où il distingue de vagues formes vivantes.

Des chuchotements s'élèvent et il sent tous les regards fixés sur lui tandis qu'il recule vers la porte pour vérifier le numéro de la salle.

Ne renverse pas ton café. Ne renverse pas ce foutu café.

Il ouvre la porte, laissant s'insinuer à nouveau des rayons de lumière. Les étudiants éblouis se protègent les yeux.

Chuchotis, chuchotis. Rien n'est plus drôle qu'un homme égaré.

Malgré tout son chargement, il réussit à tenir la porte ouverte avec son pied. Il regarde le numéro à l'extérieur de la porte, puis son regard se fixe sur son programme qui va tomber s'il ne l'attrape pas là, tout de suite. Il esquisse un geste en ce sens. Mauvaise main. Le gobelet de café atterrit par terre, suivi de près par le programme.

Merde ! Et voilà qu'ils recommencent. Chuchotis, chuchotis. Rien n'est plus drôle qu'un homme égaré qui a renversé son café et fait tomber son programme.

— Je peux vous aider ?

La conférencière descend de l'estrade.

Justin laisse la porte se refermer. L'obscurité revient.

— Eh bien, il est dit ici... enfin, il est dit là, reprend-il en désignant du menton, par terre, la feuille de papier détrempée, que j'ai cours dans cette salle maintenant.

— Les inscriptions pour étudiants étrangers ont lieu dans la salle d'examens.

Il fronce les sourcils.

— Non, je...

— Excusez-moi, j'ai cru reconnaître un accent américain.

Elle se rapproche, ramasse le gobelet en carton et le jette dans la poubelle, au-dessus de laquelle une pancarte stipule qu'il est interdit d'apporter des boissons.

— Ah... oh... désolé.

— Les auditeurs libres sont dans la salle à côté.

Dans un murmure, elle ajoute :

— Croyez-moi, n'intégrez pas cette classe.

Justin s'éclaircit la gorge et rectifie sa position. Il serre les dossiers plus fort sous son bras.

— En fait, je donne une conférence pour les étudiants en histoire de l'art et de l'architecture.

— Vous donnez une conférence ?

— On m'a invité, si incroyable que ça puisse paraître.

Il souffle pour écarter une mèche de son front poisseux.

Le coiffeur. Pense à aller chez le coiffeur. Et voilà, ça recommence, chuchotis, chuchotis. Un conférencier égaré qui a renversé son café, fait tombé son programme, qui est sur le point de lâcher ses dossiers et a grand besoin d'une coupe de cheveux. C'est sûr, il n'y a rien de plus drôle.

— Professeur Hitchcock ?

— C'est moi.

Il sent les dossiers glisser sous son bras.

— Oh, je suis désolée, murmure-t-elle. Je ne savais pas...

Elle rattrape un des dossiers.

— Je suis le docteur Sarah Fields, du STSI. L'université m'a permis de m'adresser à vos étudiants pendant une demi-heure avant votre conférence, avec votre permission, naturellement.

— Ah, bien. Personne ne m'a prévenu, mais *no problemo.*

No problemo ?

Il secoue la tête et se dirige vers la porte.

Direction, le Starbucks Coffee.

— Professeur Hitchcock ?

Il s'arrête devant la porte.

— Oui ?

— Voulez-vous vous joindre à nous ?

Sûrement pas ! Il y a un cappuccino et un muffin à la cannelle qui m'attendent au Starbucks. Non. Il te suffit de dire non.

— Euh... nn-oui.

Noui ?

— Je veux dire... d'accord.

Chuchotis, chuchotis, chuchotis. Conférencier piégé. Forcé de faire quelque chose que de toute évidence il n'a pas envie de faire par une jolie jeune femme en blouse blanche qui se dit médecin dans une organisation aux initiales mystérieuses.

— Parfait. Bienvenue.

Elle lui remet ses dossiers sous le bras et remonte sur l'estrade pour s'adresser aux étudiants.

— Bon. Votre attention, s'il vous plaît. Revenons à la question des quantités. Un accidenté de la route peut nécessiter jusqu'à trente unités de sang. Un ulcère qui saigne, entre trois et trente unités. Un pontage coronarien, entre une et cinq unités. Les chiffres peuvent varier, mais avec de tels besoins, vous comprendrez que nous soyons toujours en quête de donneurs.

Justin s'assoit au premier rang et écoute, rempli d'horreur, la discussion à laquelle il vient de se joindre.

— Quelqu'un a-t-il des questions ?

Vous pourriez changer de sujet ?

— On est payé pour donner son sang ?

Encore des rires.

— Pas dans ce pays, j'en ai bien peur.

— Est-ce que la personne qui reçoit le sang sait qui est son donneur ?

— Habituellement, les dons sont anonymes, mais dans une banque du sang les produits sont toujours traçables individuellement durant tout le cycle, don, tests, séparation des composés, stockage et transfusion.

— Est-ce que n'importe qui peut donner son sang ?

— Bonne question. J'ai ici une liste de contre-indications. Étudiez-la soigneusement, et prenez des notes si vous le souhaitez.

Le docteur Fields installe son transparent sous le projecteur et sa blouse blanche reflète alors l'image atrocement réaliste d'une personne en grand besoin d'une transfusion. Elle recule et l'image emplit l'écran fixé au mur.

L'assistance gémit et des murmures horrifiés parcourent les gradins comme une ola. Justin n'est pas en reste. Pris de vertige, il détourne les yeux de l'écran.

— Oups, ce n'est pas la bonne page ! s'excuse le docteur Fields, narquoise, en remplaçant le transparent par celui de la liste promise.

Plein d'espoir, Justin cherche dans la liste la phobie du sang ou des aiguilles, qui l'éliminerait en tant que donneur potentiel, sans succès. Peu importe, car les chances de le voir donner la moindre goutte de sang à qui que ce soit sont aussi nombreuses que ses idées au saut du lit.

— Pas de chance, Dover.

Une autre boule de papier s'envole du fond de la salle pour venir frapper à nouveau la tête de Ben.

— Les homos ne sont pas acceptés.

Tranquillement, Dover lève deux doigts en l'air.

— C'est de la discrimination ! s'insurge une fille.

— Ce qui n'est pas notre propos aujourd'hui, rétorque le docteur Fields, avant de poursuivre suivant son plan. Rappelez-vous, votre corps remplacera le sang prélevé en moins de vingt-quatre heures. Le corps humain en contient entre quatre et six litres, et lors d'un don on en prélève moins d'un demi-litre. Ce n'est pas la mer à boire.

Explosion de rires juvéniles.

— S'il vous plaît.

Le docteur Fields claque des mains dans une tentative désespérée pour attirer l'attention.

— La semaine du Sang pour la vie a pour but d'éduquer tout autant que de collecter des dons.

C'est bien que nous puissions rire et plaisanter, mais à présent je crois important de souligner que la *vie* de quelqu'un, femme, homme ou enfant, dépend peut-être de vous.

Le silence s'abat sur la salle. Même Justin cesse de bavarder avec lui-même.

2

— Professeur Hitchcock !

Le docteur Fields s'approche de Justin, qui met ses notes en ordre sur l'estrade pendant que ses étudiants font une pause de cinq minutes.

— Appelez-moi Justin, docteur.

— Appelez-moi Sarah.

Elle lui tend la main.

— Enchanté, Sarah.

Vraiment.

— Je voulais juste m'assurer que nous nous verrions plus tard.

— Plus tard ?

— Oui, après votre conférence, dit-elle en souriant.

Est-ce qu'elle me drague ? Ça fait si longtemps, comment en être sûr ? Dis quelque chose, Justin. Parle.

— Super. Un rendez-vous, ce serait super.

Elle pince les lèvres pour cacher son sourire.

— D'accord, je vous retrouve à l'entrée principale à six heures et je vous emmène moi-même.

— Vous m'emmenez où ?

— À l'unité de collecte mobile. C'est près du terrain de rugby mais je préfère vous accompagner.

— L'unité de collecte mobile...

L'angoisse le submerge.

— Ah, je ne crois pas que...

— Et ensuite, on ira prendre un verre ?

— Vous savez quoi ? Je me remets tout juste d'une grippe, alors je ne suis sûrement pas un bon candidat.

Il ouvre les mains, hausse les épaules.

— Vous êtes sous antibiotiques ?

— Non, mais c'est une excellente idée, Sarah. Je devrais peut-être...

Il se frotte la gorge.

— Je crois que vous serez très bien, dit-elle avec un grand sourire.

— Non, vous comprenez, j'ai côtoyé des maladies plutôt contagieuses ces derniers temps. Malaria, petite vérole, tous ces trucs-là. J'étais dans une région tropicale.

Il se rappelle la liste des contre-indications.

— Et mon frère, Al, il a la lèpre.

Mauvaise excuse.

— Ah bon ?

Elle hausse un sourcil et, bien qu'il tente de toutes ses forces de se retenir, il lui sourit.

— Quand avez-vous quitté les États-Unis ?

Réfléchis bien. Ce pourrait être une question piège.

— J'ai déménagé à Londres il y a trois mois, répond-il enfin, choisissant de dire la vérité.

— Oh, vous avez de la chance. Le délai minimal est de deux mois.

— Attendez, laissez-moi réfléchir.

Il se gratte le menton et se concentre, marmonne au hasard des noms de mois à voix haute.

— Ça ne fait peut-être que deux mois. Si je récapitule depuis mon arrivée...

Il laisse sa phrase en suspens, tout en comptant sur ses doigts et en fixant le lointain d'un air pensif, sourcils froncés.

— Vous avez peur, professeur Hitchcock ? demande le docteur Fields avec un sourire.

— Peur ? Pas du tout !

Il rejette la tête en arrière et éclate de rire.

— Mais, est-ce que je vous ai dit que j'avais la malaria ?

Il soupire en voyant qu'elle ne le prend pas au sérieux.

— Bon, je suis à court d'idées.

— On se retrouve à l'entrée, à six heures. Ah ! N'oubliez pas de manger quelque chose avant.

— Bien sûr, parce que je serai complètement affamé avant mon rendez-vous avec une seringue géante à tendances homicides, marmotte-t-il en la regardant partir.

Les étudiants reviennent dans la salle et il tente de dissimuler le plaisir sur son visage, si mêlé soit-il. Enfin, la classe est à lui.

OK, mes petits amis chuchoteurs. L'heure de la revanche a sonné.

Il commence sans attendre qu'ils s'assoient.

— L'art... annonce-t-il aux gradins

Il entend le bruit des stylos et bloc-notes qu'on extirpe des sacs, les fermetures Éclair et les boucles, le cliquetis des trousses métalliques ; tout est flambant neuf pour cette première journée. Propre et sans souillures. Dommage qu'on ne puisse en dire autant des étudiants.

— Le produit de la créativité humaine.

Il ne s'interrompt pas pour leur laisser le temps de noter. C'est le moment de rire un peu. Son discours s'accélère.

— La création de choses belles ou importantes.

Il fait les cent pas en parlant, il entend toujours des bruits de fermetures Éclair et des cliquetis.

— Monsieur, vous pourriez répéter s'il v...

— Non. La technologie, poursuit-il, les applications pratiques de la science dans le commerce ou l'industrie.

Maintenant, le silence est total.

— La créativité et l'esprit pratique. Le fruit de leur union, c'est l'architecture.

Plus vite, Justin, plus vite !

— L'architecture-est-la-transformation-des-idées-en-une-réalité-physique. La-structure-complexe-et-soigneusement-conçue-de-quelque-chose-en-particulier-dans-le-contexte-d'une-période-donnée. Pour-comprendre-l'architecture-il-nous-faut-examiner-la-relation-entre-technologie-science-et-société.

— Monsieur, vous pourriez...

— Non.

Mais il ralentit légèrement.

— Nous verrons qu'au cours des siècles, l'architecture a été modelée par la société, qu'elle continue de l'être, mais aussi qu'à son tour, elle modèle la société.

Il s'arrête, regarde devant lui les jeunes visages qui l'observent. Leur esprit est un récipient vide, qui attend d'être rempli. Il y a tant à apprendre, et si peu de temps, si peu de passion en eux pour comprendre vraiment. C'est son travail, de leur insuffler cette passion. De partager avec eux ses expériences, ses voyages, sa connaissance des chefs-d'œuvre des siècles passés. Il les transportera de cette salle confinée de la prestigieuse université dublinoise jusqu'au musée du Louvre, entendra les échos de leurs pas en les guidant dans la cathédrale de Saint-Denis, à Saint-Germain-des-Prés, à Saint-Pierre de Montmartre. Ils ne connaîtront pas seulement les dates et les statistiques, mais l'odeur des peintures de Picasso, le contact du marbre baroque, le bruit des cloches de Notre-Dame. Ils vivront tout cela, ici même, dans cette salle. Il le leur apportera.

Dis quelque chose, Justin, ils te regardent.

Il s'éclaircit la gorge.

— Ce cours vous apprendra à analyser les œuvres d'art et à comprendre leur signification historique. Il vous aidera à prendre conscience du contexte tout en développant votre sensibilité à la culture et aux idéaux d'autres nations. Nous allons parcourir un vaste domaine : l'histoire de la peinture, de la sculpture et de l'architecture de la Grèce antique à nos jours ; l'art irlandais primitif ; les peintres de la Renaissance italienne, les grandes cathédrales gothiques d'Europe, les splendeurs architecturales de l'ère géorgienne, et les accomplissements artistiques du vingtième siècle.

Il laisse le silence s'installer.

Sont-ils pleins de regrets en découvrant ce qui les attend au cours des quatre ans à venir ? Ou bien sentent-ils leur cœur battre la chamade, comme lui, en pensant à tout ce qu'ils vont découvrir ? Après toutes ces années, il éprouve encore le même enthousiasme devant les monuments, peintures et sculptures du monde. Son exaltation lui coupe souvent le souffle durant ses conférences ; il doit se forcer à ralentir, se rappeler qu'il ne faut pas tout leur dire à la fois. Pourtant, il veut qu'ils sachent tout, tout de suite !

Il regarde à nouveau leurs visages et c'est une révélation.

Tu les tiens ! Ils sont pendus à tes lèvres, ils attendent la suite. Tu as réussi, ils sont entre tes mains !

Quelqu'un pète et la salle explose de rire.

Il soupire, sa bulle a éclaté, et il continue de parler d'un ton las.

— Je m'appelle Justin Hitchcock et mes conférences tout au long de l'année auront pour but de vous initier aux divers mouvements de la peinture européenne, comme la Renaissance italienne et l'impressionnisme français. Ce cours comprendra l'analyse critique des œuvres, l'étude de l'iconographie et des diverses techniques utilisées par les artistes, du *Livre de Kells* jusqu'à nos jours, ainsi qu'une introduction à l'architecture européenne. Des temples grecs à l'époque contemporaine, bla, bla, bla. Deux volontaires pour m'aider à distribuer ceci, je vous prie.

Et voilà, une nouvelle année. Il n'est plus chez lui à Chicago ; il a suivi son ex-femme et sa fille parties habiter à Londres et fait la navette en avion pour ses conférences à Dublin. Un autre pays, peut-être, mais au fond la même chose. La première semaine, le vertige. Encore un groupe manifestement trop immature pour comprendre ses passions, tournant délibérément le dos à la possibilité – non, à la certitude ! – d'apprendre quelque chose de merveilleux, d'essentiel.

Peu importe ce que tu diras ensuite, mon vieux. À partir de maintenant, la seule chose qu'ils se rappelleront en rentrant chez eux, ce sera le pet.

3

— Bea, qu'est-ce qui fait tant rire les gens, dans les histoires de pets ?

— Tiens, salut papa.

— C'est comme ça que tu dis bonjour ?

— Oh, wouaouh, papa, c'est génial de t'entendre. Je suis si émue, ça faisait, quoi, bien trois heures que tu n'avais pas téléphoné ?

— Ça va, pas la peine d'en faire autant. Ta chère mère est-elle déjà rentrée, après une nouvelle journée dans sa nouvelle vie ?

— Oui, elle est là.

— Et a-t-elle ramené avec elle le délicieux Lawrence ?

Il ne peut retenir ses sarcasmes. Il se le reproche amèrement mais, peu enclin à les retirer et incapable de s'excuser, il fait ce qu'il a toujours fait, il en rajoute, ce qui ne fait qu'empirer les choses.

— Lawrence, dit-il d'un ton traînant. Lawrence et sa hernie à l'entrejambe.

— Tu es vraiment pénible. Tu n'en as pas assez de parler de ses pantalons ?

Elle soupire d'ennui.

D'un coup de pied, Justin repousse la couverture qui le gratte, dans la chambre d'hôtel bon marché où il est descendu à Dublin.

— Je t'assure, Bea, la prochaine fois qu'il est dans les parages, regarde. Son pantalon est bien trop moulant pour ce qui se passe dedans. Il devrait y avoir un nom pour ça. Quelque chose en –ite.

Couill-ite.

— Il n'y a que quatre chaînes de télé dans ce taudis, dont une dans une langue que je ne comprends même pas. On dirait qu'ils se raclent la gorge après avoir goûté l'affreux coq au vin de ta mère. Tu sais, dans ma sublime maison à Chicago, j'avais plus de deux cents chaînes.

Gland-ite. Bit-ite.

— Et tu n'en regardais aucune.

— Parce que je *choisissais* de ne pas regarder ces navrantes émissions de bricolage, ou ces chaînes musicales avec des femmes qui dansent toutes nues.

— Je comprends, papa. Ce déracinement, ce doit être affreusement traumatisant pour toi qui es plus ou moins adulte, alors que moi, à seize ans, j'ai dû subir cet énorme changement dans ma vie, voir mes parents divorcer, déménager de Chicago à Londres, comme si de rien n'était.

— Tu as deux maisons et plus de cadeaux, de quoi tu te plains ? marmonne-t-il. Et puis, c'était ton idée.

— Je voulais aller à l'école de danse de Londres, pas que vous divorciez !

— Tu crois qu'on devrait repartir à Chicago et se remettre ensemble ?

— Non.

Au sourire dans sa voix, il sait qu'elle n'est pas fâchée.

— Tu croyais vraiment que j'allais rester à Chicago alors que tu partais à l'autre bout du monde ?

— Tu n'es même pas dans le même pays que moi en ce moment, proteste-t-elle en riant.

— L'Irlande, ce n'est que pour le travail. Je serai revenu à Londres dans quelques jours. Franchement, Bea, je n'ai pas envie d'être ailleurs, lui assure-t-il.

Encore que j'aimerais bien manger une bonne pizza.

— J'envisage de m'installer avec Peter, dit-elle d'un ton bien trop détaché.

— Alors, qu'est-ce qui fait tant rire les gens, dans les histoires de pets ? demande-t-il à nouveau comme si de rien n'était. Enfin, qu'est-ce qu'il y a dans un bruit d'air expulsé qui puisse les empêcher de s'intéresser à quelques-uns des chefs-d'œuvre les plus inouïs ?

— Ça signifie que tu n'as pas envie de discuter de mon installation avec Peter ?

— Tu es une enfant. Toi et Peter pouvez vous installer dans la cabane en tissu, je l'ai toujours, stockée dans un box. Je la monterai dans le salon. Ce sera charmant, et très confortable.

— J'ai dix-huit ans. Je ne suis plus une enfant. Ça fait deux ans que je vis seule maintenant.

— Tu n'as vécu seule qu'un an. La deuxième année, c'est moi que ta mère a laissé tout seul pour te rejoindre, tu te rappelles ?

— Toi et maman, vous aviez mon âge quand vous vous êtes rencontrés.

— Et nous n'avons pas vécu heureux pour toujours. Arrête de nous imiter et écris ton propre conte de fées.

— Je voudrais bien, mais mon père poule n'arrête pas de m'interrompre pour m'expliquer comment devrait se dérouler l'histoire.

Bea soupire et ramène la conversation sur un terrain moins glissant.

— Bref. Pourquoi est-ce que les histoires de pets font rire tes étudiants ? Je croyais que ton séminaire consistait en une unique conférence pour les diplômés qui ont choisi ta matière ennuyeuse. Qu'ils aient trouvé des volontaires, ça me dépasse. Tes conférences sur Peter m'ennuient, alors que je l'aime.

Elle l'aime ! Ignore-la et elle oubliera ce qu'elle vient de dire.

— Tu comprendrais, si tu m'écoutais quand je te parle. En plus de mes troisièmes cycles, on m'a demandé de faire des séries de conférences à des élèves de première année, je risque de regretter d'avoir accepté, mais passons. Venons-en à mon travail principal, c'est bien plus urgent. Je prépare une exposition à la National Gallery sur la peinture hollandaise du dix-septième siècle. Tu devrais venir la voir.

— Non, merci.

— Bon, peut-être que mes troisièmes cycles apprécieront davantage mon expertise au cours des prochains mois.

— Tu sais, tes étudiants ont sans doute ri d'une histoire de pet, mais je parie qu'au moins un quart d'entre eux ont donné leur sang.

— Seulement parce qu'on leur a fait miroiter un KitKat gratuit, râle Justin en fouillant le minibar maigrement fourni. Tu es fâchée contre moi parce que je n'ai pas donné mon sang ?

— Je pense que tu es un connard d'avoir posé un lapin à cette femme.

— Ne dis pas « connard », Bea. Au fait, qui t'a dit que je lui avais posé un lapin ?

— Oncle Al.

— Oncle Al est un connard. Et en plus, tu sais quoi, chérie ? Tu sais ce que le bon docteur a dit aujourd'hui sur les dons du sang ?

Il se débat avec le film plastique qui entoure une boîte de Pringles.

— Quoi ? lâche Bea dans un bâillement.

— Que les dons sont anonymes. Tu entends ? Anonymes ! Alors à quoi ça sert de sauver la vie de quelqu'un si la personne ne sait même pas que c'est toi qui l'as sauvée ?

— Papa !

— Quoi ? Allez, Bea, essaie de me faire croire que tu n'aimerais pas recevoir un bouquet de fleurs pour avoir sauvé la vie de quelqu'un.

Bea proteste mais il continue.

— Ou alors, un petit panier de tes muffins préférés, à quoi déjà ? À la noix de coco ?

— À la cannelle, répond-elle en riant, résignée.

— Un petit panier de muffins à la cannelle devant ta porte, avec une note coincée dedans qui dirait : « Merci de m'avoir sauvé la vie, Bea. Je suis prêt à accomplir tes moindres désirs, passer prendre tes affaires au pressing, ou bien livrer ton journal et ton café à ta porte tous les matins, mettre à ta disposition une voiture avec chauffeur, des billets au premier rang pour l'opéra... » La liste n'est pas exhaustive.

Il renonce à tirer sur le plastique, prend un tire-bouchon et poignarde l'emballage.

— Ce pourrait être une de ces histoires chinoises, tu sais bien, si quelqu'un te sauve la vie, tu lui es redevable pour toujours. Ce serait agréable d'avoir quelqu'un qui te suivrait tous les jours, et attraperait au vol les pianos qui tombent par les fenêtres pour les empêcher de t'atterrir sur la tête, ce genre de trucs.

Bea reprend son sérieux.

— J'espère que tu plaisantes.

— Évidemment, que je plaisante.

Justin fait la grimace.

— Le piano les tuerait sûrement, et ce ne serait pas juste.

Il réussit enfin à enlever le couvercle de ses Pringles et jette le tire-bouchon à l'autre bout de la pièce. Il heurte un verre posé sur le minibar, qui se brise.

— Qu'est-ce que c'était ?

— Je fais du ménage, ment-il. Tu me trouves égoïste, hein ?

— Papa, tu as quitté ton pays, abandonné un travail passionnant, un magnifique appartement, tu as fait des milliers de kilomètres pour t'installer dans un pays étranger simplement pour être près de moi. Je ne risque pas de te trouver égoïste.

Justin sourit et se lance un Pringles dans la bouche.

— Mais si tu ne plaisantes pas, pour le panier de muffins, alors tu es bel et bien égoïste. Et si c'était la semaine du Sang pour la vie dans mon université, je participerais. Mais tu peux encore te rattraper auprès de cette femme.

— J'ai eu l'impression qu'on me forçait la main, voilà tout. Je comptais aller chez le coiffeur demain, pas laisser quelqu'un me trouer les veines.

— Ne donne pas ton sang si tu n'en as pas envie, je m'en fiche. Mais rappelle-toi, si tu le fais, ce n'est pas une toute petite aiguille qui va te tuer. En fait, ce pourrait être le contraire, tu pourrais sauver la vie de quelqu'un, et on ne sait jamais, peut-être que cette personne te suivra toute ta vie, pour déposer des paniers de muffins devant ta porte et rattraper les pianos avant qu'ils te tombent sur la tête. Ce serait bien, non ?

4

Dans l'unité de collecte mobile près du terrain de rugby, à Trinity College, Justin tente de cacher à Sarah ses mains tremblantes, tout en tendant son formulaire de consentement et son questionnaire « Santé et mode de vie » qui, franchement, révèle bien plus de choses sur lui qu'il ne voudrait lors d'un rendez-vous. Elle lui sourit d'un air encourageant et, pendant tout le processus, se comporte comme si donner son sang était la chose la plus normale au monde.

— Je n'ai plus que quelques questions à vous poser. Vous avez lu, compris et complété le questionnaire « Santé et mode de vie » ?

Justin hoche la tête, les mots lui manquent, coincés dans sa gorge serrée.

— Et toutes les informations que vous avez données sont sincères et justes, à votre connaissance ?

— Pourquoi ? croasse-t-il. Elles vous paraissent fausses ? Parce que si c'est le cas, je peux toujours revenir un autre jour.

Elle lui sourit avec le même regard qu'avait sa mère quand elle le bordait dans son lit avant d'éteindre la lumière.

— D'accord. Tout est prêt. Je vais vérifier votre taux d'hémoglobine, explique-t-elle.

— Est-ce que ça décèle les maladies ?

Il regarde nerveusement autour de lui l'équipement du camion.

Pourvu que je n'aie pas de maladie. Ce serait trop embarrassant. Mais c'est peu probable. Est-ce que tu peux seulement te rappeler la dernière fois que tu as fait l'amour ?

— Non, ça mesure simplement le taux de fer dans votre sang.

Elle lui pique le bout du doigt avec une épingle.

— On teste le sang plus tard, pour les maladies et les MST.

— Ce doit être pratique de pouvoir tester ses petits amis, plaisante-t-il, en sentant la sueur lui chatouiller la lèvre supérieure.

Il examine son doigt.

Elle effectue le test rapide en silence.

Allongé sur une banquette rembourrée, Justin tend son bras gauche. Sarah lui pose un garrot en haut du bras, pour faire ressortir la veine, puis lui désinfecte l'intérieur du coude.

Ne regarde pas l'aiguille, ne regarde pas l'aiguille.

Il regarde l'aiguille et le monde se met à tourner autour de lui. Sa gorge se serre, sa chemise colle à son dos trempé. Il déglutit avec difficulté.

— Ça va faire mal ?

— Vous ne sentirez qu'une légère piqûre.

Elle sourit et s'approche de lui, seringue en main.

Il perçoit son parfum délicat, qui le distrait momentanément. Elle se penche en avant, et il voit, dans son décolleté, un soutien-gorge en dentelle noire.

— Je voudrais que vous preniez ceci en main et que vous pressiez à plusieurs reprises.

— Quoi ?

Il éclate d'un rire nerveux.

— La balle, explique-t-elle en souriant.

— Oh.

Il prend la balle élastique dans sa main.

— À quoi est-ce que ça sert ? demande-t-il d'une voix tremblante.

— À accélérer le processus.

Il malaxe la balle à toute vitesse.

Sarah éclate de rire.

— Pas encore, et pas si vite.

La sueur lui dégouline dans le dos. Ses cheveux collent à son front poisseux.

Tu aurais dû aller chez le coiffeur, Justin. C'était vraiment une idée stupi...

— Aïe !

— C'était si terrible ? demande-t-elle doucement, comme si elle s'adressait à un enfant.

Justin entend son cœur lui battre dans les oreilles. Il serre la balle dans sa paume au rythme des battements. Il se représente son cœur pompant le sang, le sang coulant dans ses veines. Il le voit atteindre l'aiguille, passer dans le tube et il s'attend à se sentir mal. Mais le malaise ne vient pas, alors il regarde son sang couler dans le tube et descendre jusqu'à la poche qu'elle a eu la délicatesse de cacher sous la banquette, sur un pèse-personne.

— J'ai droit à un KitKat, après ?

— Bien sûr, répond-elle en riant.

— Et ensuite, on pourra aller prendre un verre, ou est-ce que vous ne vous intéressez qu'à mon corps ?

— D'accord pour un verre, mais je dois vous déconseiller de vous livrer à des activités fatigantes aujourd'hui. Votre corps a besoin de récupérer.

Il aperçoit à nouveau son soutien-gorge.

Bien sûr.

Un quart d'heure plus tard, Justin contemple avec fierté son demi-litre de sang. Il ne veut pas qu'il soit administré à des étrangers, il a presque envie de le porter lui-même à l'hôpital, de visiter les services et de l'offrir à quelqu'un dont il se soucie vraiment, quelqu'un de spécial, parce que c'est la première chose qui vient tout droit de son cœur depuis très longtemps.

AUJOURD'HUI

5

J'ouvre lentement les yeux.

Une lumière blanche les inonde. Peu à peu, les contours des objets se précisent et la lumière blanche s'adoucit. À présent, elle est rose orangé. Je bouge les yeux. Je suis dans un hôpital. En haut du mur, une télévision. L'écran est envahi de vert. Je regarde mieux. Des chevaux. Qui sautent et galopent. Papa doit être là. Je baisse les yeux et je le vois, assis dans un fauteuil, qui me tourne le dos. Il frappe doucement les accoudoirs de ses poings, je vois sa casquette de tweed qui apparaît et disparaît tour à tour derrière le dossier ; il fait des bonds dans le fauteuil. Sous lui, les ressorts grincent.

La course des chevaux est silencieuse. Lui aussi. Comme dans un film muet. Je le regarde, je me demande si ce sont mes oreilles qui m'empêchent de l'entendre. Il jaillit de son fauteuil d'un mouvement preste. Il y avait bien longtemps que je ne lui avais pas vu tant de vivacité. Il encourage son cheval en silence.

L'écran devient noir. Ses poings s'ouvrent et il lève les mains en l'air, regarde vers le plafond et implore Dieu. Il enfonce les mains dans ses poches, en fait sortir la doublure. Les poches vides pendent, à l'envers, aux yeux du monde. Il se tâte la poitrine, cherche de l'argent, vérifie les petites poches de son cardigan marron, marmonne. Donc, ce ne sont pas mes oreilles.

Il se retourne pour chercher dans son pardessus près de moi, et je m'empresse de fermer les yeux.

Je ne suis pas encore prête. Il ne m'est rien arrivé tant qu'on ne me l'a pas dit. La nuit dernière restera un cauchemar dans mon esprit jusqu'à ce qu'on me dise que c'était vrai. Plus longtemps je garderai les yeux fermés, plus longtemps les choses resteront telles qu'elles étaient. Bienheureuse ignorance.

Je l'entends farfouiller dans son pardessus, j'entends des pièces qui cliquettent, puis claquent en tombant dans la fente du téléviseur. J'ose ouvrir à nouveau les yeux, il s'est rassis dans son fauteuil, sa casquette bondit encore et encore, il frappe l'air de ses poings.

À ma droite, le rideau est tiré mais je sais que je partage la chambre avec d'autres. Combien, je l'ignore. La pièce est calme, sans air. Elle sent le renfermé et la sueur rance. L'immense fenêtre qui tient tout le mur à ma gauche est fermée. La lumière est si vive que je ne distingue rien au-dehors. Je laisse mes yeux s'y accommoder et enfin, je vois. Un autobus ralentit de l'autre côté de la rue. Une femme attend devant l'arrêt, sacs de commissions autour des pieds, un bébé sur la hanche, dont les jambes nues et potelées se balancent sous le soleil de l'été indien. Je détourne les yeux aussitôt. Papa me regarde. Il est penché

44

sur l'accoudoir de son fauteuil et se tord le cou, comme un enfant dans son berceau.

— Bonjour, ma chérie.

— Bonjour.

J'ai l'impression de ne pas avoir parlé depuis très longtemps, et je m'attends à croasser. Mais non. Ma voix est pure, elle coule comme du miel. Comme si rien ne s'était passé. Mais rien ne s'est passé. Pas encore. Pas avant qu'on me le dise.

Les deux mains sur les accoudoirs, il se lève lentement. D'un pas chaloupé, il gagne le côté du lit. En haut, en bas, en bas et en haut. Il est né avec la jambe gauche plus longue que la droite. Malgré les chaussures spéciales qu'on lui a données il y a quelques années, il continue à se balancer en marchant, de ce mouvement instillé en lui dès ses premiers pas. Il déteste ces chaussures et, malgré nos avertissements et ses douleurs dans le dos, il est revenu à ce qu'il connaît. Je suis si habituée à voir son corps monter et descendre, descendre et monter. Je me rappelle, enfant, quand on se promenait et que je lui tenais la main. Mon bras suivait le rythme exact de ses mouvements. En haut quand il descendait sur sa jambe droite, en bas quand il montait sur la gauche.

Il a toujours été si fort. Si capable. Il réparait tout. Portait tout, arrangeait tout. Toujours un tournevis à la main, à démonter et remonter télécommandes, radios, réveils, prises électriques. Le bricoleur de la rue entière. Ses jambes étaient inégales, mais ses mains, toujours et à jamais, fermes comme le roc.

Il ôte sa casquette en s'approchant de moi, la serre à deux mains, la fait tourner comme le volant d'une voiture en me contemplant, plein d'inquiétude. Il pose son pied droit et descend. Plie sa jambe gauche. Sa position de repos.

— Est-ce que tu... Euh... On m'a dit que...

Il déglutit avec difficulté, ses sourcils broussailleux se froncent et viennent cacher ses yeux vitreux.

— Tu as perdu... tu as perdu... euh...

Ma lèvre inférieure se met à trembler.

Il reprend d'une voix brisée :

— Tu as perdu beaucoup de sang, Joyce. Ils...

Il lâche sa casquette d'une main et, de son doigt courbé, décrit des cercles, en essayant de se souvenir.

— Ils t'ont fait une transfusion, alors tu... euh... ton sang va bien maintenant.

Ma lèvre inférieure tremble et mes mains se portent machinalement vers mon ventre. Ma grossesse est trop récente pour qu'il soulève les couvertures. Je le regarde avec espoir, je mesure enfin à quel point je me cramponne encore, à quel point je me suis convaincue que l'affreux épisode dans la salle de travail n'était qu'un cauchemar. Peut-être me suis-je imaginé le silence de mon enfant emplissant la pièce en ce dernier instant. Peut-être a-t-il poussé des cris que je n'ai pas entendus. C'est possible, bien sûr – à ce moment-là, je n'avais guère d'énergie, j'étais à peine consciente –, il est possible que j'aie manqué ce premier souffle de vie miraculeux que tous les autres ont perçu.

Papa secoue tristement la tête. Non, ces cris, c'était moi qui les poussais.

Ma lèvre tremble encore plus, elle rebondit, en haut, en bas, en bas et en haut, je ne peux l'arrêter. Mon corps frissonne affreusement et lui non plus, je ne peux l'arrêter. Les larmes montent, mais je les retiens. Si je commence maintenant, je sais que je ne m'arrêterai jamais.

J'émets un bruit. Un bruit inhabituel, que je n'avais jamais entendu. Un gémissement. Un grognement. Un mélange des deux. Papa me saisit la main et la serre fort. Le contact de sa peau me ramène à la nuit dernière, quand je gisais au pied de l'escalier. Il ne dit rien. Mais que peut-on dire ? Je ne le sais même pas.

Je tombe dans un sommeil entrecoupé. Je m'éveille et me rappelle une conversation avec un médecin, et je me demande s'il s'agit d'un rêve. Vous avez perdu votre bébé, Joyce, nous avons fait tout notre possible... transfusion sanguine... qui voudrait se rappeler ce genre de chose ? Personne. Pas moi.

Quand je m'éveille à nouveau, le rideau près de moi a été ouvert. Trois petits enfants courent dans la chambre autour de l'autre lit, tandis que leur père, j'imagine, leur enjoint d'arrêter dans une langue que je ne reconnais pas. Leur mère, j'imagine, est couchée. Elle paraît fatiguée. Nos regards se croisent et nous nous sourions.

Je sais ce que vous ressentez, dit son sourire triste. Je sais ce que vous ressentez.

Qu'allons-nous faire ? lui répond mon sourire.

Je ne sais pas, disent ses yeux. Je ne sais pas.

Nous en remettrons-nous ?

Elle se détourne de moi, son sourire s'évanouit.

Papa les interpelle.

— D'où est-ce que vous venez, vous autres ?

— Pardon ? demande le mari.

— Je dis, d'où est-ce que vous venez ? répète papa. Vous n'êtes pas d'ici, ça se voit.

La voix de papa est joyeuse et affable. Il ne pense pas à mal. Il ne pense jamais à mal.

— On vient du Nigéria, répond l'homme.

— Et c'est où, ça ?

— En Afrique.

Le ton de l'homme est tout aussi affable. Il voit bien que mon père n'est qu'un vieil homme affamé de conversation, qui essaie de se montrer amical.

— Ah, l'Afrique. Je n'y suis jamais allé. Il fait chaud là-bas ? Je crois bien. Plus qu'ici. On doit bien bronzer, encore que vous n'en ayez pas besoin, ajoute-t-il en riant. Vous n'avez pas froid ici ?

— Froid ? sourit l'Africain.

— Oui, vous savez.

Papa s'entoure de ses bras et fait mine de grelotter.

— Froid.

— Oui.

L'homme éclate de rire.

— Parfois.

— C'est bien ce que je me disais. Moi aussi, j'ai froid, alors que je suis d'ici. Le froid me pénètre jusqu'aux os. Mais la chaleur ne me convient pas bien non plus. Ma peau devient rouge, elle grille. Ma fille Joyce, elle brunit. C'est elle, là.

Il me désigne du doigt et je m'empresse de fermer les yeux.

— Elle est charmante, commente poliment l'homme.

— C'est vrai.

Silence. Je suppose qu'ils m'examinent.

— Il y a quelques mois, elle est allée sur une île espagnole, et elle est revenue toute noire, je vous jure. Enfin, pas aussi noire que vous, vous comprenez. Mais elle avait un beau bronzage. Et puis elle a pelé. Vous, vous ne pelez sans doute pas.

L'homme rit poliment. C'est mon père. Il ne pense pas à mal, mais il n'a jamais voyagé de toute sa vie. C'est la peur des avions qui le retient. En tout cas, c'est ce qu'il dit.

— Bon, j'espère que votre ravissante épouse se sentira bientôt mieux. C'est affreux d'être malade pendant ses vacances.

Là-dessus, j'ouvre les yeux.

— Ah, te revoilà. Bienvenue, ma chérie. Je bavardais avec nos gentils voisins.

Il se rapproche de moi de son pas chaloupé, casquette dans les mains, se pose sur sa jambe droite, descend, plie la jambe gauche.

— Tu sais, je crois qu'on est les seuls Irlandais dans tout l'hôpital. L'infirmière qui était là il y a une minute, elle est de « Singaport », quelque chose comme ça.

— Singapour, papa, dis-je en souriant.

— C'est ça.

Il hausse les sourcils.

— Tu l'as déjà vue, alors ? Mais ils parlent tous anglais, les étrangers. C'est sûr, c'est mieux que de passer ses vacances à parler par signes.

Il pose sa casquette sur le lit et agite les doigts.

— Papa, tu n'es jamais sorti de ce pays de toute ta vie.

— Et alors ? Les copains du club du lundi m'ont raconté. La semaine dernière, Franck est allé en... comment il s'appelle, ce pays, déjà ?

Il ferme les yeux et réfléchit intensément.

— Là où on fabrique les chocolats.

— La Suisse.

— Non.

— La Belgique.

— Non, répète-t-il, frustré. Les petits trucs ronds qui croustillent à l'intérieur. Maintenant, ils en font des blancs, mais moi je préfère les noirs.

— Les Maltesers ?

J'éclate de rire mais la douleur me fait arrêter.

— C'est ça. Il était à Maltesers.

— À Malte, papa.

— C'est ça. Il était à Malte. Est-ce que c'est là qu'on fait les Maltesers ?

— Je ne sais pas. Peut-être. Alors, qu'est-ce que Frank a raconté sur Malte ?

Il ferme les yeux très fort de nouveau et réfléchit.

— Je ne me rappelle plus ce que je voulais dire.

Silence. Il déteste ne pas se rappeler. Avant, il se rappelait toujours tout.

Je demande :

— Tu as gagné de l'argent au tiercé ?

— Un peu. Assez pour quelques tournées au club du lundi, ce soir.

— On est mardi aujourd'hui.

— Mais hier était férié, explique-t-il, contournant le lit de sa démarche balancée pour s'asseoir de l'autre côté.

Je ne peux pas rire. J'ai trop mal et, apparemment, une partie de mon sens de l'humour m'a été enlevée avec mon enfant.

— Ça ne te fait rien si j'y vais, Joyce ? Si tu veux, je reste. Ça m'est égal, ça n'a pas d'importance.

— Bien sûr que si. Tu n'as pas manqué une réunion du lundi soir depuis vingt ans.

— Sauf les jours fériés !

Il lève un doigt crochu, ses yeux dansent.

— Sauf les jours fériés.

Je souris et lui saisis le doigt.

— Mais tu comptes plus que quelques bières et quelques chansons, dit-il en me prenant la main.

— Qu'est-ce que je ferais sans toi ?

Mes yeux s'emplissent à nouveau de larmes.

— Tu t'en sortirais très bien, ma chérie. Et puis...

Il me dévisage avec méfiance.

— Il y a Conor.

Je lui lâche la main et détourne les yeux. Et si je ne veux plus de Conor ?

— J'ai essayé de l'appeler hier soir sur le téléphone de poche mais ça ne répondait pas. J'ai peut-être fait un faux numéro, s'empresse-t-il d'ajouter. Ils sont tellement compliqués, les numéros des téléphones de poche.

— On dit des portables, papa, dis-je, distraite.

— Ah oui, les portables. Il appelle tout le temps quand tu dors. Il rentrera dès qu'il trouvera une place dans un avion. Il est très inquiet.

— C'est gentil de sa part. Ensuite, nous pourrons passer les dix prochaines années de notre vie de couple à essayer d'avoir des enfants.

Retour aux choses sérieuses. Une gentille petite distraction pour donner à notre relation un peu de sens.

— Oh, ma chérie...

Le premier jour du reste de ma vie, et je ne suis pas sûre d'avoir envie d'être là. Je sais que je devrais rendre grâce à quelqu'un pour ça, mais franchement, je ne m'en sens pas capable. Je préférerais que le quelqu'un en question n'ait pas pris cette peine.

6

Je regarde les trois enfants qui jouent ensemble, par terre, dans l'hôpital, petits doigts, petits orteils, joues rondes et lèvres charnues – le visage de leurs parents clairement gravé sur le leur. J'en ai le cœur serré, l'estomac noué. Mes yeux s'emplissent à nouveau de larmes et je dois détourner la tête.

— Ça t'ennuie si je prends un raisin ? gazouille papa.

On dirait un petit canari en cage à côté de moi.

— Bien sûr que non, papa. Tu devrais rentrer maintenant, manger quelque chose. Tu as besoin d'énergie.

Il prend une banane.

— Potassium, annonce-t-il, souriant.

Il agite les bras avec vigueur.

— Je vais rentrer à pied, ce soir. Courir, c'est bon pour la santé.

— Comment est-ce que tu es venu ?

Je me souviens soudain qu'il n'est pas venu en ville depuis des années. Tout va trop vite pour lui maintenant, des immeubles surgissent là où il n'y en avait pas, les sens interdits sont inversés. Il a aussi vendu sa voiture, la mort dans l'âme, parce que sa vue trop mauvaise le rendait dangereux pour lui-même et pour les autres. Soixante-quinze ans, veuf depuis dix ans. Il s'est recréé des petites habitudes, reste dans son quartier. Les conversations avec les voisins, l'église tous les dimanches et tous les mercredis, le club du lundi tous les lundis (sauf les jours fériés, auquel cas la réunion se tient le mardi), les courses le mardi, ses mots croisés, casse-tête et shows télévisés dans la journée, et le reste du temps son jardin.

— Fran, la voisine d'à côté, c'est elle qui m'a amené.

Il repose la banane, riant encore de sa blague sur la course à pied, et enfourne un autre grain de raisin.

— Elle a failli causer ma mort deux ou trois fois. Assez pour que je sache qu'il y a un Dieu, au cas où j'en aurais douté.

Il fronce les sourcils.

— J'ai demandé des raisins sans pépins, ceux-là en ont.

De ses mains couvertes de taches de son, il remet la grappe dans le petit placard près du lit. Il crache les pépins dans sa paume et cherche une poubelle.

— Tu crois encore en ton Dieu à présent, papa ?

Je ne voulais pas paraître aussi cruelle, mais la colère est presque insupportable.

— Je crois en Lui, Joyce.

Il ne le prend pas mal, comme d'habitude. Il dépose les pépins dans son mouchoir et remet le tout dans sa poche.

— Les voies du Seigneur sont impénétrables : souvent, on ne peut pas les expliquer, ni les comprendre, ni les supporter. Je comprends que tu doutes de Son existence en ce moment – ça nous arrive à tous, à un moment ou un autre. Quand ta mère est morte j'ai...

Comme toujours, il laisse sa phrase en suspens, il ne peut se montrer plus déloyal envers son Dieu, il ne peut parler plus avant de la perte de sa femme.

— Mais cette fois, Dieu a exaucé toutes mes prières. Hier soir il a levé la tête et entendu mon appel. Il m'a dit...

Papa prend un fort accent du Cavan, l'accent qu'il avait, enfant, avant de venir à Dublin à l'adolescence.

— « Pas de problèmes, Henry. Je te reçois cinq sur cinq. J'ai la situation bien en main, ne t'inquiète pas. Je m'en occupe, ça ne me dérange pas du tout. » Il t'a sauvée. Il a gardé ma petite fille en vie, et pour ça je Lui serai toujours reconnaissant, malgré la tristesse d'avoir perdu quelqu'un d'autre.

Je n'ai pas de réponse, mais je me radoucis.

Il tire sa chaise plus près de mon lit, elle racle le sol.

— Et je crois en une autre vie, ajoute-t-il, un peu plus doucement. Vraiment. Je crois au paradis, là-haut dans les nuages. Et que tous ceux qui ont vécu ici-bas y sont maintenant, même les pécheurs, car Dieu est miséricordieux. Ça, j'y crois.

— Tout le monde ?

Je lutte contre les larmes, je lutte pour les empêcher de couler. Si je commence, je sais que je ne m'arrêterai jamais.

— Et mon bébé, papa ? Il est là-haut ?

Il semble blessé. Nous n'avions pas beaucoup parlé de ma grossesse. Les premiers temps, nous étions tous inquiets, lui surtout. Quelques jours plus tôt, nous nous étions chamaillés parce que je lui avais demandé d'entreposer le lit d'amis dans son garage. Vous comprenez, j'avais commencé à préparer la chambre d'enfant... Oh mon Dieu, la chambre d'enfant. Le lit et les vieilleries tout juste débarrassés. Le berceau déjà acheté. Les murs d'un joli jaune bouton d'or, avec des canards sur la bordure.

Il me restait cinq mois. Certains, dont mon père, trouvent prématuré de préparer une chambre d'enfant au quatrième mois de grossesse, mais nous attendions un enfant, cet enfant, depuis six ans. Cela n'avait rien de prématuré.

— Ah, ma chérie, vois-tu, je ne sais pas...

— Je l'aurais appelé Sean si ç'avait été un garçon, m'entends-je dire à haute voix.

J'ai répété cette phrase dans ma tête toute la journée, encore et encore, et les mots jaillissent de moi à la place des larmes.

— Ah. C'est un joli nom, Sean.

— Grace, pour une fille. Comme maman. Elle aurait été contente.

Ses mâchoires se serrent et il détourne les yeux. Quelqu'un qui ne le connaît pas le croirait en colère. Je sais qu'il ne l'est pas. C'est l'émotion qui se rassemble dans sa mâchoire, comme dans un réservoir géant, où elle est stockée et enfermée jusqu'à ce qu'elle devienne indispensable pour ces rares moments où la sécheresse en lui exige que ces murs s'écroulent et laissent jaillir les sentiments.

— Mais je pensais que ce serait un garçon. Je ne sais pas pourquoi, je le sentais, quelque part. J'aurais pu me tromper. Je l'aurais appelé Sean.

Papa hoche la tête.

— C'est bien. C'est un beau nom.

— Je lui parlais. Je lui chantais des chansons. Je me demande s'il m'entendait.

Ma voix est lointaine. J'ai l'impression de crier depuis l'intérieur d'un tronc creux où je serais cachée.

Silence. J'imagine un avenir qui n'aura jamais lieu, avec mon petit Sean imaginaire. Des chansons tous les soirs. Une peau couleur guimauve et des éclaboussures dans le bain. Des jambes qui gigotent et des promenades à vélo. Des architectures sableuses et des rages footballistiques. Devant cette vie manquée – non, pire, perdue – la colère me submerge.

— Je me demande s'il a compris.

— Compris quoi, ma chérie ?

— Ce qui se passait. Ce qu'il allait manquer. Est-ce qu'il a cru que je l'abandonnais ? J'espère qu'il ne m'en veut pas. Il n'avait que moi et...

Je m'arrête. Fin de la torture pour le moment. J'ai l'impression que je vais me mettre à hurler de terreur. Il faut que je me retienne. Si je commence à pleurer maintenant, je sais que je ne m'arrêterai jamais.

— Où est-ce qu'il est maintenant ? Comment est-ce qu'on peut mourir alors qu'on n'est même pas encore né ?

— Oh, ma chérie...

Il me prend la main et la serre.

— Dis-moi, papa.

Cette fois, il réfléchit. Longtemps, intensément. Il me tapote les cheveux, de ses doigts fermes, il écarte les mèches qui me tombent dans les yeux et me les remet derrière les oreilles. Il n'a pas fait ça depuis mon enfance.

— Je crois qu'il est au ciel, ma chérie. Ce n'est pas une supposition, je sais qu'il est au ciel. Il est là-haut avec ta mère. Il est assis sur ses genoux, et elle joue au Rami avec Pauline. Elle la bat à plate couture tout en jacassant. Elle est là-haut, pas de doute.

Il lève les yeux et agite le doigt vers le plafond.

— Gracie, prends soin du petit Sean pour nous, tu m'entends ? Elle lui parlera de toi, elle lui dira tout, quand tu étais bébé toi-même, le jour où tu as fait tes premiers pas, le jour où tu as eu ta première dent. Elle lui racontera ton premier et ton dernier jour d'école, et tous les jours entre les deux, et il saura tout sur toi, alors quand tu passeras ces portes, là-haut, quand tu seras vieille, bien plus vieille que moi mainte-nant, il lèvera les yeux de son jeu de cartes et dira : « Ah, la voilà. C'est ma maman. » Il te reconnaîtra tout de suite.

La boule dans ma gorge, si grosse qu'elle m'empêche de déglutir, ne me laisse pas lui dire merci, mais peut-être voit-il la reconnaissance dans mes yeux, parce qu'il hoche la tête avant de reporter son attention sur la télévision pen-dant que je regarde au-dehors, sans rien voir.

— Il y a une jolie chapelle ici, ma chérie. Tu devrais peut-être aller la voir, quand tu seras prête. Tu n'as même pas besoin de parler. Il ne se vexera pas. Tu n'auras qu'à t'asseoir et réflé-chir. Moi, ça m'aide.

Je me dis que c'est le dernier endroit au monde où j'ai envie d'aller.

— C'est l'endroit approprié, reprend papa, lisant dans mes pensées.

Il me regarde, et je l'entends presque prier pour que je me lève et saisisse le rosaire qu'il a placé près de mon lit.

— C'est un bâtiment rococo, tu sais, dis-je soudain.

Je ne sais pas du tout de quoi je parle.

— Lequel ?

Les sourcils de papa se froncent, ses yeux disparaissent en dessous, comme deux escargots se cachant dans leur coquille.

— Cet hôpital ?

Je réfléchis intensément.

— De quoi est-ce qu'on parlait ?

C'est à lui de se creuser la cervelle :

— Des Maltesers. Non !

Il se tait un moment, puis se met à lancer des réponses à toute vitesse, comme pour un jeu télévisé.

— Des bananes ! Non, du paradis ! Non, de la chapelle ! On parlait de la chapelle.

Il me décoche un sourire à un million de dollars, jubile d'avoir réussi à se rappeler la conversation que nous avions il y a moins d'une minute. Il continue.

— Et alors, tu as dit que c'était une construction riquiqui. Mais moi, franchement, je la trouve bien assez grande. Un peu vieille, mais pas riquiqui.

— Elle est rococo, pas riquiqui.

J'ai l'impression d'être un professeur.

— Elle est célèbre pour les très belles moulures en plâtre qui décorent le plafond. C'est l'œuvre d'un Français, Barthélemy Cramillion.

— Ah bon, ma chérie ? Et il a fait ça quand ?

Il rapproche sa chaise du lit. Il adore les *scéals*[1].

— En 1762.

C'est si précis. Si hasardeux. Si naturel. Si inexplicable que je le sache.

— C'est si vieux que ça ? Je ne savais pas que cet hôpital était là depuis si longtemps.

— Il date de 1757.

Je fronce les sourcils. Comment diable puis-je le savoir ? Mais je ne peux m'arrêter, c'est presque comme si ma bouche était sur pilote automatique, totalement déconnectée de mon cerveau.

— Il a été dessiné par le même homme qui a conçu Leinster House. Il s'appelait Richard Cassels. Un des plus grands architectes de son temps.

— Oui, j'en ai entendu parler, ment mon père. Si tu avais dit Richie, j'aurais compris tout de suite de qui tu parlais.

Il glousse.

— Au départ, l'idée venait de Bartholomew Mosse.

Je ne sais pas d'où me viennent ces mots, ces connaissances. D'un ailleurs, mais encore ? Comme un sentiment de déjà-vu – ces mots, la sensation en est familière, mais je ne les ai ni entendus ni prononcés dans cet hôpital. Je me dis que j'invente peut-être, mais au plus profond de moi, je sais que je dis vrai. Une sensation de chaleur envahit tout mon corps.

— En 1745 il a acheté un petit théâtre qui s'appelait le New Booth et il en a fait la première maternité de Dublin.

---

1. Récit, conte en gaélique. (*N.d.T.*)

— Il était là, le théâtre ?

— Non, il était dans George Lane. Ici, il n'y avait que des champs. Mais le théâtre est devenu trop petit et il a acheté les champs, s'est entendu avec Richard Cassels et, en 1757, la nouvelle maternité, qu'on appelle maintenant le Rotunda Hospital, a été inaugurée par le représentant de la Couronne. Le 8 décembre, si ma mémoire est bonne.

Papa est perplexe.

— Je ne savais pas que tu t'intéressais à ces choses-là, Joyce. Comment est-ce que tu sais tout ça ?

Je fronce les sourcils. Moi aussi, j'ignorais que je savais tout cela. Brusquement, la frustration me submerge et je secoue la tête, agressive.

— Je veux aller chez le coiffeur, dis-je avec colère, en soufflant sur ma frange pour l'éloigner de mon front. Je veux sortir d'ici.

— D'accord, ma chérie, répond papa d'un ton calme. Bientôt.

7

Va chez le coiffeur !

Justin souffle sur sa frange pour l'écarter de ses yeux et foudroie du regard son reflet dans la glace.

Avant que son image lui attire l'œil, il était en train de faire son sac pour retourner à Londres, en sifflotant la joyeuse mélodie de l'homme récemment divorcé qui vient de coucher pour la première fois avec une autre femme. Bon, la deuxième fois cette année, mais la première dont il puisse se rappeler avec une certaine fierté. Debout devant le miroir en pied, il cesse brutalement de siffler ; son image de séducteur s'effondre lamentablement devant la réalité. Il rectifie sa position, rentre les joues et fait jouer ses muscles, en se promettant, maintenant que le nuage du divorce s'est dissipé, de remettre son corps en ordre. À quarante-trois ans, il est beau et le sait, mais n'en éprouve aucune arrogance. Il juge son apparence avec la même logique qu'il applique à la dégustation d'un bon vin. Le raisin a poussé à l'endroit voulu, dans de bonnes conditions. Des soins et de l'amour, puis une phase de piétinement et d'écrasement complets. Son bon sens lui permet de comprendre qu'il est né avec les gènes ad hoc et un corps bien proportionné. On ne devrait ni l'en féliciter ni l'en blâmer, de même qu'une personne moins gâtée ne devrait pas faire l'objet de regards dégoûtés et de ricanements sous prétexte qu'elle ne correspond pas aux normes établies par les médias. C'est comme ça, voilà tout.

Il est grand, près d'un mètre quatre-vingts, bien bâti. Ses cheveux châtains sont encore épais, même s'ils grisonnent sur les tempes. Cela ne le gêne pas. Il a eu des cheveux gris avant d'atteindre la trentaine et a toujours trouvé qu'ils lui donnaient l'air distingué. Certains pourtant, effrayés par la nature même de la vie, voyaient dans ses pattes poivre et sel les épines qui crevaient la bulle de leurs illusions chaque fois qu'il se trouvait en leur présence. Ceux-là venaient vers lui avec déférence, échine courbée, tels des colporteurs du seizième siècle aux dents pourries, pour lui fourrer dans les mains un flacon de teinture comme s'il s'agissait d'une eau précieuse puisée à la fontaine de Jouvence.

Mais mouvements et changements sont, pour Justin, la norme. Il n'est pas de ceux qui s'arrêtent, se bloquent dans leur vie, même s'il ne s'attendait pas à voir sa philosophie de l'âge et des tempes grises s'appliquer à son mariage. Jennifer l'a quitté il y a deux ans pour réfléchir à ces questions, mais aussi pour une foule d'autres raisons. Tant d'autres raisons, en fait, qu'il regrette de ne pas avoir pris un stylo et un bloc pour les noter, quand elle lui déversait ses tirades de haine. Dans les premières nuits qui ont suivi, sombres et solitaires, il a tenu le flacon de teinture dans ses mains, en se demandant si renoncer à sa solide philosophie suffirait à tout ramener à la normale. Se réveillerait-il au matin avec Jennifer à ses côtés ? La légère cicatrice à son menton, laissée par l'alliance qu'elle lui avait jetée à la figure, serait-elle guérie ? Jennifer se mettrait-elle à aimer justement tout ce qu'elle détestait chez lui ? Puis il s'était repris, et avait vidé la teinture dans l'évier en Inox noirci de son appartement de location, qui lui rappellerait tous les jours sa décision de rester enraciné dans la réalité, jusqu'à ce qu'il déménage à Londres pour se rapprocher de sa fille, au grand écœurement de son ex-femme.

À travers les longues mèches de sa frange qui lui pendent sur les yeux, il se représente l'homme qu'il s'attendait à voir. Plus mince, plus jeune, avec peut-être moins de rides autour des yeux. Ses défauts, sa taille épaissie, par exemple, sont dus en partie à l'âge et en partie à lui-même, parce qu'il s'est mis à la bière et aux plats tout prêts pour se réconforter durant la procédure de divorce, au lieu de faire de la marche et de la course à pied de temps en temps.

Des flash-back insistants de la nuit précédente attirent son regard vers le lit, où lui et Sarah ont fini par se connaître intimement. Toute la journée, il s'est senti le roi incontesté du campus, et il a même failli interrompre sa conférence sur la peinture hollandaise et flamande pour décrire en détail ses performances de la nuit précédente à son auditoire, des étudiants de première année en pleine Rag Week[1]. Les

---

1. Semaine de fête débridée pour les étudiants irlandais, sur fond de manifestations culturelles à but caritatif. (N.d.T.)

trois quarts seulement de la classe étaient présents, après une nuit en boîte, et ceux qui assistaient à son cours, il en était sûr, ne l'auraient même pas remarqué s'il s'était lancé dans une analyse détaillée de ses exploits amoureux. Malgré tout, il n'a pas mis cette hypothèse à l'épreuve.

Au grand soulagement de Justin, la semaine du Sang pour la vie est terminée, et Sarah a quitté l'université pour rentrer à la base. En revenant à Dublin ce mois-ci, il l'a rencontrée tout à fait par hasard dans un bar, que par pure coïncidence il savait qu'elle fréquentait, et une chose en a entraîné une autre. Il n'est pas sûr de la revoir, bien qu'il ait son numéro de téléphone en sûreté dans la poche intérieure de sa veste.

Il lui faut bien reconnaître que même si la nuit dernière s'est avérée délicieuse – un peu trop de bouteilles de Château Olivier qu'il avait jusque-là toujours trouvé décevant, malgré son emplacement idéal dans le Bordelais – dans un bar animé sur St. Stephen's Green, suivi par une visite à sa chambre d'hôtel –, il a l'impression que sa conquête laisse à désirer. Il avait puisé du courage dans le minibar de sa chambre avant de l'appeler, et, dès son arrivée, s'était montré incapable de mener une conversation sérieuse et même une conversation tout court.

Enfin, Justin, est-ce que tu connais un seul mec qui ait envie de faire la conversation ?

Mais bien qu'elle ait atterri dans son lit, il a l'impression que Sarah, elle, en avait envie. Il a l'impression que, peut-être, elle avait des choses à lui dire, et les avait sans doute dites, en plongeant ses tristes yeux bleus dans les siens, tandis que ses lèvres, tels des boutons de rose, s'ouvraient et se fermaient. Mais le Jameson avait brouillé ses paroles.

Justin vient d'achever son deuxième séminaire en deux mois. Il jette ses vêtements dans son sac, ravi de tourner le dos à cette chambre minable qui sent le renfermé. Vendredi après-midi, c'est le moment de reprendre l'avion pour Londres. De rejoindre sa fille, ainsi que son frère cadet Al et sa belle-sœur Doris, venus de Chicago lui rendre visite. Il sort de l'hôtel, débouche dans les ruelles pavées du centre historique de Dublin et monte dans le taxi qui l'attend.

— L'aéroport, s'il vous plaît.

— Vous êtes en vacances ? demande aussitôt le chauffeur.

— Non.

Justin regarde par la vitre, espérant mettre ainsi fin à la conversation.

— Vous travaillez ici ?

Le chauffeur démarre.

— Oui.

— Où ça ?

— À l'université.

— Laquelle ?

Justin soupire.

— Trinity.

— Vous êtes concierge ?

Les yeux verts qui le regardent dans le rétroviseur pétillent, narquois.

— Je suis professeur d'art et architecture, se défend-il en croisant les bras et en soufflant sur sa frange pour se dégager les yeux.

— Architecture ? J'ai été maçon.

Justin ne répond pas et espère que la conversation va en rester là.

— Alors vous allez où ? Vous partez en vacances ?

— Non.

— Quoi, alors ?

— J'habite à Londres.

Et mon numéro de Sécurité sociale aux États-Unis est le...

— Et vous travaillez ici ?

— Ouais.

— Vous ne voulez pas habiter ici ?

— Non.

— Et pourquoi ?

— Parce que je n'y donne que quelques conférences. Un ancien collègue m'a invité à donner un séminaire une fois par mois.

— Ah.

Le chauffeur lui sourit dans le rétroviseur, comme s'il tentait de le mener en bateau.

— Et vous faites quoi à Londres ?

Son regard est interrogateur.

Je suis un tueur en série qui s'attaque aux chauffeurs de taxis trop curieux.

— Des tas de choses.

Justin soupire et s'avachit en voyant que le chauffeur en attend davantage.

— Je suis rédacteur en chef de l'*Art and Architectural Review*, la seule publication vraiment internationale sur l'art et l'architecture, déclare-t-il avec fierté. Je l'ai lancée il y a dix ans et elle reste inégalée. C'est la revue la plus vendue de sa catégorie.

Vingt mille abonnés, espèce de menteur.

Pas de réactions.

— Je suis aussi conservateur.

— Conservateur de quoi ?

— Dans un musée. Et puis j'interviens régulièrement dans une émission artistique et culturelle de la BBC.

Deux fois en cinq ans, ce n'est pas tout à fait ce qu'on appelle régulièrement, Justin. Oh, ferme-la !

Le chauffeur l'examine dans son rétroviseur.

— Vous passez à la télé ?

Il plisse les yeux.

— Je ne vous reconnais pas.

— Ah bon ? Vous regardez l'émission ?

— Non.

Alors ?

Justin lève les yeux au ciel. Il retire sa veste, ouvre encore un bouton de sa chemise et baisse la vitre. Ses cheveux lui collent au front. Encore. Plusieurs semaines ont passé et il n'est toujours pas allé chez le coiffeur. Il souffle sur sa frange pour l'écarter de ses yeux.

Ils s'arrêtent à un feu rouge et Justin regarde à sa gauche. Un salon de coiffure.

— Hé, ça vous ennuierait de vous arrêter là, à gauche ? J'en ai pour quelques minutes.

— Écoute, Conor, ne t'inquiète pas. Arrête de t'excuser, lui dis-je au téléphone, d'un ton las.

Il m'épuise. Le moindre mot échangé avec lui me fatigue.

— Papa est avec moi maintenant, on va rentrer ensemble en taxi, encore que je sois parfaitement capable de rester assise dans une voiture toute seule.

Devant l'hôpital, papa m'ouvre la portière et je monte dans le taxi. Je rentre enfin à la maison, mais je n'éprouve pas le soulagement que j'espérais. Je ne ressens que de l'angoisse. L'angoisse de croiser des gens que je connais et de devoir expliquer ce qui s'est passé, encore et encore. L'angoisse d'entrer dans ma maison et de devoir affronter la chambre d'enfant à demi achevée. L'angoisse de devoir me débarrasser des meubles et vêtements d'enfant, de devoir les remplacer par un lit d'appoint et remplir les armoires de mes propres sacs et chaussures superflus, que je ne porterai jamais. Comme si tout cela pouvait remplacer un enfant. L'angoisse de devoir retourner au travail au lieu de prendre le congé prévu. L'angoisse de voir Conor. L'angoisse de retourner à un mariage sans amour, sans bébé pour nous distraire. L'angoisse de vivre chaque jour du reste de ma vie, et pendant ce temps Conor me serine dans le téléphone son envie d'être là pour moi, alors qu'il me semble que depuis plusieurs jours je ne cesse de lui répéter de ne pas venir. Je sais que, selon le sens commun, je devrais avoir envie que mon mari se précipite à la maison pour me rejoindre – en fait, mon mari devrait avoir envie de se précipiter à la maison pour me rejoindre – mais il y a beaucoup de mais dans notre mariage, et cet *incident* n'a rien de normal ou d'habituel. Il mérite un comportement étrange. Se comporter comme il faut, en adulte, me paraît faux, parce que je n'ai envie de personne avec moi. J'ai été examinée, sondée, testée, physiquement et psychiquement. Je veux être seule pour pleurer. Je veux m'apitoyer sur moi-même sans phrases de compassion ni explications cliniques. Je veux être illogique, pleurnicheuse, nombriliste, amère et perdue pour quelques jours encore, s'il te plaît, monde extérieur, et seule.

Mais cela n'a rien d'inhabituel dans notre mariage.

Conor est ingénieur. Il voyage à travers le monde pendant des mois, revient à la maison pour un mois, et repart. Avant, j'étais si habituée à vivre seule que la première semaine après son retour, je devenais irritable, j'avais envie qu'il s'en aille. Cela passait avec le temps, bien sûr. Maintenant, mon irritabilité dure tout le mois. Et il est devenu flagrant que je ne suis pas la seule à éprouver ce sentiment.

Quand Conor avait accepté ce poste, plusieurs années auparavant, nous supportions mal d'être séparés si longtemps. Je lui rendais visite aussi souvent que je pouvais, mais il était difficile de prendre sans cesse des congés. Les visites s'étaient faites plus courtes, plus rares, puis elles avaient cessé.

J'avais toujours pensé que notre mariage pourrait survivre à tout si nous le voulions vraiment. Mais ensuite, je me suis aperçu que je me forçais à le vouloir. Je creusais dans les nouvelles strates de complexité que nous avions fabriquées au fil des années pour retrouver le début de notre relation. Je me demandais ce que nous avions alors, que nous pourrions raviver. Quelle est cette chose qui peut donner envie à deux personnes de se promettre de passer chaque journée du reste de leur vie ensemble ? Ah ! j'ai trouvé : c'est quelque chose qui s'appelle l'amour. Un petit mot tout simple. Si seulement il ne signifiait pas tant, notre mariage serait sans nuages.

Mon esprit a beaucoup vagabondé pendant le temps que j'ai passé couchée dans ce lit d'hôpital. Parfois, il s'arrêtait net dans ses pérégrinations, comme lorsqu'on entre dans une pièce et qu'on oublie ce que l'on venait y faire. Il restait là, engourdi, et en regardant les murs roses je ne pensais à rien sinon au fait que je regardais des murs roses.

Mon esprit passait de l'engourdissement à une sensibilité exacerbée. Une fois, perdue très loin dans mes pensées, j'avais creusé très profond et retrouvé un souvenir datant de mes six ans. Ma grand-mère Betty m'avait offert un service à thé miniature que j'adorais. Elle le gardait chez elle pour que je puisse jouer avec quand je lui rendais visite le samedi, et l'après-midi, quand ma grand-mère « prenait le thé » avec ses amies, j'enfilais une des jolies robes que portait ma mère quand elle était enfant, et je prenais le thé avec tante Jemina, la chatte. Les robes n'étaient jamais à ma taille mais je les portais quand même. Ni tante Jemina ni moi ne prîmes goût au thé, mais nous étions toutes deux assez polies pour continuer de faire semblant jusqu'à ce que mes parents viennent me chercher à la fin de la journée. J'ai raconté cette histoire à Conor il y a quelques années, et il a éclaté de rire, il n'avait rien compris.

Ce n'était pas facile – je ne le lui reprocherai pas – mais ce que j'essayais de lui faire comprendre, c'est que je remarquais de plus en plus souvent qu'on ne se lasse jamais vraiment de faire semblant et de se déguiser, malgré les années qui passent. Nos mensonges se font plus sophistiqués, nos paroles trompeuses, plus éloquentes. Au jeu de mari et femme, comme à celui des cow-boys et des Indiens, des médecins et des infirmières, nous ne cessons jamais de faire semblant. Assise dans ce taxi à côté de papa, en écoutant la voix de Conor au téléphone, je me rends compte que j'ai cessé de faire semblant.

— Où est Conor ? s'enquiert papa dès que je raccroche.

Il ouvre les boutons du haut de sa chemise et desserre sa cravate. Il met une chemise et une cravate chaque fois qu'il sort de chez lui, et n'oublie jamais sa casquette. Il cherche la poignée pour baisser la vitre.

— C'est électronique, papa. C'est ce bouton-là. Il est encore au Japon. Il rentrera dans quelques jours.

— Je croyais qu'il devait rentrer hier.

Il descend la vitre jusqu'en bas et le vent s'engouffre. Sa casquette s'envole de sa tête et les mèches de cheveux qui lui restent se dressent. Il remet sa casquette sur son crâne, se débat quelques instants avec le bouton avant de réussir à laisser seulement une fente en haut de la vitre pour faire pénétrer un peu d'air dans l'habitacle confiné.

— Ah ! Je t'ai eu ! triomphe-t-il, souriant, en tapant du poing contre la vitre.

Maintenant qu'il a fini de se battre avec la fenêtre, je lui réponds :

— Je l'en ai empêché.

— Tu as empêché qui de faire quoi, ma chérie ?

— Conor. Tu demandais des nouvelles de Conor.

— Ah, c'est vrai. Il rentre bientôt, non ?

Je hoche la tête.

72

Il fait chaud et je souffle sur ma frange pour l'écarter de mon front poisseux. Je sens mes cheveux qui collent à mon cou moite. Soudain, j'ai la sensation qu'ils sont lourds et gras. Bruns et en bataille, ils me pèsent sur le crâne et, à nouveau, je ressens l'impulsion irrépressible de les raser. Je commence à m'agiter sur mon siège et mon père, qui le sent, sait qu'il ne doit rien dire. Je n'ai pas cessé de toute la semaine : j'éprouve une colère incompréhensible, si violente que j'ai envie d'enfoncer les poings dans les murs et de boxer les infirmières. Puis je deviens larmoyante, je ressens une telle perte en moi que j'ai l'impression que le vide ne sera jamais comblé. Je préfère la colère. La colère vaut mieux. La colère est chaude, elle me remplit, me donne quelque chose à quoi m'accrocher.

La voiture s'arrête à un feu rouge et je regarde à gauche. Un salon de coiffure.

— Garez-vous ici, s'il vous plaît.

— Qu'est-ce que tu fais, Joyce ?

— Attends dans la voiture, papa. J'en ai pour dix minutes. Je vais juste me faire couper les cheveux en vitesse. Je ne peux plus les supporter.

Papa regarde le salon, puis le chauffeur du taxi. Tous deux ont le bon sens de se taire. Le taxi juste devant nous met son clignotant et oblique lui aussi vers la gauche. Nous nous garons derrière lui.

Devant nous un homme sort de la voiture et je me fige, un pied sur le trottoir, pour l'examiner. Il me paraît familier, je pense que je le connais. Il s'arrête et me regarde. Nous nous dévisageons un moment. Chacun scrute le visage de l'autre. Il se gratte le bras gauche, geste qui retient mon attention bien trop longtemps. C'est un instant inhabituel. J'en ai la chair de poule. La dernière chose dont j'ai envie, c'est de rencontrer quelqu'un que je connais. Je m'empresse de détourner la tête.

Il se détourne aussi et se met à marcher.

— Qu'est-ce que tu fais ? demande papa, bien trop fort, et je me décide à descendre de la voiture.

Je me mets à marcher vers le salon de coiffure et il devient vite évident que nous avons la même destination. Mon pas se fait mécanique, gauche, timide. Il y a chez lui quelque chose qui me désarçonne. Me perturbe. C'est peut-être le risque de devoir dire à quelqu'un qu'il n'y aura pas de bébé. Oui, un mois à ne parler que de bébés, et pas de bébé à l'arrivée. Désolée, les mecs. Je me sens coupable, comme si j'avais dupé mes amis et ma famille. La plus longue de toutes les blagues. Un bébé qui ne viendra jamais. Mon cœur se tord à cette idée.

Il me tient la porte du salon et sourit. Beau garçon. Visage frais. Grand. Large d'épaules. Athlétique. Parfait. Est-ce qu'il émet de la lumière ? Je le connais sûrement.

— Merci, lui dis-je.

— De rien.

Il a un accent américain.

Nous nous arrêtons tous deux, nous dévisageons, reportons nos regards vers les deux taxis identiques qui nous attendent au bord du trottoir, puis nous dévisageons encore. Je pense qu'il s'apprête à dire quelque chose mais je détourne la tête et entre dans le salon. Il n'y a pas de clients, seulement deux employés, assis, qui bavardent. Ce sont deux hommes ; l'un a une coupe à la McGyver, l'autre est teint en blond pâle. Ils nous aperçoivent et se lèvent d'un bond.

— Lequel vous voulez ? demande l'Américain du coin des lèvres.

— Le blond.

— Alors je prends McGyver.

J'éclate de rire.

— Bonjour mes chéris.

McGyver s'approche de nous.

— Que puis-je faire pour vous ?

Il regarde tour à tour l'Américain et moi.

— Qui c'est qui se fait coiffer aujourd'hui ?

— Tous les deux, je suppose, non ? dit l'Américain en me regardant.

Je hoche la tête.

— Oh, excusez-moi. J'ai cru que vous étiez ensemble.

Je me rends compte que nous nous tenons si près que nos hanches se frôlent. Nous baissons tous deux les yeux vers nos hanches, les relevons pour nous regarder, puis nous écartons tous deux d'un pas.

— Vous devriez vous mettre à la natation synchronisée, tous les deux, remarque le coiffeur en riant. Mais nous ne réagissons pas, et sa plaisanterie tombe à plat.

— Ashley, tu prends madame. Vous, venez avec moi.

Il dirige son client vers un fauteuil. L'Américain me lance une grimace avant de s'asseoir et je me mets à rire.

— Bien, je voudrais que vous coupiez cinq centimètres, pas plus, déclare l'Américain. La dernière fois, on m'en a enlevé au moins vingt. Cinq centimètres, pas plus, insiste-t-il. J'ai un taxi qui m'attend devant pour m'emmener à l'aéroport, alors faites aussi vite que possible, s'il vous plaît.

Son coiffeur éclate de rire.

— OK, pas de problèmes. Vous repartez pour l'Amérique ?

— Non, je ne vais pas en Amérique, fait l'homme en levant les yeux au ciel. Je ne pars pas en vacances et je ne vais pas chercher quelqu'un. Je vais prendre un avion, c'est tout. Partir. Quitter ce pays. Vous en posez des questions, vous les Irlandais.

— C'est vrai ?

— Ou...

Il s'interrompt et plisse les yeux en regardant le coiffeur.

— Je vous ai bien eu ! triomphe le coiffeur en souriant, et en agitant ses ciseaux vers lui.

— Oui. Vous m'avez bien eu, dit-il les dents serrées.

Je ris tout haut et il regarde immédiatement vers moi. Il paraît quelque peu perplexe. Peut-être nous connaissons-nous. Peut-être travaille-t-il avec Conor. Peut-être suis-je allée à l'école avec lui. Impossible, il est américain. Peut-être lui ai-je fait visiter une maison. Peut-être est-il célèbre, auquel cas je ne devrais pas le fixer ainsi. La gêne m'envahit et je me détourne en hâte.

Mon coiffeur m'enveloppe d'une blouse noire et je lance un nouveau coup d'œil à l'homme près de moi, dans la glace. Il me regarde. Je regarde ailleurs, puis de nouveau vers lui. Il regarde ailleurs. Et notre partie de tennis dure tout le temps de notre séjour dans le salon.

— Qu'est-ce que ce sera, pour vous, madame ?

— On coupe tout, dis-je en essayant d'éviter mon reflet.

Mais je sens des mains froides sur mes joues brûlantes, qui me font lever la tête, et je suis obligée de me regarder, face à face. Il y a quelque chose de démoralisant dans le fait d'être forcé de se regarder quand on rechigne à accepter quelque chose. Quelque chose de cru, de réel, qu'on ne peut fuir. On peut se mentir, mentir à son esprit et dans son esprit, tout le temps, mais quand on se regarde en face, on sait qu'on ment. Je ne vais pas bien. Cela, je ne me le cache pas, et cette vérité me rend mon regard. J'ai les joues creusées, de petits cernes noirs sous les yeux, des lignes rouges, comme de l'eye-liner, qui me brûlent encore, après mes larmes nocturnes. Mais malgré tout, je me ressemble toujours. En dépit de cet énorme changement dans ma vie, j'ai exactement la même apparence. Je suis fatiguée, mais je suis moi. Je ne sais pas à quoi je m'attendais. À voir une femme complètement transformée, quelqu'un dont les gens, au premier coup d'oeil, comprendraient aussitôt qu'elle a vécu un traumatisme. Pourtant, le miroir me dit ceci : on ne peut pas tout savoir en me regardant. On ne peut jamais tout savoir juste en regardant quelqu'un.

Je mesure un mètre soixante-deux, j'ai les cheveux mi-longs, jusqu'aux épaules. Ils sont quelque part entre le blond et le brun. Je suis une personne moyenne. Ni grosse, ni maigre. Je fais de l'exercice deux fois par semaine, un peu de course à pied, un peu de marche, un peu de natation. Ni trop, ni trop peu. Pas d'obsession, ni de dépendance à rien. Je ne suis ni extravertie, ni timide, un peu des deux, selon mon humeur, selon l'occasion. Je n'en fais jamais trop, j'apprécie la plupart des choses que je fais. Je m'ennuie rarement, je me plains rarement. Quand je bois, je m'enivre légèrement mais jamais au point de m'écrouler ou d'être malade. J'aime bien mon travail, sans plus. Je suis jolie, sans être d'une beauté renversante. Je ne suis jamais trop impatiente, jamais trop déçue. Je ne suis jamais survoltée, ni complètement déprimée. Juste équilibrée. Je ne suis pas mal. Rien de spectaculaire, mais parfois un petit je-ne-sais-quoi. Je regarde dans la glace et je vois cette personne moyenne. Un peu fatiguée, un peu triste. Mais pas anéantie. Je regarde l'homme près de moi et je vois la même chose.

— S'il vous plaît ?

Le coiffeur interrompt mes pensées.

— Vous voulez vraiment tout couper ? Vous êtes sûre ? Vous avez des cheveux très sains.

Il y fait glisser ses doigts.

— C'est votre couleur naturelle ?

— Oui. Je faisais des teintures, avant, mais j'ai arrêté à cause du...

J'allais dire « du bébé ». Mes yeux s'emplissent de larmes et je baisse la tête.

— Vous avez arrêté pourquoi ? s'enquiert-il.

Je ne trouve rien à répondre, alors je fais mine d'avoir mal entendu.

— Hein ?

— Vous disiez que vous aviez arrêté à cause de quelque chose ?

— Oh, euh...

Ne pleure pas. Ne pleure pas. Si tu commences maintenant, tu ne t'arrêteras jamais.

— Je ne sais pas.

Je me penche pour tripoter mon sac à mes pieds. Ça va passer. Ça va passer. Un jour ça passera, Joyce.

— Les produits chimiques. J'ai arrêté à cause des produits chimiques.

— Bien. Voilà ce que ça va donner.

Il me prend les cheveux et les attache sur ma nuque.

— Et si on faisait une coupe à la Meg Ryan dans *French Kiss* ?

Il me tire les cheveux dans tous les sens et j'ai l'air d'avoir mis les doigts dans une prise électrique.

— Le look saut du lit, c'est très sexy. Ou alors, on peut faire ça.

Il continue de jouer avec mes cheveux.

— On pourrait se dépêcher ? Moi aussi, j'ai un taxi qui m'attend.

Je regarde par la vitrine. Papa bavarde avec le chauffeur. Ils rient tous deux et je me détends un peu.

— D'ac... cord. Ces choses-là ne doivent pas être faites dans la précipitation. Vous avez beaucoup de cheveux.

— Très bien. Je vous autorise à vous précipiter. Coupez tout.

Je reporte mon attention vers la voiture.

— Il faut bien en laisser un peu, mon chou.

Il dirige mon visage vers la glace de nouveau.

— Vous ne voudriez pas ressembler à Sigourney Weaver dans *Alien*, si ? On ne fait pas de coupes parachutistes dans ce salon. Je vais vous faire une frange balayée, très raffinée, très actuelle. Ça vous ira bien, je crois, ça mettra vos pommettes en valeur. Qu'est-ce que vous en dites ?

Je me fiche de mes pommettes. Je veux me débarrasser de mes cheveux.

— En fait, et si on faisait tout simplement ça ?

Je lui prends les ciseaux des mains, coupe ma queue de cheval, et lui rends le tout.

Il a un hoquet un peu grinçant.

— Ou alors on pourrait faire ça. Un... carré.

L'Américain reste bouche bée à la vue de mon coiffeur, avec ses grands ciseaux et vingt-cinq centimètres de cheveux dans la main. Il se tourne vers le sien et attrape les ciseaux.

— Ne me faites pas ça ! martèle-t-il.

McGyver soupire et lève les yeux au ciel.

— Bien sûr que non, monsieur.

L'Américain recommence à se gratter le bras gauche.

— J'ai dû me faire piquer.

Il tente de remonter sa manche et je me tortille dans mon fauteuil pour essayer d'apercevoir son bras.

— Vous pourriez arrêter de bouger ? demandent les deux coiffeurs exactement en même temps.

Ils se regardent l'un l'autre et éclatent de rire.

— Il y a un drôle de truc dans l'air, aujourd'hui, commente l'un d'eux.

L'Américain et moi nous dévisageons. Un drôle de truc, en effet.

— Regardez vers la glace, s'il vous plaît, monsieur.

Il tourne la tête.

Mon coiffeur pose un doigt sous mon menton et me redirige vers la glace. Il me tend ma queue de cheval.

— En souvenir.

— Je n'en veux pas.

Je refuse de prendre mes cheveux dans ma main. Chaque centimètre de ces cheveux date d'un moment qui est passé. Des pensées, vœux, espoirs, désirs, rêves qui ne sont plus. Je veux un nouveau départ. De nouveaux cheveux.

Il entreprend maintenant de donner un style à ma coupe, et je suis des yeux la chute de chaque mèche, jusqu'au sol. Ma tête me paraît plus légère.

Les cheveux qui ont poussé le jour où nous avons acheté le berceau. Clac.

Les cheveux qui ont poussé le jour où nous avons choisi les couleurs pour la chambre d'enfant, les biberons, bavoirs et grenouillères. Achetés trop tôt, mais nous étions si heureux... Clac.

Les cheveux qui ont poussé le jour où nous avons décidé des prénoms. Clac.

Le jour où nous avons annoncé la nouvelle aux amis et à la famille. Clac.

Le jour de la première échographie. Le jour où j'ai découvert que j'étais enceinte. Le jour où mon bébé a été conçu. Clac. Clac. Clac.

Les souvenirs les plus récents, les plus douloureux, subsisteront aux racines encore quelque temps. Il me faudra attendre que mes cheveux aient repoussé pour m'en débarrasser, et alors toute trace aura disparu et je passerai à autre chose.

J'atteins le comptoir pendant que l'Américain paie sa coupe.

— Ça vous va bien, commente-t-il en m'examinant.

Je vais repousser une mèche de cheveux derrière mon oreille, pour me donner une contenance, mais il n'y a plus rien. Je me sens plus légère, j'ai un peu le vertige, un vertige léger, une légèreté vertigineuse.

— À vous aussi.

— Merci.

Il m'ouvre la porte.

— Merci.

Je sors.

— Vous êtes bien trop polie, remarque-t-il.

— Merci, dis-je en souriant. Vous aussi.

— Merci, dit-il en hochant la tête.

Nous éclatons de rire. Nous regardons tous deux nos taxis qui attendent, l'un derrière l'autre, et nous dévisageons à nouveau, avec curiosité. Il me sourit.

— Premier ou deuxième taxi ? demande-t-il.

— Pour moi ?

Il hoche la tête.

— Le mien n'arrête pas de parler.

J'examine les deux taxis, vois mon père dans le second, penché en avant, qui discute avec le chauffeur.

— Le premier. Mon père n'arrête pas de parler.

Il inspecte le second taxi, où mon père, le nez collé à la vitre, me regarde comme si j'étais une apparition.

— Le second, donc, dit l'Américain en se dirigeant vers son taxi.

Il se retourne deux fois.

J'émets un « Eh ! » de protestation en le regardant, captivée.

Je flotte jusqu'à mon taxi et nous refermons nos portières en même temps. Le chauffeur et mon père me regardent comme s'ils avaient vu un fantôme.

— Qu'est-ce qu'il y a ? demandé-je, le cœur battant. Qu'est-ce qui s'est passé ? Raconte-moi.

— Tes cheveux, répond simplement mon père, l'air horrifié. On dirait un garçon.

8

Mon estomac se serre à mesure que le taxi s'approche de ma maison à Phisboro.

— C'était drôle, ce type devant nous qui a fait attendre son taxi, lui aussi, hein Gracie, tu ne trouves pas ?

— Joyce. Oui, c'est vrai.

Ma jambe tressaute nerveusement.

— C'est ça qu'ils font maintenant, les gens, quand ils vont chez le coiffeur ?

— Ils font quoi, papa ?

— Ils font attendre un taxi devant.

— Je ne sais pas.

Il avance les fesses sur le bord de la banquette et se penche vers le chauffeur.

— Dites donc, Jack, c'est ça qu'ils font les gens, maintenant, quand ils vont chez le coiffeur ?

— On ne m'avait encore jamais demandé ça, répond poliment le chauffeur.

Papa se laisse aller contre le dossier, satisfait.

— C'est bien ce que je pensais, Gracie.

Je le corrige sèchement.

— Joyce.

— Joyce. C'est une coïncidence. Et tu sais ce qu'on dit sur les coïncidences ?

— Oui.

La voiture débouche dans ma rue. Mon estomac fait un bond.

— Les coïncidences, ça n'existe pas, poursuit papa, bien que je lui aie déjà répondu oui. C'est bien vrai, ça n'existe pas. Tiens, voilà Patrick.

Il agite la main.

— J'espère qu'il ne va pas essayer de me faire signe lui aussi.

Il regarde son ami du club du lundi, appuyé des deux mains à son déambulateur.

— Et voilà David, là, avec son chien.

Il agite à nouveau la main, bien que David se soit arrêté pour laisser son chien faire sa crotte et regarde de l'autre côté. J'ai l'impression que papa se sent plutôt fier dans son taxi. Il en prend rarement, le prix est trop élevé et tous les endroits où il va sont accessibles soit à pied, soit d'un saut en autobus.

— Home, sweet home, déclare-t-il. Combien je vous dois, Jack ?

Il se penche à nouveau en avant. Il prend deux billets de cinq euros dans sa poche.

— Mauvaise nouvelle, j'en ai peur. Vingt euros, s'il vous plaît.

— Quoi ?

Papa relève la tête, sidéré.

— Je vais payer, papa, range ton argent.

Je donne vingt-cinq euros au chauffeur et lui dis de garder la monnaie. Papa me regarde comme si je venais de lui prendre une pinte de bière des mains pour la verser dans le caniveau.

Depuis notre mariage, il y a dix ans, Conor et moi habitons dans cette maison en briques rouges, insérée dans une rangée d'autres maisons toutes identiques, construites dans les années quarante. Au fil des années, nous y avons injecté tout notre argent pour la moderniser. Enfin, elle est comme nous la voulions, ou en tout cas elle l'était jusqu'à cette semaine. Devant, une barrière noire entoure un jardinet. Papa habite une maison semblable à deux rues de là, la maison où j'ai grandi. Mais on n'a jamais fini de grandir, on apprend continuellement, et lorsque j'y retourne, je retombe en enfance.

La porte de ma maison s'ouvre au moment où le taxi redémarre. La voisine de papa, Fran, me sourit depuis mon propre seuil. Elle nous observe, gênée, évite de me regarder dans les yeux chaque fois qu'elle se tourne vers moi. Je vais devoir m'y habituer.

— Oh, tes cheveux ! s'exclame-t-elle d'abord, avant de se reprendre. Excuse-moi, ma chérie, je comptais partir avant ton arrivée.

Elle ouvre la porte en grand et tire derrière elle un chariot à provisions. Elle porte un seul gant orné de marguerites, à la main droite.

Papa, l'air inquiet, évite mon regard.

— Qu'est-ce que tu faisais, Fran ? Comment est-ce que tu as pu entrer chez moi ?

J'essaie de rester polie mais voir quelqu'un dans ma maison sans ma permission me surprend et m'indigne.

Elle rosit et regarde papa. Papa fixe sa main gantée, ornée de marguerites, et toussote. Elle regarde sa main, éclate d'un rire nerveux et retire le gant.

— Oh, c'est ton père qui m'a donné la clef. J'ai pensé que... Bon, je t'ai mis un joli petit tapis dans l'entrée. J'espère qu'il te plaira.

Je la dévisage, interloquée.

— Peu importe. J'y vais.

En passant près de moi, elle me saisit le bras et le serre fort, mais elle refuse toujours de croiser mon regard.

— Prends bien soin de toi, mon petit.

Elle s'engage dans la rue, en traînant son chariot derrière elle, ses bas tire-bouchonnent sur ses chevilles épaisses.

Je me tourne vers papa, furieuse :

— Qu'est-ce que c'est que cette histoire ?

Je rentre et regarde le répugnant petit tapis poussiéreux qui jure sur ma moquette beige.

— Qu'est-ce qui t'a pris de donner mes clefs à une quasi-étrangère pour qu'elle puisse entrer chez moi et me laisser un tapis ? Je ne suis pas une œuvre de charité !

Il retire sa casquette et la froisse entre ses mains.

— Ce n'est pas une étrangère, ma chérie. Elle te connaît depuis le jour où on t'a ramenée de la maternité...

Ce n'est pas l'histoire à raconter en ce moment, et il le sait.

— Je m'en fiche ! C'est ma maison, pas la tienne. Tu ne peux pas faire ça ! Je déteste cette saleté de tapis merdique !

J'attrape un coin du tapis, le traîne au-dehors et claque la porte. Je fulmine, je me tourne vers mon père pour continuer ma tirade. Il est tout pâle, il tremble. Il regarde tristement le sol. Je suis son regard.

Des taches dans différentes nuances de brun délavé, comme du vin rouge, parsèment la moquette beige. Elles ont été effacées par endroits mais les poils, brossés dans des sens différents, laissent deviner que quelque chose a coulé à cet endroit. Mon sang.

Je me prends la tête entre les mains.

La voix de papa est calme, blessée.

— J'ai pensé qu'il valait mieux pour toi que cette tache ait disparu avant ton retour.

— Oh, papa...

— Fran est venue un peu tous les jours, elle a essayé divers produits. C'est moi qui ai proposé de mettre un tapis, ajoute-t-il d'une petite voix. Tu ne peux pas le reprocher à Fran.

Je me méprise.

— Je sais que tu adores tous ces nouveaux coloris coordonnés dans ta maison, mais ni Fran ni moi n'en avions de ce genre.

— Je m'excuse, papa. Je ne sais pas ce qui m'a pris. Je m'excuse d'avoir crié. Tu m'as beaucoup aidée cette semaine. Je... Je vais appeler Fran tout à l'heure pour la remercier comme il convient.

— Bien. Alors je te laisse. Je vais lui rapporter son tapis. Je ne veux pas que les voisins le voient dehors et le lui disent.

— Non, je vais le remettre à sa place. Il est trop lourd pour que tu le portes jusque chez elle. Je vais le garder pour le moment, je le lui rendrai bientôt.

J'ouvre la porte et récupère le tapis. Je le traîne à l'intérieur avec davantage de respect, et l'étale à l'endroit où j'ai perdu mon bébé.

— Je suis vraiment désolée, papa.

— Ne t'inquiète pas.

Il s'approche de moi de sa démarche chaloupée et me tapote l'épaule.

— Tu traverses une période difficile, je le sais bien. Je ne suis pas loin si tu as besoin de quoi que ce soit.

Un mouvement du poignet, et sa casquette se retrouve sur sa tête. Je le regarde s'éloigner de son pas balancé. Le mouvement est familier, réconfortant, comme le mouvement de la mer. Il disparaît au coin de la rue et je referme la porte. Seule. Silence. Moi et la maison. La vie continue comme si rien ne s'était passé. Il me semble que la chambre d'enfant, au premier, palpite à travers les murs et le plancher. Boum-boum. Boum-boum. Comme un cœur, elle semble vouloir repousser les murs et envoyer un torrent de sang dans l'escalier, dans les couloirs, pour atteindre le moindre recoin, la moindre fissure. Je m'éloigne de l'escalier, la scène du crime, et me mets à errer dans les pièces. Apparemment, tout est exactement comme avant, mais en y regardant de plus près je m'aperçois que Fran a fait le ménage. La tasse de thé que je buvais a disparu de la table basse dans le séjour. Dans la cuisine, le lave-vaisselle, qu'elle a mis en route, bourdonne. Les robinets et les égouttoirs étincellent. Les plans de travail reluisent. À l'autre bout de la cuisine, une porte donne sur le jardin de derrière. Le rosier de maman s'élève contre le mur du fond. Les géraniums de papa s'étalent à son pied.

Au premier, la chambre d'enfant palpite toujours.

Je remarque la lumière rouge clignotante sur le répondeur, dans l'entrée. Quatre messages. Je consulte la liste des numéros et reconnais ceux d'amis. Je m'éloigne du répondeur, incapable, encore, d'écouter leurs condoléances. Puis je me fige. Je consulte la liste à nouveau. Le voilà. Lundi soir, 19 h 10. À nouveau à 19 h 12. Ma seconde chance de décrocher. De prendre l'appel pour lequel j'ai bêtement couru dans l'escalier et sacrifié la vie de mon enfant.

Ils ont laissé un message. D'un doigt tremblant, j'appuie sur play.

« Bonjour, c'est X-ray-vision, à Phisboro. Je vous appelle pour le DVD *Noël chez les Muppets*. D'après notre système informatique, vous avez une semaine de retard. Nous vous serions reconnaissants de le rapporter dès que possible. Merci. »

J'ai un hoquet. Dans mes yeux, les larmes jaillissent. À quoi pouvais-je m'attendre ? À un appel digne de la perte de mon enfant ? Quelque chose de si urgent que j'aurais eu raison de me précipiter et qui aurait, d'une certaine manière, justifié cette perte ?

Mon corps tout entier tremble de rage et d'émotion. Haletante, je regagne le séjour. Je regarde immédiatement vers le lecteur de DVD. Le film que j'ai loué quand je m'occupais de ma filleule est dessus. Je tends le bras, le saisis, le serre entre mes mains, comme pour l'étouffer. Puis je le jette de toutes mes forces. Il renverse les photographies disposées sur le piano, fêle le verre de notre photo de mariage, ébrèche le revêtement argenté d'un autre cadre.

J'ouvre la bouche. Et je hurle. Je hurle de toute la force de mes poumons. Le son est grave, profond, angoissé. Je recommence, je fais durer mon cri aussi longtemps que je le peux. Je hurle encore et encore, du fond de mon ventre, du plus profond de mon cœur. Je pousse des gémissements au bord du rire, mêlés de frustration. Je crie encore et encore, jusqu'à ce que le souffle me manque et que ma gorge me brûle.

Au-dessus, la chambre d'enfant continue de palpiter. Boum-boum. Boum-boum. Elle m'appelle, le cœur de ma maison bat la chamade. J'approche de l'escalier, enjambe le tapis et commence à monter. J'agrippe la rampe, je me sens trop faible même pour lever les jambes. Je me hisse au premier. Les pulsations se font de plus en plus fortes à chaque marche, jusqu'à ce que j'atteigne le palier et me tourne vers la porte de la chambre d'enfant. Les pulsations cessent. À présent, tout est silencieux.

Je fais courir mon doigt sur la porte, y appuie ma joue, je voudrais que ce qui s'est passé n'ait pas eu lieu. Je saisis la poignée et ouvre la porte.

Un mur à demi peint en jaune bouton d'or m'accueille. Des couleurs et des odeurs douces. Un berceau surmonté d'un mobile de petits canards jaunes. Un coffre à jouets décoré de lettres géantes. À une petite tringle pendent deux grenouillères. Des petits chaussons sur une commode.

Dans le berceau, un joyeux lapin en peluche me sourit bêtement. Je retire mes chaussures et pose mon pied nu sur la moquette moelleuse, j'essaie de m'enraciner dans ce monde. Je referme la porte derrière moi. Tout est silencieux. Je saisis le lapin et le promène avec moi dans la chambre, en caressant les meubles tout neufs, les vêtements et les jouets. J'ouvre une boîte à musique et regarde le souriceau se mettre à tourner en rond à l'intérieur, pourchassant un morceau de fromage sur une musique engourdissante, métallique.

— Je regrette, Sean.

Les mots se bloquent dans ma gorge.

— Je regrette tellement.

Je m'assois sur la moquette moelleuse, serre mes jambes contre moi et étreins le lapin, qui heureusement ne sent rien. Je regarde à nouveau le souriceau dont l'existence consiste à chasser éternellement un morceau de fromage qu'il n'attrapera ni ne mangera jamais.

Je claque le couvercle. La musique se tait et je reste dans le silence.

9

— Je ne trouve rien à manger dans cet appartement, crie Doris, tout en fouillant les placards de la cuisine chez Justin. Il va falloir aller chercher des plats à emporter.

— Alors, peut-être que tu la connais, cette femme, suggère Al à son frère, assis sur un fauteuil de jardin en plastique dans le séjour à demi meublé.

— Non, c'est ce que j'essaie d'expliquer. C'est *comme si* je la connaissais, mais en même temps, je ne la connais pas du tout.

— Tu l'as reconnue.

— Oui. Enfin, non.

Plus ou moins.

— Et tu ne sais pas son nom.

— Non, ça, j'en suis sûr.

— Eh ! Quelqu'un m'écoute ou je parle toute seule ? interrompt à nouveau Doris. J'ai dit qu'il n'y avait rien à manger dans cet appartement, alors il va falloir aller chercher des plats à emporter.

— D'accord, trésor, répond Al par réflexe. C'est peut-être une de tes étudiantes, ou alors, elle a assisté à une de tes conférences. Tu te souviens des gens qui viennent à tes conférences, d'habitude ?

— Il y en a des centaines à chaque fois. Et la plupart du temps, ils sont dans le noir.

— Donc, c'est non.

Al se frotte le menton.

— En fait, on peut oublier les plats à emporter, crie Doris. Tu n'as ni assiettes ni couverts – il va falloir manger dehors.

— Et il faut que ce soit bien clair, Al. Quand je dis que je l'ai « reconnue », en réalité, je ne connaissais pas vraiment son visage.

Al fronce les sourcils.

— C'était juste une sensation. Comme si elle m'était familière.

Oui, c'est ça, elle m'était familière.

— Peut-être qu'elle ressemble simplement à quelqu'un que tu connais.

Peut-être.

— Eh ! Est-ce qu'il y a quelqu'un qui m'écoute ? intervient Doris, debout à la porte du séjour, avec ses ongles de deux centimètres et demi, imprimés léopard, sur ses hanches enveloppées d'un pantalon en cuir moulant.

Elle a trente-cinq ans, est italo-américaine et parle à toute vitesse. Elle est mariée à Al depuis dix ans. Pour Justin, elle est comme une petite sœur adorable mais pénible. Elle n'a pas un gramme de graisse sur les os, et tout ce qu'elle porte semble sortir de la garde-robe de Sandy dans *Grease*, améliorée et remise au goût du jour.

— D'accord, trésor, répète Al, sans quitter Justin des yeux.

— C'est peut-être un phénomène de déjà-vu, suppose Justin en se frottant le menton, perdu dans ses pensées.

— Qu'est-ce que c'est exactement ? demande Al tandis que Doris tire un carton rempli de livres pour s'asseoir avec eux.

— C'est une expression forgée par le philosophe Émile Boirac dans un essai qu'il a écrit à l'université de Chicago, pour décrire l'impression que la situation présente s'est déjà produite auparavant.

— Au hockey !

Al lève la vieille coupe gagnée autrefois par Justin et qui lui sert de verre, puis lampe sa bière.

Doris le contemple avec dédain.

— Continue, Justin.

— L'expérience de déjà-vu est généralement accompagnée d'une sensation très forte de familiarité, et aussi d'étrangeté, de menace. Elle est la plupart du temps attribuée à un rêve, bien que dans certains cas on ait l'impression très nette que les faits se sont réellement produits auparavant.

— Wouaouh ! soupire Doris.

— Et alors, où est-ce que tu veux en venir ? rote Al.

— Je ne crois pas que ce qui s'est passé aujourd'hui entre moi et cette femme soit un phénomène de déjà-vu.

Justin fronce les sourcils, soupire.

Tous se taisent.

Al rompt le silence.

— Tu es sûr que tu n'as pas couché avec elle autrefois ?

— Al !

Doris frappe son mari au bras.

— Pourquoi est-ce que tu ne m'as pas demandé de te couper les cheveux, Justin, et de qui est-ce qu'on parle ?

— Tu as un salon de toilettage pour chiens ! proteste Justin.

— Les poils et les cheveux, quelle différence ?

— Je vais essayer de t'expliquer, coupe Al. Justin a vu une femme hier dans un salon de coiffure à Dublin et il dit qu'il l'a reconnue, sans avoir jamais vu son visage, et qu'il avait l'impression de la connaître, sans vraiment la connaître.

Il roule des yeux avec une expression mélodramatique, en tournant la tête pour que Justin ne le voie pas.

— Oh mon Dieu ! s'écrie Doris. Je sais ce que c'est.

— Et c'est quoi ? demande Justin en buvant dans un verre à dents.

— C'est évident.

Elle lève les mains et regarde tour à tour les deux frères pour accentuer l'effet dramatique.

— C'est une histoire de vies antérieures !

Son visage s'illumine.

— Tu as connu cette femme dans une vie antérieure, articule-t-elle lentement. J'ai vu une émission là-dessus à la télé.

Elle hoche la tête, en écarquillant les yeux.

— Arrête ces conneries, Doris. Elle ne parle que de ça en ce moment. Elle a vu un truc là-dessus à la télé, et elle m'en a rebattu les oreilles pendant tout le vol depuis Chicago.

— Je ne crois pas que ce soit une question de vies antérieures, Doris, mais merci.

Doris claque de la langue, réprobatrice.

— Vous devriez garder l'esprit ouvert sur ce genre de choses, tous les deux, parce qu'on ne sait jamais.

— Exactement, rétorque Al. On ne sait *jamais*.

— Calmez-vous, tous les deux. Cette femme avait quelque chose de familier, voilà tout. Peut-être qu'elle ressemble à quelqu'un que je connais à Chicago. Pas de quoi en faire un fromage.

Oublie tout ça et passe à autre chose.

— C'est toi qui as commencé avec tes histoires de déjà-vu, bougonne Doris. Comment est-ce que tu expliques ça ?

Justin hausse les épaules.

— La théorie du chemin optique différé.

Tous deux le contemplent d'un œil rond.

— Selon cette théorie, un œil enregistre ce qu'on voit imperceptiblement plus vite que l'autre, ce qui crée cette forte impression de souvenir de la même scène vue quelques millisecondes plus tard par l'autre œil. Fondamentalement, c'est le produit d'une réception optique retardée dans un œil, suivant de près la réception de l'autre œil, alors qu'elles devraient être simultanées. Le phénomène trompe la perception consciente et donne une fausse impression de familiarité.

Silence.

Justin s'éclaircit la gorge.

— Crois-moi si tu veux, trésor, je préfère ton histoire de vie antérieure, déclare Al avec un petit rire étouffé, avant de finir sa bière.

— Merci, chéri.

Doris pose les mains sur son cœur, chavirée.

— En tout cas, comme je disais quand je parlais toute seule dans la cuisine, il n'y a ni nourriture, ni couverts, ni vaisselle ici, donc nous allons devoir manger dehors. Regarde comment tu vis, Justin. Je m'inquiète pour toi.

Doris balaie la pièce du regard, écœurée. Ses cheveux teints en roux, coiffés en arrière et laqués, suivent le mouvement.

— Tu es venu ici tout seul, tu n'as que des meubles de jardin et des cartons encore fermés dans un appartement en sous-sol qui a l'air d'avoir été bâti pour des étudiants. De toute évidence, c'est à Jennifer qu'est revenu tout le bon goût dans ce divorce.

— C'est un chef-d'œuvre d'architecture victorienne, Doris. Un endroit exceptionnel, et le seul que j'aie pu trouver qui possède un tant soit peu de cachet, pour un loyer raisonnable. La vie est chère dans cette ville.

— Je suis certaine que cet endroit était un petit bijou, il y a quelques centaines d'années, mais maintenant il me fiche la trouille et celui qui l'a construit rôde probablement encore ici. Je le sens qui me regarde.

Elle frissonne.

— Tu te flattes ! se moque Al en levant les yeux au ciel.

— Cet appartement n'a besoin que d'un peu d'amour et de soins, et il sera très bien, déclare Justin, en essayant d'oublier l'appartement qu'il adorait et vient de vendre dans le vieux Chicago huppé.

— Et c'est pourquoi je suis venue !

Doris tape des mains, ravie.

— Super.

Le sourire de Justin est crispé.

— Allons dîner maintenant. J'ai envie d'un steak.

— Mais Joyce, tu es végétarienne.

Conor me regarde comme si j'avais perdu la tête. C'est probablement le cas. Je ne me rappelle pas la dernière fois que j'ai mangé de la viande rouge, mais j'en ai soudain envie, maintenant que nous sommes installés dans le restaurant.

— Je ne suis pas végétarienne, Conor, je n'aime pas la viande rouge, c'est tout.

— Mais tu viens de commander un steak à point !

— Je sais, dis-je en haussant les épaules. Je suis un drôle de zèbre.

Il sourit, comme s'il se souvenait du grain de folie qui m'habitait autrefois. Nous nous comportons comme deux amis qui se rencontreraient après une longue séparation. Nous avons tant à nous dire, mais nous ne savons par où commencer.

— Avez-vous choisi le vin ? demande le serveur à Conor.

Je m'empare de la carte.

— En fait, je voudrais commander celui-ci, dis-je en désignant la ligne sur la page.

— Sancerre 1998. Excellent choix, madame.

— Merci.

Je n'ai aucune idée de ce qui m'a poussée.

Conor éclate de rire.

— Tu as fait Am stram gram ?

Je souris, mais je suis dans mes petits souliers. Je ne sais pas pourquoi j'ai commandé ce vin. Il est trop cher et, d'habitude, je prends du blanc, mais je fais comme si de rien n'était, parce que je ne veux pas que Conor s'imagine que j'ai perdu la tête. Il m'a déjà crue folle en voyant mes cheveux courts. Il faut qu'il me croie redevenue moi-même pour que je puisse exprimer ce que j'ai à dire ce soir.

Le serveur revient avec la bouteille de vin.

— Tu peux te charger de le goûter, dit Al à Justin, puisque c'est toi qui l'as choisi.

Justin prend le verre, y plonge son nez et inspire profondément.

J'inspire profondément et fais tourner le vin dans mon verre, pour le voir adhérer aux parois. Je prends une gorgée, la garde sur la langue, l'avale et laisse l'alcool me brûler la bouche. Parfait.

— Il est délicieux, merci.

Je repose mon verre sur la table.

Le serveur sert Conor et finit de remplir mon verre.

— C'est un vin magnifique.

J'entreprends de lui en raconter l'histoire.

— Je l'ai découvert quand je suis allé en France avec Jennifer, il y a quelques années, explique Justin. Elle jouait au Festival des cathédrales de Picardie avec l'orchestre, ce fut une expérience mémorable. À Versailles, on est descendus à l'Hôtel du Berry, un élégant manoir de 1634 rempli de meubles d'époque. C'est pratiquement un musée d'histoire régionale. Je vous en ai parlé, rappelez-vous. Bref, pendant une de ses soirées libres, à Paris, on a découvert un merveilleux petit restaurant de poissons, caché dans une des ruelles pavées de Montmartre. On a commandé le plat du jour, du bar, mais vous savez bien que je suis un fanatique du vin rouge – même avec le poisson, je préfère boire du rouge – alors le serveur nous a proposé du sancerre. Pour moi, le sancerre, c'était un vin blanc, puisqu'il est connu pour son cépage Sauvignon, mais apparemment, ils ont aussi du pinot noir. Et le plus beau, c'est qu'on peut boire le sancerre rouge exactement comme le blanc, à douze degrés. Mais quand il n'est pas trop frais, il va très bien aussi avec la viande. Santé.

Il lève son verre vers son frère et sa belle-sœur.

Conor me regarde, visage figé.

— Montmartre ? Joyce, tu n'es jamais allée à Paris. Comment sais-tu tout ça sur le vin ? Et puis, qui c'est, cette Jennifer ?

J'hésite, sors brusquement de ma transe et entends soudain les mots de l'histoire que je viens de raconter. Je fais la seule chose possible en la circonstance. Je me mets à rire.

— Je t'ai bien eu !

— Tu m'as bien eu ?

— C'est tiré d'un film que j'ai vu l'autre soir.

— Ah !

Le soulagement envahit son visage, il se détend.

— Pendant un moment, Joyce, tu m'as fait peur. Je t'ai crue possédée.

Il sourit.

— C'était dans quel film ?

— Oh, je ne me souviens plus.

J'agite la main, dédaigneuse, en me demandant ce qui peut bien m'arriver et en essayant de me rappeler si j'ai vu un seul film, le soir, au cours de la semaine.

— Tu n'aimes plus les anchois ?

Il interrompt mes pensées en désignant le petit tas d'anchois que j'ai formé sur le bord de mon assiette.

— Donne-les-moi, frérot, dit Al en approchant son assiette de celle de Justin. J'adore ça. Comment est-ce qu'on peut manger une salade César sans anchois, ça me dépasse. Je peux manger des anchois, Doris ? demande-t-il, sarcastique. Le médecin n'a pas dit que les anchois allaient me tuer, si ?

— Sauf si on te les enfonce dans la gorge, ce qui pourrait bien arriver, réplique Doris, les dents serrées.

— J'ai trente-neuf ans et on me traite comme un gosse, geint Al en contemplant avec envie le petit tas d'anchois.

— J'ai trente-cinq ans et le seul gosse que j'ai, c'est mon mari, rétorque vertement Doris, en prenant un anchois.

Elle le goûte, plisse le nez et parcourt le restaurant du regard.

— Ils appellent ça un restaurant italien ? Ma mère et sa famille se retourneraient dans leur tombe s'ils savaient.

Elle se signe en hâte.

— Alors, Justin, parle-moi de ta nouvelle amie.

Justin fronce les sourcils.

— Vraiment, Doris, ce n'est pas une affaire d'État. Je te l'ai dit, j'ai eu l'impression de la connaître.

Et apparemment, elle aussi avait l'impression de me connaître.

— Non, pas elle, dit Al, très fort, la bouche pleine d'anchois. Elle parle de la fille que tu as baisée l'autre soir.

— Al !

Justin avale de travers.

— Joyce, s'inquiète Conor, ça va ?

Mes yeux s'emplissent de larmes, j'essaie de reprendre mon souffle entre deux quintes de toux.

— Là, bois un peu d'eau.

Il tend un verre devant mon visage.

Autour de nous, les gens regardent, inquiets.

Je tousse tant que je n'arrive même pas à respirer pour boire.

Conor se lève et me rejoint. Il me tapote le dos et je l'écarte d'un mouvement d'épaule ; je tousse toujours, les larmes ruissellent sur mes joues. Je me lève, prise de panique, en faisant tomber ma chaise.

— Al, Al ! Fais quelque chose ! Oh, Madonnina Santa ! Il est violet ! s'effraie Doris.

Al ôte sa serviette de son col et la pose calmement sur la table. Il se lève et se place derrière son frère. Il passe ses bras autour de sa taille et tire vigoureusement vers lui.

Au deuxième essai, l'aliment se décoince de la gorge de Justin.

Une troisième personne se précipite à mon secours, ou plutôt vient se joindre à la discussion de plus en plus affolée sur la bonne façon de pratiquer la méthode de Heimlich. Je cesse soudain de tousser. Trois visages surpris m'examinent tandis que je me frotte la gorge, confuse.

— Ça va ? demande Conor, en recommençant à me tapoter le dos.

— Oui. Ça va. Merci. Merci beaucoup à tous de votre aide.

Ils mettent du temps à s'éloigner.

— Regagnez vos tables et reprenez votre repas, je vous en prie. Je vais bien. Merci.

Je m'empresse de me rasseoir et frotte le mascara qui a coulé sous mes yeux, en essayant d'ignorer les regards fixés sur moi.

— Mon Dieu, que c'est embarrassant.

— C'est bizarre, tu ne mangeais même pas. Tu parlais et tout d'un coup, vlan ! Tu t'es mise à tousser.

Je hausse les épaules, me frotte la gorge.

— Je ne sais pas. J'ai inspiré et quelque chose s'est coincé.

Le serveur vient emporter les assiettes.

— Vous vous sentez mieux, madame ?

— Oui, merci, ça va.

Je sens un coup de coude dans mon dos. Notre voisin se penche vers notre table.

— Dites donc, un instant j'ai cru que c'était le travail qui commençait. Ha-ha ! Pas vrai, Margaret ?

Il regarde sa femme et éclate de rire.

— Non, dit Margaret.

Son sourire s'efface d'un coup et son visage vire au cramoisi.

— Non, Pat.

— Ah ? En tout cas, moi, je l'ai cru. Félicitations, Conor.

Il adresse un clin d'œil à Conor, devenu tout pâle.

— Fini le sommeil pour les vingt ans qui viennent, croyez-moi. Bon appétit.

Il retourne vers sa table, et nous les entendons se disputer à voix basse.

Le visage de Conor s'allonge. Il me prend la main sur la table.

— Ça va ?

— C'est arrivé quelquefois déjà.

D'instinct, je pose la main sur mon ventre plat.

— Je me suis à peine regardée dans la glace depuis que je suis rentrée. Je ne supporte pas de me voir.

Conor émet les paroles de réconfort appropriées, j'entends les mots « belle » et « jolie » mais je le fais taire. J'ai besoin qu'il écoute, pas qu'il essaie de résoudre quoi que ce soit. Je veux qu'il comprenne que je ne cherche pas à être jolie ou belle, mais que, pour une fois, j'ai envie d'apparaître simplement telle que je suis. Je veux lui dire ce que je ressens quand je me force à regarder dans la glace et à examiner mon corps, qui me fait à présent l'effet d'une coquille.

— Oh, Joyce.

Il me serre la main plus fort pendant que je parle. Il m'enfonce mon alliance dans la chair, c'est douloureux.

Une alliance, mais pas de mariage.

Je secoue un peu la main pour qu'il comprenne qu'il doit serrer moins fort. Mais il me lâche. C'est un signe. Je prononce simplement son nom. Je le regarde et je sais qu'il sait ce que je m'apprête à dire. Il a déjà vu ce regard.

— Non, Joyce, non, non. Je ne veux pas avoir cette conversation maintenant.

Il lève les deux mains dans un geste de défense.

— Tu... nous avons eu assez d'épreuves pour cette semaine.

— Conor, assez tergiversé.

Je me penche en avant, ma voix se fait pressante.

— Nous devons nous occuper de nous maintenant. Sinon, avant que nous nous en soyons rendu compte, dix ans auront passé, dix ans pendant lesquels nous nous demanderons chaque jour de notre misérable existence ce qui aurait pu arriver.

Nous avons eu cette conversation, sous une forme ou une autre, tous les ans au cours des cinq dernières années, et je m'attends aux protestations habituelles de Conor. Personne n'a dit que c'était facile, le mariage, il ne faut pas s'y attendre, nous avons échangé une promesse, le mariage c'est pour la vie, et il est bien décidé à faire de son mieux. Sauver, lors d'un naufrage, ce qui vaut d'être sauvé, prêche mon mari itinérant. Je fixe des yeux le reflet de la chandelle sur ma petite cuiller en attendant ses commentaires habituels. Quelques minutes plus tard, je me rends compte qu'il ne les a pas faits. Je lève la tête et le vois opiner du chef, apparemment pour manifester son accord, en retenant ses larmes.

J'inspire profondément. Et voilà.

Justin parcourt la carte des desserts.

— Tu ne peux pas prendre de dessert, Al.

Doris prend le menu des mains de son mari et le referme d'un geste sec.

— Pourquoi ? Je n'ai même pas le droit de le lire ?

— Tu fais grimper ton taux de cholestérol rien qu'en lisant ça.

Justin se perd dans ses pensées pendant la prise de bec. Lui non plus ne devrait pas en prendre. Depuis son divorce, il se laisse aller, se réconforte par la nourriture et a abandonné ses exercices quotidiens. Il ne devrait pas, vraiment, mais il lorgne un des desserts proposés comme un vautour qui surveille sa proie.

— Un dessert, monsieur ? demande le serveur.

Allez.

— Oui. Je vais prendre une...

— Une Banoffee pie, s'il vous plaît, dis-je au serveur en bredouillant, à ma propre surprise.

La bouche de Conor s'ouvre.

Oh, mon Dieu. Mon mariage vient de prendre fin et je commande un dessert. Je me mords la lèvre pour retenir un sourire nerveux.

Aux recommencements. À la poursuite de... quelque chose.

10

Un carillon solennel m'accueille à la porte de l'humble demeure de mon père. Il semble mériter bien mieux qu'un pavillon de quatre pièces, et d'ailleurs, mon père aussi.

Le son me ramène à ma vie entre ces murs, lorsque j'identifiais les visiteurs à leur façon de sonner. Quand j'étais enfant, les coups brefs et stridents m'indiquaient que mes amis, trop petits, devaient sauter pour atteindre la sonnette. Des coups faibles et courts m'annonçaient la présence à la porte d'un petit ami, terrifié à la simple idée d'annoncer son existence, et plus encore son arrivée, à mon père. Les séries interminables de sonneries irrégulières, le soir, accompagnaient papa rentrant du pub sans ses clefs. Les coups de sonnette aux rythmes guillerets étaient ceux de la famille, lorsqu'elle venait pour une grande occasion, tandis que les coups précipités comme des tirs de mitraillette signalaient la visite d'un représentant de commerce. J'appuie de nouveau, non seulement parce que, à dix heures du matin, la maison est silencieuse, que rien ne bouge à l'intérieur, mais aussi parce que je veux entendre à quoi ressemble mon propre coup de sonnette.

Contrit, bref, sec. Préférerait presque ne pas être entendu, mais n'a pas le choix. Il dit, désolée, papa, désolée de te déranger. Désolée que ta fille de trente-trois ans, dont tu te croyais débarrassé depuis longtemps, revienne à la maison après l'effondrement de son mariage.

Enfin j'entends du bruit à l'intérieur et je vois le mouvement chaloupé de papa qui s'approche, fantomatique et inquiétant, silhouette distordue par la vitre opaque.

— Pardon, ma chérie. Je ne t'ai pas entendue la première fois.

— Si tu ne m'as pas entendue, comment tu sais que j'ai sonné ?

Il me regarde d'un œil vide, puis baisse les yeux vers les valises autour de moi.

— Qu'est-ce que c'est que ça ?

— Tu m'as dit... que je pourrais rester un peu chez toi.

— Je croyais que tu voulais dire, jusqu'à la fin du film.

— En fait... j'espérais rester un peu plus longtemps que ça.

— Bien plus longtemps que moi, à ce que je vois.

Il balaie son perron du regard.

— Entre donc. Où est Conor ? Il s'est passé quelque chose à la maison ? Vous n'avez pas de nouveau des souris, si ? C'est la saison, alors tu aurais dû tenir les portes et les fenêtres bien fermées. Calfeutrer toutes les ouvertures, c'est ce que je fais. Je te montrerai quand tu seras installée. Conor devrait le savoir.

— Papa, je ne suis jamais venue me réfugier ici à cause de quelques souris.

— Il y a un début à tout. C'est ce que faisait ta mère. Elle détestait les souris. Elle allait passer quelques jours chez ta grand-mère, pendant que je courais partout dans la maison, comme le chat du dessin animé. C'est Tom ou Jerry ?

Il ferme les yeux pour réfléchir et les rouvre, pas plus avancé.

— Je n'ai jamais su, mais je te jure, elles, elles le savaient quand j'étais après elles.

Il lève le poing, prend l'air belliqueux un instant, perdu dans ce souvenir, puis se reprend brusquement et emporte mes valises à l'intérieur. La frustration m'envahit.

— Papa, j'ai cru que tu m'avais comprise au téléphone. Conor et moi, nous sommes séparés.

— Séparés de quoi ?

— L'un de l'autre.

— Mais qu'est-ce que tu racontes, Gracie ?

— Joyce. Nous ne sommes plus ensemble. Nous avons rompu.

Il pose mes bagages près du mur aux photographies, dans l'entrée, qui sert à initier tout visiteur à la famille Conway. Papa petit garçon, maman petite fille, papa et maman au début de leur relation, puis mariés, mon baptême, ma communion, mon premier bal et mon mariage. Saisir l'instant, l'encadrer, l'exposer. Telle était la philosophie de mes parents. Les gens ont de drôles de façons de jalonner leur existence, de choisir les repères pour décider qu'un moment compte plus qu'un autre. Car la vie est faite de moments. Je me plais à penser que mes meilleurs moments sont dans ma tête, qu'ils courent dans mon sang jusqu'à leur propre banque de souvenirs, visibles pour moi seule.

Papa n'a pas la moindre réaction en apprenant l'échec de mon mariage. Il se dirige vers la cuisine.

— Une tasse de thé ? propose-t-il.

Je reste dans l'entrée, à regarder les photos en humant cette odeur. L'odeur que porte tous les jours chaque fibre sur le dos de papa, comme un escargot porte sa maison. Je croyais que c'était l'odeur de la cuisine de maman qui se répandait dans toutes les pièces et imprégnait tout, papier peint compris, mais dix ans ont passé depuis sa disparition. Peut-être que c'était elle, l'odeur. Peut-être est-ce toujours elle.

— Pourquoi est-ce que tu renifles les murs ?

Je sursaute, gênée d'avoir été surprise, et me dirige vers la cuisine. La maison n'a pas changé depuis l'époque où je vivais ici, elle est aussi immaculée que le jour où maman l'a laissée ; rien n'a changé de place, pas même par commodité. Je regarde papa se déplacer lentement, se reposant sur son pied droit pour se baisser jusqu'aux placards du bas, puis utilisant les centimètres supplémentaires de sa jambe gauche comme tabouret personnel pour atteindre ceux du haut. La bouilloire fait trop de bruit pour que nous puissions parler, et j'en suis ravie, parce que papa tient la poignée si fermement que ses articulations blanchissent. Une cuiller est coincée dans sa main gauche, qu'il tient appuyée sur sa hanche. C'est ainsi qu'il tenait sa cigarette, abritée dans sa paume recourbée que la nicotine jaunissait. Il regarde au-dehors, son jardin impeccablement tenu, et serre les dents. Il est en colère et je me sens redevenir adolescente, attendant les remontrances.

Dès que la bouilloire cesse de tressauter comme un supporter de foot, je lui demande :

— À quoi tu penses, papa ?

— Au jardin, répond-il, en serrant les dents à nouveau.

— Au jardin ?

— Le chat de la voisine n'arrête pas de venir pisser sur les rosiers de ta mère.

Il secoue la tête, contrarié.

— Boule de poils, qu'elle l'appelle. Il n'aura plus beaucoup de poils quand j'aurai mis la main dessus. Moi, j'aurai un de ces beaux chapeaux russes en fourrure, et je danserai le hopak devant le jardin de Mme Henderson, pendant qu'à l'intérieur, elle enveloppera son « Peau lisse » frissonnant dans une couverture.

— C'est vraiment à ça que tu pensais ?

— Pas vraiment, ma chérie, admet-il, plus calme. À ça, et aux jonquilles. Ce sera bientôt le moment de planter les bulbes de printemps. Des jonquilles et des crocus. Il faudra que j'aille en acheter.

C'est bon de savoir que l'échec de mon mariage n'est pas une priorité pour mon père. Sur la liste de ses préoccupations, il arrive après les crocus.

— Des perce-neige, aussi, ajoute-t-il.

Je suis rarement dans les parages si tôt dans la journée. Normalement, je devrais être au travail, en train de faire visiter des propriétés. C'est si tranquille, aux heures où tout le monde travaille. Je me demande ce que peut bien faire papa dans ce silence.

— Qu'est-ce que tu faisais avant que j'arrive ?

— Il y a trente-trois ans ou aujourd'hui ?

— Aujourd'hui.

J'essaie de ne pas sourire parce que je sais qu'il est sérieux.

— Des jeux.

Il désigne du menton la table de la cuisine, où s'étale une page de casse-tête et de jeux. La moitié est déjà remplie.

— Je bloque sur le six. Jette un coup d'œil.

Il apporte les tasses de thé sur la table, et réussit à ne pas en renverser une goutte malgré sa démarche balancée. Les mains toujours fermes. Je lis à voix haute :

— Quel critique particulièrement influent déclara qu'un des opéras de Mozart comportait « trop de notes » ?

— Mozart, répète papa en haussant les épaules. Jamais entendu parler de ce gars-là.

— L'empereur Joseph II.

— De quoi ?

Les chenilles qui lui tiennent lieu de sourcils se haussent de surprise.

— Et comment est-ce que tu sais ça ?

Je fronce les sourcils.

— J'ai dû l'entendre quelque p... c'est de la fumée que je sens ?

Il se redresse sur sa chaise et hume l'air comme un chien de chasse.

— J'ai fait des toasts tout à l'heure. J'ai réglé la température trop haut et ils ont brûlé. Et c'étaient les deux derniers.

— Pas de chance.

Je secoue la tête.

— Où est la photo de maman, celle de l'entrée ?

— Laquelle ? Il y a trente photos d'elle.

— Tu as compté ?

— C'est moi qui les ai accrochées, pas vrai ? Quarante-quatre photos en tout, donc j'avais besoin de quarante-quatre clous. Je suis allé à la quincaillerie et j'ai acheté une boîte de clous. La boîte contenait quarante clous. Ils m'en ont fait acheter une deuxième juste pour quatre clous.

Il lève quatre doigts et secoue la tête.

— J'en ai encore trente-six qui me restent, dans la boîte à outils. On se demande où va le monde.

Peu importent le terrorisme et le réchauffement climatique. La preuve de la décadence du monde, à ses yeux, se résume à trente-six clous dans une boîte à outils. Et il a probablement raison.

— Alors, où est-ce qu'elle est ?

— Là où elle a toujours été, répond-il d'un ton peu convaincant.

Nous regardons tous deux la porte fermée de la cuisine, en direction de la tablette de l'entrée. Je me lève pour aller vérifier. C'est le genre de choses qu'on fait quand on a du temps à tuer.

— Allez, rassieds-toi.

Il agite mollement la main vers moi, se lève.

— Je vais vérifier.

Il referme la porte de la cuisine derrière lui, m'empêchant de voir ce qu'il fait.

— Elle est bien là, me crie-t-il. Bonjour, Gracie, ta fille se faisait du souci pour toi. Elle ne te voyait plus, mais pourtant, tu étais bien là, tu l'as vue renifler les murs, parce qu'elle croyait que le papier peint était en train de brûler. Ce qui est sûr, c'est qu'elle perd la boule depuis qu'elle a quitté son mari et abandonné son travail.

Comme je ne lui ai pas dit que je prenais un congé, cela signifie que Conor lui a parlé, et que papa connaissait parfaitement la raison de ma présence dès que j'ai sonné à la porte. Je dois admettre qu'il joue très bien les ignorants. Il revient dans la cuisine et j'aperçois la photo sur la tablette de l'entrée.

— Ah ! s'affole-t-il en consultant sa montre. Dix heures vingt-cinq. Allons-y vite !

Il y avait longtemps que je ne l'avais pas vu se déplacer si rapidement. Il attrape son programme télé et sa tasse de thé, et se précipite vers la télévision.

— Qu'est-ce qu'on regarde ? dis-je en le suivant dans le séjour, amusée.

— *Arabesques*. Tu connais ?

— Non.

— Tu vas voir, Gracie. Cette Jessica Fletcher, elle est drôlement douée pour attraper les assassins. Et ensuite, sur l'autre chaîne, on regardera *Mort suspecte*, avec la danseuse qui résout les énigmes.

Il prend son crayon et entoure les titres sur son programme.

L'excitation de papa me fascine. Il chante le générique, en faisant un bruit de trompette avec sa bouche.

— Viens là, allonge-toi sur le canapé, je vais te couvrir.

Il prend un plaid écossais étendu sur le dossier du canapé en velours vert, et m'en recouvre doucement, puis il me borde si serré que je ne peux plus bouger les bras. C'est le plaid sur lequel je me roulais, bébé, le plaid dont mes parents m'enveloppaient quand je manquais l'école parce que j'étais malade, et qu'ils m'autorisaient à regarder la télévision sur le canapé. Je considère papa avec tendresse, me rappelle l'affection qu'il m'a toujours témoignée quand j'étais petite, et je me sens revenir à cette époque.

Jusqu'à ce qu'il s'assoie au bout du canapé en m'écrasant les pieds.

11

— Dis-moi, Gracie, tu crois que Betty va repartir millionnaire ?

J'ai vu une quantité astronomique de petites émissions matinales au cours des derniers jours. Nous sommes en train de regarder *The Antiques Roadshow*[1].

Betty a soixante-dix ans, elle vient du Warwickshire. Elle attend, pleine d'espoir, pendant que l'antiquaire tente d'estimer la vieille théière qu'elle a apportée.

Je regarde l'expert manipuler l'objet avec délicatesse, et une sensation confortable et familière m'envahit.

— Désolée, Betty, dis-je à l'écran. C'est une copie. Les Français utilisent ce genre de théière depuis le dix-huitième siècle, mais celle de Betty a été fabriquée au début du vingtième. On le voit à la forme de la poignée. C'est un travail maladroit.

— Ah bon ?

Papa me regarde, intéressé.

Nous contemplons l'écran, captivés, pendant que l'antiquaire répète mes commentaires. La

1. Émission britannique où des experts viennent évaluer des objets plus ou moins anciens apportés par le public. (*N.d.T.*)

pauvre Betty est effondrée, mais elle essaie de prétendre qu'elle tenait trop à ce cadeau de sa grand-mère pour le vendre, de toute façon.

— Menteuse ! s'écrie papa. Betty avait déjà réservé sa croisière et acheté son Bikini. Au fait, comment tu sais tout ça sur les théières et les Français, Gracie ? Tu l'as peut-être lu dans un de tes livres ?

— Peut-être.

Je n'en ai aucune idée. Penser à ces connaissances tout juste découvertes me donne mal à la tête.

Papa remarque l'expression sur mon visage.

— Et si tu appelais une de tes amies, ou quelqu'un ? Histoire de bavarder.

Je n'en ai pas envie, mais je sais que je devrais le faire.

— Je pourrais appeler Kate.

— La costaude ? Celle qui t'a imbibée de whisky frelaté quand tu avais seize ans ?

— C'est bien elle.

Je me mets à rire. Il ne lui a jamais pardonné ce crime.

— À quoi ça ressemble, ce prénom, hein ? C'était une vraie catastrophe, cette fille. Est-ce qu'elle a réussi à faire quelque chose ?

— Non, rien du tout. Elle vient de vendre sa boutique en ville deux millions, pour devenir mère au foyer.

J'essaie de ne pas rire en voyant son expression stupéfaite.

Il redresse la tête.

— Ah, bon. Appelle-la. Histoire de bavarder. Vous les femmes, vous adorez ça. Ta mère disait toujours que c'était bon pour l'âme. Ta mère adorait bavarder. Elle était toujours en train de jacasser de ceci ou cela avec untel ou unetelle.

— On se demande bien où elle avait pris cette habitude, dis-je entre mes dents.

Mais comme par miracle, les oreilles apparemment caoutchouteuses de mon père fonctionnent.

— C'est son signe astrologique, voilà ce que c'est. Elle était bélier. Toujours en train de bêler.

— Papa !

— Quoi ? Ça ne veut pas dire que je la détestais. J'aimais cette femme de tout mon cœur, mais elle n'arrêtait pas de bêler. Quand elle avait fini de parler de quelque chose, il fallait encore qu'elle me raconte l'effet que ça lui faisait. Dix fois de suite.

— Tu ne crois pas à l'astrologie.

— Mais si. Je suis balance.

Il se penche d'un côté, puis de l'autre.

— Parfaitement équilibré.

J'éclate de rire et bats en retraite vers ma chambre pour appeler Kate. La pièce n'a pratiquement pas changé depuis le jour où je l'ai quittée. Malgré les quelques séjours d'amis après mon départ, mes parents ne se sont jamais débarrassés des affaires que j'avais laissées derrière moi. Les autocollants des *Cure* sont toujours sur la porte et le papier peint est arraché aux endroits où le Scotch avait fixé mes posters. Pour me punir d'avoir abîmé les murs, papa m'avait forcée à tondre la pelouse de derrière, mais j'avais envoyé la tondeuse dans un arbuste. Il avait refusé de me parler tout le reste de la journée. Apparemment, c'était la première fois que l'arbuste fleurissait depuis qu'il l'avait planté. À l'époque, je ne comprenais pas son dépit, mais après avoir passé des années de travail acharné à cultiver un mariage, pour le voir s'étioler et mourir, je comprends sa peine. Cependant, je parie qu'il n'avait pas ressenti le soulagement que j'éprouve maintenant.

Ma chambre est juste assez grande pour y caser un lit et une armoire, mais c'était mon univers. Mon espace personnel pour réfléchir et rêver, pour pleurer, rire et attendre de devenir assez vieille pour faire toutes ces choses que je n'avais pas le droit de faire. À l'époque, c'était le seul espace dont je disposais, et c'est désormais le seul espace dont je dispose, à trente-trois ans. Qui aurait pu prévoir que je me retrouverais là à nouveau, sans rien de ce dont j'avais rêvé et, pire, dont je rêve encore ? Non pas d'être un membre des *Cure* ou mariée à Robert Smith[1], mais d'avoir un bébé et un mari. Le papier peint, à fleurs, est très chargé et totalement inapproprié à un lieu de repos. Des millions de petites fleurs marron serrées les unes contre les autres, et de minuscules tiges d'un vert délavé. Pas étonnant que j'aie recouvert les murs de posters. La moquette est marron, avec des motifs tourbillonnants plus clairs, et des taches de parfum et de maquillage. Ont été ajoutées des valises en cuir marron, vieilles et décolorées, rangées en haut de l'armoire, et qui prennent la poussière depuis la mort de maman. Papa ne va jamais nulle part, il a décidé depuis longtemps qu'une vie sans maman représentait un voyage suffisant.

Le couvre-lit molletonné, la dernière innovation en date, a dix ans ; maman l'avait acheté quand ma chambre était devenue la chambre

---

1. Chanteur des Cure. (*N.d.T.*)

d'amis. J'avais déménagé un an avant sa mort, pour aller habiter avec Kate, et depuis je regrette chaque jour de l'avoir fait : toutes ces précieuses journées débutées sans entendre les longs bâillements de ma mère se changer en chansons, sans l'entendre parler toute seule, se faire à voix haute son journal intime oral avec l'émission de Gay Byrne à la radio en fond sonore. Elle adorait Gay Byrne ; sa seule ambition dans la vie était de faire sa connaissance. Elle fut à deux doigts de réaliser son rêve le jour où elle et papa allèrent assister à son émission *The Late Late Show*, et elle en avait parlé pendant des années. Elle devait être amoureuse de lui. Papa le détestait. Je crois qu'il avait compris.

À présent, pourtant, il aime bien l'écouter, chaque fois qu'il passe. Je crois qu'il lui rappelle un moment précieux d'autrefois, avec maman. Comme si, quand nous entendons Gay Byrne, lui entendait maman. Quand elle est morte, il s'est entouré de toutes les choses qu'elle aimait. Il allumait la radio chaque matin pour l'émission de Gay, regardait les émissions préférées de maman à la télévision. Achetait ses biscuits favoris dans ses visites hebdomadaires au supermarché, bien qu'il n'en mange pas. Il aimait les voir sur l'étagère quand il ouvrait le placard, aimait voir ses magazines à côté de ses journaux à lui, aimait voir ses chaussons posés devant le fauteuil qu'elle préférait, près du feu. Il aimait se rappeler que son univers entier ne s'était pas écroulé. Parfois, on a besoin de toute la colle qu'on peut trouver, juste pour ne pas tomber en morceaux.

À soixante-cinq ans, il était trop jeune pour perdre sa femme. À vingt-trois ans, j'étais trop jeune pour perdre ma mère. À cinquante-cinq ans, elle n'aurait pas dû perdre la vie, mais le cancer, ce voleur de secondes, décelé bien trop tard, la lui avait volée, à elle et à nous. Papa s'était marié tard pour son époque, et ne m'avait eue qu'à quarante-deux ans. Je crois que quelqu'un lui avait brisé le cœur, quelqu'un dont il n'a jamais parlé et sur qui je ne l'ai jamais interrogé. Ce qu'il dit de ce temps-là, c'est qu'il passait plus de jours à attendre maman qu'à être vraiment avec elle, mais que chaque seconde passée à la chercher et, enfin, à se la rappeler, valait bien tous les moments écoulés entre-temps.

Maman n'a jamais rencontré Conor. Je ne suis pas sûre qu'elle l'aurait aimé, mais elle ne l'aurait jamais montré, elle était bien trop polie. Maman aimait toutes sortes de gens, mais surtout ceux qui possédaient beaucoup de courage et d'énergie, ceux qui vivaient et respiraient la vie.

Conor est agréable. Jamais davantage. Jamais surexcité, jamais même, en fait, simplement excité. Juste agréable, ce qui est un autre mot pour gentil. Épouser un homme gentil vous ouvre la voie vers un gentil mariage, mais jamais plus. Et la gentillesse, c'est bien, mais ce n'est pas suffisant.

Papa est capable de bavarder n'importe où et avec n'importe qui, sans se faire la moindre opinion sur son interlocuteur. La seule chose négative qu'il ait jamais dite sur Conor, c'était : « Franchement, quel genre d'homme s'intéresse au tennis ? » Supporter de l'association gaélique d'athlétisme et féru de football, papa avait craché le mot *tennis* comme si le simple fait de le prononcer lui salissait la bouche.

Notre incapacité à produire un enfant n'avait guère ébranlé l'opinion de papa. Il en rejetait la faute sur le tennis, et surtout sur les petits shorts blancs que Conor arborait parfois, tandis que les tests de grossesse, les uns après les autres, refusaient de virer au bleu. Je sais qu'il ne cherchait qu'à me faire sourire ; parfois il y réussissait, d'autres non, mais c'était une plaisanterie sans danger, parce que nous savions tous que le problème ne venait ni des shorts de coton blanc, ni de l'homme qui les portait.

Je m'assois sur le couvre-lit molletonné acheté par maman, en essayant de ne pas le froisser. Une parure de lit avec deux taies d'oreiller, achetée dans un grand magasin, accompagnée d'une bougie assortie à poser devant la fenêtre, que personne n'avait jamais allumée et dont le parfum s'était éventé. La poussière s'y est accumulée, preuve accablante que papa néglige ses devoirs, comme si, à soixante-quinze ans, épousseter quoi que ce soit en dehors des étagères de sa mémoire devait être une priorité. Mais la poussière est là, alors laissons-la tranquille.

J'allume mon portable, éteint depuis des jours. Il émet des bips, tandis qu'une douzaine de messages s'inscrivent. J'ai déjà appelé les êtres chers, proches et curieux. C'est comme retirer un sparadrap ; ne pas réfléchir, agir vite, et c'est presque indolore. Ouvrir l'annuaire et toc, toc, toc, trois minutes par appel. Des appels brefs, passés par la femme étrangement énergique qui m'avait momentanément habitée. Une femme incroyable, en fait, positive, joyeuse, mais sensible et sage aux bons moments. Son timing était impeccable, ses sentiments si forts que j'avais presque envie de les noter. Elle s'essayait même à quelques pointes d'humour, que certains membres de la catégorie des chers, proches et curieux, appréciaient, tandis que d'autres paraissaient presque se sentir insultés – elle s'en fichait, c'était elle la reine de la fête et elle pleurerait si elle voulait. Je l'avais déjà rencontrée, naturellement, elle surgit à chaque traumatisme, chausse mes souliers et se charge des tâches difficiles. Elle reviendra, pas de doute.

Non, il me faudra longtemps avant de pouvoir parler de ma propre voix à d'autres que celle à qui je téléphone maintenant.

Kate décroche à la quatrième sonnerie.

— Allô ! hurle-t-elle.

Je sursaute. Il y a beaucoup de bruit à l'arrière-plan, comme si une mini-guerre venait d'éclater.

— Joyce ! s'écrie-t-elle.

Je me rends compte que je suis sur haut-parleur.

— Je n'ai pas arrêté de t'appeler. Derek, assieds-toi ! Tatie Kate est fâchée ! Excuse-moi, je fais la sortie des écoles. J'ai six gosses à ramener à la maison, ensuite le goûter à préparer avant d'emmener Eric au basket et Jayda à la piscine. Tu veux m'y retrouver à sept heures ? Jayda passe son brevet des dix mètres aujourd'hui.

J'entends Jayda qui braille, un peu plus loin, qu'elle déteste le brevet des dix mètres.

— Comment tu peux le détester, alors que tu ne l'as jamais passé ? demande sèchement Kate.

Jayda hurle encore plus fort et je suis obligée d'écarter le téléphone de mon oreille.

— Jayda ! Laisse maman tranquille un moment. Derek ! Mets ta ceinture ! Si je dois freiner brusquement, tu vas t'envoler, traverser le pare-brise et t'écraser la figure. Ne quitte pas, Joyce.

Le silence s'installe pendant que j'attends.

— Gracie ! hurle papa.

Je me précipite vers l'escalier, prise de panique. Je ne l'ai pas entendu crier ainsi depuis mon enfance.

— Oui, papa, ça va ?

— J'ai eu sept lettres !

— Tu as eu quoi ?

— Sept lettres.

— Qu'est-ce que ça veut dire ?

— À *Countdown*[1] !

Rassurée et agacée, je m'assois en haut des marches. Brusquement, la voix de Kate revient, on dirait que le calme s'est rétabli.

— Bon, j'ai coupé le haut-parleur. Je vais probablement me faire arrêter parce que j'ai mon téléphone à la main, et en plus me faire rayer de l'association de covoiturage, mais putain, je m'en fous.

— Je le dirai à ma maman que tu as dit putain, déclare une petite voix.

— Parfait, ça fait des années que j'ai envie de le lui dire, me murmure Kate.

J'éclate de rire.

— Putain, putain, putain, chante un chœur d'enfants.

— Seigneur, Joyce, il vaut mieux que j'y aille. On se voit à sept heures au centre de loisirs ? C'est mon seul créneau. Ou alors demain, tennis

---

1. Équivalent des *Chiffres et des Lettres*. (*N.d.T.*)

à trois heures ou gymnastique à six. Je peux voir si Frankie est libre aussi.

Frankie. Baptisée Francesca, mais refuse de répondre à ce nom. Papa se trompait sur Kate. C'est peut-être elle qui a fourni le whisky, mais c'est Frankie qui me tenait la bouche ouverte et me l'a versé dans la gorge. Comme je n'ai jamais raconté cette version, il croit que Frankie est une sainte, au grand dépit de Kate.

— Je prendrai la gymnastique demain.

Je souris en entendant les enfants chanter de plus en plus fort. Kate se tait et le silence revient.

— Gracie ! crie papa à nouveau.

— Joyce, papa.

— J'ai trouvé la solution !

Je retourne à mon lit et me mets un oreiller sur la tête.

Quelques minutes plus tard, papa arrive à la porte, me fichant une peur bleue.

— J'étais le seul à avoir la bonne réponse. Les candidats n'y comprenaient rien. C'est quand même Simon qui a gagné, il revient demain. Ça fait trois jours qu'il gagne maintenant, j'en ai un peu assez de le voir. Il a une drôle de figure, tu rirais bien si tu le voyais. Tu veux un biscuit ? Je vais refaire du thé.

— Non merci.

Je me remets l'oreiller sur la tête. Il dit tellement de mots.

— Eh bien moi, si. Je dois prendre mon cachet en mangeant. J'étais censé le prendre au déjeuner, mais j'ai oublié.

— Tu as pris un cachet au déjeuner, tu ne te rappelles pas ?

— C'était celui pour le cœur. Celui-là, c'est pour la mémoire. La mémoire à court terme.

J'enlève l'oreiller pour voir s'il est sérieux.

— Et tu as oublié de le prendre ?

Il hoche la tête.

— Oh, papa !

Je me mets à rire, il me regarde comme si j'étais en plein délire.

— Tu es le meilleur des remèdes pour moi. Bon, tu as besoin de cachets plus forts. Tu vois bien qu'ils ne marchent pas !

Il me tourne le dos et repart vers l'escalier.

— Merci de n'avoir pas posé de questions à propos de Conor.

— C'est inutile. Vous vous remettrez bientôt ensemble, je le sais.

— Non, dis-je doucement.

Il se rapproche un peu de ma chambre.

— Est-ce qu'il voit quelqu'un d'autre ?

— Non. Et moi non plus. Nous ne nous aimons plus. Depuis longtemps.

— Mais vous êtes mariés, Joyce. Je t'ai moi-même menée devant l'autel, non ?

Il paraît dérouté.

— Qu'est-ce que ça change ?

— Vous vous êtes fait une promesse dans la maison de Notre Seigneur, je vous ai entendus de mes propres oreilles. Qu'est-ce que vous avez, vous les jeunes, à divorcer et vous remarier sans arrêt ? Ça ne se respecte plus, une promesse ?

Je soupire. Que pourrais-je répondre ? Il repart vers l'escalier.

— Papa.

Il s'arrête mais ne se retourne pas.

— Je ne crois pas que tu aies envisagé l'autre possibilité. Tu préférerais que je tienne ma promesse de passer le reste de ma vie avec Conor, mais sans l'aimer, et que je sois malheureuse ?

— Si tu crois que ta mère et moi avons eu un mariage parfait, tu te trompes, parce que ça n'existe pas. Personne n'est heureux tout le temps, ma chérie.

— Je comprends, mais si on n'est *jamais* heureux ?

Il réfléchit à la question, apparemment pour la première fois, et je retiens mon souffle en attendant sa réponse.

— Je vais manger un biscuit.

À mi-chemin dans l'escalier, il me crie d'un ton bravache :

— Au chocolat !

12

— Je suis en vacances, frérot, pourquoi est-ce que tu tiens à me traîner à un club de gym ?

Al, moitié marchant, moitié trottinant, tente de rester au niveau de son frère bien plus mince qui marche à fond de train depuis la sortie du métro.

— J'ai rendez-vous avec Sarah demain. Alors j'ai besoin de me remettre en forme.

— Je ne m'étais pas rendu compte que tu n'étais plus en forme, halète Al, en essuyant les filets de sueur sur son front.

— Le nuage du divorce m'empêchait de faire de l'exercice.

— Le nuage du divorce ?

— Tu n'as jamais entendu parler de ça ?

Incapable de dire un mot, Al secoue la tête, faisant trembloter ses mentons comme un dindon.

— Le nuage vient prendre la forme de ton corps, il t'enveloppe, t'enserre, si bien que tu ne peux presque plus bouger, ni respirer, ni faire du sport, ni même avoir un rendez-vous avec une autre femme, alors coucher avec...

— Ton nuage de divorce ressemble beaucoup à mon nuage de mariage.

— Ouais, eh bien ce nuage, il s'est envolé.

Justin lève les yeux vers le ciel londonien plombé, les ferme un instant et inspire profondément.

— Il est temps pour moi de me reprendre en main.

Il rouvre les yeux et fonce droit dans un réverbère.

— Nom de Dieu, Al ! Merci de m'avoir prévenu, ronchonne-t-il en se pliant en deux et en se prenant la tête entre les mains.

Al, le visage couleur betterave, lui répond d'un râle sifflant de pneu crevé. Les mots ne lui viennent pas facilement. Pas du tout, en fait.

— Et quant à toi, regarde-toi. Ton médecin t'a déjà dit de perdre une centaine de kilos.

— Vingt-cinq... *(râle)*... pas une... *(râle)*... centaine... et puis ne t'y mets pas. J'ai bien assez de Doris... *(hoquet, quinte de toux)*. Tout ce qu'elle sait sur les régimes, ça me dépasse. Cette femme ne mange rien. Elle n'ose même pas se ronger les ongles de peur d'avaler trop de calories.

— Les ongles de Doris sont vrais ?

— Ça et ses cheveux, c'est à peu près tout. Il faut que je m'accroche à quelque chose.

Al cherche autour de lui, frénétique.

— Trop d'informations d'un coup, diagnostique Justin, complètement dans l'erreur. Je ne peux pas croire que les cheveux de Doris soient vrais.

— Sauf pour la couleur. Elle est brune, forcément, elle est italienne. Vertige.

— Oui, elle donne un peu le vertige. Toutes ces histoires de vies antérieures à propos de la femme du salon de coiffure, rit Justin.

Alors, comment tu l'expliques ?

— Je veux dire, c'est moi qui ai le vertige.

Al foudroie son frère du regard et tend la main pour s'accrocher à une grille toute proche.

— Oh, je le savais. Je plaisantais. Apparemment, on y est presque. Tu crois que tu vas réussir à faire encore quelques mètres ?

— Ça dépend de ce que tu appelles « quelques », répond vertement Al.

— C'est à peu près autant que les *quelques* jours de vacances que toi et Doris aviez prévu de passer ici. Ce serait plutôt un mois entier, apparemment.

— Bon, on voulait te faire la surprise, et Doug est parfaitement capable de faire tourner la boutique en mon absence. Le toubib m'a conseillé d'y aller doucement, Justin. On a des antécédents de maladies cardiaques dans la famille, j'ai vraiment besoin de me reposer.

— Tu as dit au médecin qu'il y avait des maladies cardiaques dans la famille ?

— Oui. Papa est mort d'une crise cardiaque, au cas où tu l'aurais oublié.

Justin se tait.

— En plus, tu ne le regretteras pas. Doris va tellement bien t'arranger ton appartement que tu seras content qu'on soit restés. Tu sais qu'elle a décoré le salon de toilettage toute seule ?

Les yeux de Justin s'écarquillent.

— Je sais, reprend Al, rayonnant de fierté. Alors, combien est-ce que tu vas faire de ces séminaires à Dublin ? Doris et moi, on pourrait t'accompagner une fois, tu sais, pour voir l'endroit d'où vient papa.

— Papa était de Cork.

— Oh ! Est-ce qu'on a encore de la famille là-bas ? On pourrait rechercher nos racines, qu'est-ce que tu en dis ?

— Ce n'est pas une mauvaise idée.

Justin récapitule son programme.

— J'ai encore quelques séminaires. Mais vous n'allez sans doute pas rester si longtemps que ça.

Il surveille Al du coin de l'œil, l'évalue.

— Et vous ne pouvez pas venir demain parce que je profite du voyage pour voir Sarah.

— Elle te branche vraiment, cette fille ?

Le vocabulaire de son frère presque quadra-génaire ne cesse de surprendre Justin.

— Est-ce qu'elle me branche vraiment, cette fille ? se demande-t-il, amusé et perplexe.

Bonne question. Pas tant que ça. Mais elle me distrait. Est-ce que c'est une réponse acceptable ?

— C'est quand elle t'a dit, « Votre sang m'inté-resse » que tu as craqué ? glousse Al.

— Arrête, avec tes blagues sur les vampires. Allons passer une heure au club de gym. Je ne crois pas que c'est en te « reposant » que tu iras mieux. C'est comme ça que tu t'es mis dans cet état.

— *Une heure !* s'étouffe Al. Qu'est-ce que tu comptes faire à ce rendez-vous ? De l'alpinisme ?

— Ce n'est qu'un déjeuner.

Al lève les yeux au ciel.

— Et alors ? Tu devras chasser et tuer ta nour-riture ? De toute façon, demain, en te réveillant après ta première séance en un an, tu ne pourras même pas marcher. Alors baiser…

Je me réveille dans un vacarme de casseroles en provenance de la cuisine. Je m'attends à me trouver dans ma propre chambre, chez moi, et il me faut un moment pour me souvenir. Et alors je me souviens à nouveau de tout. Ma pilule quotidienne du matin, amère. Un de ces jours, je me réveillerai et je saurai. Je ne sais pas quel scénario je préfère ; les instants d'oubli sont une telle bénédiction.

J'ai mal dormi la nuit dernière, entre mes pensées et le bruit de la chasse d'eau, toutes les heures, après le passage de papa. Et quand il dormait, ses ronflements faisaient trembler les murs de la maison.

Malgré les interruptions, les rêves que j'ai faits durant mes rares moments de sommeil sont encore vivaces. Ils paraissent presque réels, comme des souvenirs, encore que, comment mesurer la réalité des souvenirs, quand on sait à quel point l'esprit peut les transformer ? J'étais dans un parc, mais je ne crois pas que j'étais moi. Je faisais tourner dans mes bras une petite fille aux cheveux d'un blond presque blanc, tandis qu'une femme rousse nous regardait en souriant, appareil photo en main. Le parc était très coloré, empli de fleurs, et nous avions pris un pique-nique... j'essaie de me rappeler la chanson que j'ai entendue toute la nuit mais elle m'échappe. En revanche, j'entends papa en bas, qui chante *The Auld Triangle*, une vieille ballade irlandaise qu'il a chanté dans les grandes occasions toute ma vie, et probablement toute la sienne aussi. Debout, une bière à la main, il incarnait la béatitude, en chantant sa complainte du prisonnier.

Je sors les jambes du lit et grogne de douleur : tout à coup j'ai mal dans les deux jambes, des hanches jusqu'aux mollets en passant par les cuisses. J'essaie de bouger le reste de mon corps et me sens encore paralysée de douleur ; dans les épaules, les biceps, les triceps, les muscles du dos et du torse. Je me masse, totalement déroutée, et je prends note mentalement d'aller voir le médecin, juste au cas où ce serait inquiétant. Je suis sûre que c'est mon cœur, soit parce qu'il cherche à attirer plus d'attention, soit parce qu'il est si plein de souffrance que celle-ci doit suinter dans le reste de mon corps, pour le soulager. Chaque muscle lancinant est une extension de la douleur que j'éprouve à l'intérieur, mais un médecin me dirait que tout cela est dû au lit vieux de trente ans dans lequel j'ai dormi, acheté à une époque où les problèmes de dos des gens étaient le dernier des soucis des fabricants de literie.

Je me jette une robe de chambre sur le dos et lentement, raide comme une planche, je descends, en essayant de ne pas plier les jambes.

Une odeur de fumée flotte dans l'air. En passant devant la tablette de l'entrée, je remarque que la photo de maman a encore disparu. Quelque chose me pousse à ouvrir le tiroir sous la tablette. Elle est là, face contre le fond du tiroir. Les larmes me montent aux yeux, je suis furieuse de voir cet objet si précieux caché. Pour nous deux, ce portrait a toujours représenté davantage qu'une photographie ; il symbolise la présence de ma mère dans la maison, installée à la place d'honneur pour nous accueillir à chaque fois que nous franchissons le seuil ou descendons l'escalier. Je respire profondément et décide de ne rien dire pour l'instant, de supposer que papa a ses raisons, quoique sur le moment je n'en trouve aucune qui soit acceptable. Je referme le tiroir et la laisse là où papa l'a placée, en ayant l'impression de l'enterrer une seconde fois.

J'entre dans la cuisine en clopinant, et découvre le chaos. Des casseroles et poêles traînent partout, des torchons, coquilles d'œufs et, apparemment, tout le contenu des placards jonchent le plan de travail. Papa arbore un tablier orné d'une femme en lingerie rouge et porte-jarretelles, par-dessus sa tenue habituelle, pull, chemise et pantalon. Aux pieds, il a des chaussons du Manchester United, en forme de gros ballons de football.

— Bonjour, ma chérie.

En me voyant, il monte sur sa jambe gauche pour m'embrasser sur le front.

Je me rends compte que c'est la première fois depuis des années que quelqu'un me prépare mon petit-déjeuner, mais aussi que c'est la première fois depuis des années que papa a quelqu'un à qui préparer le petit-déjeuner. Soudain la chanson, le désordre, les bruits de casseroles, prennent un sens. Il est tout excité.

— Je fais des gaufres, explique-t-il en prenant l'accent américain.

— Ooh, comme c'est gentil.

— C'est ce que dit l'âne, non ?

— Quel âne ?

— L'âne...

Il cesse de remuer le contenu de la poêle et ferme les yeux pour réfléchir.

— L'histoire avec l'homme vert.

— L'incroyable Hulk ?

— Non.

— Je ne connais pas d'autres hommes verts.

— Mais si, tu sais bien, celui qui...

— La sorcière de l'Ouest dans *Le Magicien d'Oz* ?

— Non ! Il n'y a pas d'âne dans *Le Magicien d'Oz*. Pense à des histoires avec des ânes.

— Est-ce que c'est dans la Bible ?

— Ils parlent d'ânes dans la Bible, Gracie ? Est-ce que tu crois que Jésus mangeait des gaufres ? Seigneur, on s'est trompés du tout au tout : ce sont des gaufres qu'il a rompues pour les partager avec ses copains au souper, pas du pain !

— Je m'appelle Joyce.

— Je ne me rappelle pas avoir lu que Jésus mangeait des gaufres, mais c'est promis, je vais demander aux copains du club du lundi. J'ai peut-être lu la mauvaise Bible toute ma vie.

Il rit à sa propre plaisanterie.

Je regarde par-dessus son épaule.

— Papa ! Ce ne sont même pas des gaufres que tu fais !

Il soupire, exaspéré.

— Est-ce que je suis un âne ? Est-ce que tu trouves que j'ai l'air d'un âne ? Ce sont les ânes qui font des gaufres. Moi, je préfère les saucisses.

Je le regarde remuer les saucisses en essayant de les faire griller de tous les côtés.

— Moi aussi, je vais prendre des saucisses.

— Mais tu es végétarianiste.

— Végétarienne. Et je ne le suis plus.

— Pardi. Tu as décidé ça à quinze ans, après cette émission sur les phoques. Demain, quand je me réveillerai, tu vas me dire que tu es un homme. J'ai vu ça à la télé une fois. Une femme, à peu près de ton âge, qui fait venir son mari en direct à la télé pour lui annoncer qu'elle a décidé de...

Exaspérée, je m'écrie :

— La photo de maman n'est plus sur la tablette de l'entrée.

Papa se fige, une réaction de culpabilité, et cela me met en colère comme si, jusque-là, je m'étais persuadée qu'un mystérieux intrus nocturne déménageur de photos était entré par effraction pour commettre ce forfait. Je préférerais presque cette explication.

— Pourquoi ?

Il s'active, fait tinter la vaisselle.

— Pourquoi quoi ? Moi, ce que j'aimerais savoir, c'est pourquoi tu marches comme ça.

Papa me regarde me déplacer d'un air curieux.

— Je ne sais pas.

Je traverse la pièce en boitillant pour m'asseoir à table.

— C'est peut-être de famille.

— Ho, ho, ho ! s'esclaffe-t-il en regardant le plafond. En voilà une qui a de la repartie ! Sois sage, mets le couvert.

C'est ce qu'il me disait quand j'étais petite et je ne peux m'empêcher de sourire. Alors je mets le couvert, papa prépare le petit-déjeuner, et nous clopinons tous deux dans la cuisine en faisant comme si tout était comme autrefois et le serait pour toujours. Un monde sans fin.

13

— Alors papa, qu'est-ce que tu vas faire aujourd'hui ? Tu es occupé ?

Une pleine fourchette de saucisse, œuf, bacon, champignons et sauce tomate s'arrête avant d'atteindre la bouche ouverte de mon père. Des yeux amusés me contemplent, sous des sourcils en bataille.

— Ce que je vais faire aujourd'hui ? Attends un peu, Gracie, il faut que je consulte mon agenda. Je me disais qu'après avoir fini mon petit-déjeuner dans à peu près un quart d'heure, j'allais me faire une autre tasse de thé. Puis, que je pourrais la boire assis sur cette chaise, devant cette table, ou peut-être sur cette chaise où tu es assise, ça dépend, comme l'indique mon agenda. Après je regarderai la solution des mots croisés d'hier pour voir ce que j'avais de juste et où je m'étais trompé, et chercher les réponses que je n'avais pas trouvées. Ensuite je ferai le Sudoku, puis les mots cachés. Je vois qu'aujourd'hui, il nous faudra rechercher des termes nautiques. Yachting, navigation, maritime, oui, je devrais m'en sortir, je vois déjà le mot « canotage » là, sur la première ligne. Ensuite je trierai mes bons de réduction. Après ce début de matinée bien rempli, je pense que je me referai du thé, et ce sera l'heure d'allumer la télé. Si tu veux prendre rendez-vous, parles-en à Maggie.

Enfin, il enfourne sa bouchée. Du jaune d'œuf lui coule sur le menton. Il ne s'en aperçoit pas et le laisse là.

J'éclate de rire.

— C'est qui, Maggie ?

Il avale, sourit, content de lui.

— Je ne sais pas pourquoi j'ai dit ça.

Il réfléchit intensément, puis se met à rire.

— Je connaissais un type dans le Cavan, ça fait bien soixante ans maintenant, qui s'appelait Brendan Brady. Chaque fois qu'on essayait d'organiser quelque chose, il disait *(papa prend une voix profonde)* : « Parlez-en à Maggie », comme s'il était quelqu'un de super-important. C'était soit sa femme, soit sa secrétaire, je n'en sais rien. « Parlez-en à Maggie. » C'était sûrement sa mère.

Il éclate de rire et continue à manger.

— Donc pour l'essentiel, d'après ton agenda, tu fais exactement la même chose qu'hier.

— Oh non, pas du tout.

Il feuillette son programme télé et frappe d'un doigt graisseux la page du jour. Il consulte sa montre et fait glisser son doigt. Il prend son surligneur et entoure une émission.

— *Animal Hospital* au lieu de l'*Antiques Roadshow*. Ce n'est pas exactement comme hier, pas du tout, regarde ça. Aujourd'hui, c'est chien-chiens et lapins à la place des fausses théières de Betty. Peut-être qu'on va la voir essayer de vendre le chien de la famille pour quelques shillings. Peut-être qu'elle arrivera à le mettre finalement, ce Bikini.

Il continue de dessiner une ligne autour de ses programmes sur la page, concentré, il se lèche les commissures des lèvres, comme s'il était en train d'enluminer un manuscrit.

Je bredouille :

— *Le Livre de Kells*.

Cela n'a rien d'étonnant ces temps-ci. Mes bafouillages erratiques sont en train de devenir une norme.

— Mais de quoi est-ce que tu parles ?

Papa arrête ses coloriages et se remet à manger.

— Allons en ville aujourd'hui. On pourrait visiter un peu, aller à Trinity College voir *Le Livre de Kells*.

Papa me dévisage en mâchonnant. Je me demande ce qu'il pense. Il se pose probablement la même question.

— Tu veux aller à Trinity College. La fille qui n'a jamais voulu y mettre les pieds, ni pour étudier, ni pour se promener avec moi et sa mère, et soudain, sans crier gare, tu veux y aller. Soudain et sans crier gare veulent dire la même chose, non ? Tu ne devrais pas les mettre dans la même phrase, Henry, se sermonne-t-il.

— Oui, je veux y aller. J'ai soudain, sans crier gare, très envie d'aller à Trinity College.

— Si tu ne veux pas regarder *Animal Hospital*, tu n'as qu'à le dire. Tu n'es pas obligée de filer en ville. On peut changer de chaîne, tu sais.

— C'est vrai, papa, et je l'ai pas mal fait, ces temps-ci.

— Ah bon ? Je n'avais pas remarqué. Tu mets fin à ton mariage, tu n'es plus végétarianiste, tu

140

ne dis pas un mot sur ton travail et tu viens t'installer chez moi, et le reste. Il se passe tellement de choses... Comment je suis censé remarquer si on a changé de chaîne ou si c'est le début d'une autre émission ?

— J'ai besoin de faire quelque chose de nouveau. J'ai du temps pour Frankie et Kate, mais les autres... Je ne suis pas prête. Il faut changer nos habitudes, papa. J'ai la télécommande de la vie dans les mains, et je suis prête à appuyer sur quelques boutons.

Il me regarde fixement un moment, puis enfourne une saucisse en guise de réponse.

— On va prendre un taxi, aller en ville et monter dans un bus touristique, qu'est-ce que tu en dis ? Maggie ! Papa vient en ville avec moi faire du tourisme. C'est d'accord ?

Mes hurlements font sursauter papa.

Je tends l'oreille, attendant une réponse. Satisfaite, je hoche la tête et me lève.

— Voilà, papa, c'est décidé. Maggie dit que tu peux venir en ville. Je me prépare, et dans une heure on part. En plus, ça rime.

Je sors de la cuisine en boitillant, laissant derrière moi mon père interloqué, avec de l'œuf sur le menton.

— Je ne crois pas que Maggie t'ait donné la permission de me faire marcher à cette allure, Gracie, proteste papa en essayant de rester à ma hauteur tandis que je louvoie entre les piétons dans Grafton Street.

— Désolée, papa.

Je ralentis et lui prends le bras. Malgré ses semelles orthopédiques, il chaloupe encore, et je chaloupe avec lui. Même si on l'opérait pour lui égaliser les jambes, j'imagine qu'il continuerait de chalouper, le mouvement fait tellement partie de lui.

— Papa, tu crois que tu m'appelleras Joyce un jour ?

— Qu'est-ce que tu racontes ? Bien sûr, c'est ton nom, pas vrai ?

Je le regarde, étonnée.

— Tu ne te rends pas compte que tu m'appelles toujours Gracie ?

Il paraît désarçonné, mais ne fait pas de commentaire et continue de marcher. En haut, en bas, en bas et en haut.

— Je te donnerai cinq euros, chaque fois que tu m'appelleras Joyce aujourd'hui, dis-je en souriant.

— Ça marche. Joyce, Joyce, Joyce. Oh, que je t'aime, Joyce, glousse-t-il. Déjà vingt euros !

Il me donne un coup de coude et reprend, sérieusement :

— Je ne me rendais pas compte que je t'appelais comme ça, ma chérie. Je ferai de mon mieux.

— Merci.

— Tu me la rappelles tellement, tu sais.

— Vraiment, papa ?

Je suis émue. Je sens les larmes me piquer les yeux. Il ne me l'avait jamais dit.

— À quel niveau ?

— Vous avez le même petit nez de cochon.

Je lève les yeux au ciel.

— Je ne comprends pas pourquoi on s'éloigne de Trinity College. Ce n'était pas là que tu voulais aller ?

— Si, mais le circuit en autobus part de Stephen's Green. On verra Trinity en passant. De toute façon, je n'ai plus très envie d'y entrer.

— Pourquoi ?

— C'est l'heure du déjeuner.

— Et *Le Livre de Kells* s'en va pendant une heure, c'est ça ? soupire papa, les yeux au ciel. Un petit sandwich au jambon, une tasse de thé, et hop ! Il retourne dans sa vitrine, d'attaque pour l'après-midi, c'est ça que tu crois ? Parce que, ne pas y aller juste parce que c'est l'heure du déjeuner, ça ne rime pas à grand-chose, pour moi.

— Pour moi, si.

Et je ne sais pas pourquoi, mais je sens que je suis dans la bonne direction. Ma boussole intérieure me l'affirme.

Justin se précipite sous l'arche principale de Trinity College et court vers Grafton Street. Déjeuner avec Sarah. Il chasse la voix lancinante en lui qui lui conseille d'annuler le rendez-vous. *Laisse-lui une chance. Laisse-toi une chance.* Il a besoin d'essayer, besoin de reprendre pied, de se rappeler que chaque premier rendez-vous avec une femme ne ressemblera pas à sa première rencontre avec Jennifer. Ces palpitations qui faisaient vibrer tout son corps, ce nœud dans son ventre, ces démangeaisons dans ses doigts quand il frôlait sa peau. Il réfléchit à ce qu'il avait ressenti lors de son rendez-vous avec Sarah. Rien. Rien, sinon une certaine vanité devant l'attirance qu'elle éprouvait pour lui et un peu d'excitation à l'idée d'être entré à nouveau dans l'univers de la séduction. Des quantités de sentiments sur elle et leur situation, mais rien *pour* elle. Il avait réagi davantage à la femme au salon de coiffure quelques semaines plus tôt, et cela signifiait quelque chose.

Laisse-lui une chance. Laisse-toi une chance.

À l'heure du déjeuner, Grafton Street est bondée, on pourrait croire que les portes du zoo de Dublin se sont ouvertes, laissant sortir tous les animaux, ravis d'échapper à leur confinement pour une heure. Il a fini son travail de la journée, un séminaire sur sa spécialité, « La peinture sur cuivre, 1575-1775 », très apprécié des étudiants de troisième cycle qui ont choisi d'y assister.

Conscient d'être en retard, il tente de se mettre à courir, mais les douleurs dans son corps trop sollicité la veille l'immobilisent presque. Furieux de voir les prédictions d'Al se réaliser, il claudique derrière les deux personnes les plus lentes, apparemment, dans toute la rue. Le flot des piétons l'empêche de changer de voie pour les dépasser. Impatient, il ralentit, s'abandonne à l'allure des deux marcheurs devant lui, dont l'un fredonne joyeusement, en chaloupant.

Soûl, à cette heure. Je vous demande un peu.

Papa flâne dans Grafton Street comme s'il avait tout son temps. Ce qui est le cas, je suppose, comparé à tous les autres, même si une personne plus jeune risque de penser différemment. Parfois il s'arrête et désigne quelque chose, se joint à un cercle de badauds pour regarder un spectacle de rue, puis quand nous reprenons notre chemin, il bifurque, histoire de compliquer encore les choses. Comme un rocher dans le courant, il divise la foule autour de lui ; il gêne, mais ne se rend compte de rien. Il chante et nous avançons, en haut, en bas, en bas et en haut.

Grafton street is a wonderland
There is magic in the air,
There's diamonds in the ladies'eyes and
gold-dust in their hair.
And if you don't believe me,
Come and see me there,
In Dublin on a sunny Sunday morning.

Grafton street est un monde merveilleux
Il y a de la magie dans l'air,
Des diamants dans les yeux des dames, de
la poudre d'or dans leurs cheveux.
Et si vous ne me croyez pas,
Venez m'y voir
À Dublin, par un beau dimanche ensoleillé.

Il me regarde, sourit et reprend tout son couplet. Certains mots ne lui reviennent pas, alors il fredonne.

Les jours les plus chargés au bureau, vingt-quatre heures ne semblent pas suffire. J'ai presque envie de tendre les mains en l'air pour essayer d'attraper les secondes et les minutes, comme si je pouvais les empêcher de passer, telle une petite fille qui tente de saisir des bulles. On ne peut retenir le temps mais, quelque part, papa a l'air d'y parvenir. Je me suis toujours demandé comment il pouvait bien meubler son temps, comme si les moments que je passais à ouvrir des portes et à parler d'ensoleillement, de chauffage central et d'espaces de rangement valaient tellement plus que ses petites occupations. En réalité, nous n'avons tous que de petites occupations, pour meubler le temps dont nous disposons, simplement nous aimons nous donner l'impression d'être plus

145

grands en classant les choses par ordre d'importance.

C'est donc cela qu'on fait quand le temps ralentit, quand les minutes semblent plus longues qu'auparavant. On prend son temps. On respire lentement. On ouvre les yeux un peu plus grand et on regarde. On prend conscience de tout. On ressasse des histoires du passé, on se rappelle les gens, les moments et les événements d'autrefois. On laisse ce qu'on voit évoquer autre chose. On parle de ces choses. On s'arrête, on prend le temps de remarquer des détails, et de leur accorder de l'importance. On cherche les réponses qu'on n'a pas trouvées dans les mots croisés de la veille. *On ralentit*. On arrête d'essayer de tout faire maintenant. On empêche les gens derrière d'avancer, parce qu'on ne s'en soucie pas. On sent quelqu'un sur ses talons mais on maintient l'allure. On ne laisse personne régler la vitesse à notre place.

Encore que si cette personne derrière moi me marche sur le talon encore une fois...

Le soleil est si brillant qu'on a du mal à regarder droit devant. On dirait qu'il s'est installé au bout de Grafton Street, comme une boule de bowling prête à tous nous renverser. Enfin, nous approchons du bout de la rue, la chance d'échapper au courant humain est en vue. Soudain, papa s'arrête, captivé par le numéro d'un mime, à côté de nous. Comme je lui tiens le bras, je suis moi aussi forcée de m'arrêter brutalement, et la personne derrière moi me rentre dedans. Encore un grand coup de pied dans mon talon. La coupe est pleine. Je me retourne brusquement.

— Dites donc ! Regardez où vous marchez !

Il émet un grognement exaspéré et repart de plus belle.

— Dites donc vous-même ! riposte un accent américain.

J'allais continuer à crier, mais sa voix me réduit au silence.

— Regarde ça, s'émerveille papa en observant le mime enfermé dans une boîte invisible. Et si je lui donnais une clef invisible pour sortir de cette boîte ? Tu ne crois pas que ce serait drôle, ma chérie ?

— Non, papa.

Je scrute le dos de ma Némésis des rues, en tentant de me rappeler sa voix.

— Tu savais que De Valera[1] s'est échappé de prison grâce à une clef qu'on lui avait fait passer cachée dans un gâteau d'anniversaire ? Quelqu'un devrait raconter cette histoire à ce type. Bon. Où est-ce qu'on va à présent ?

Il tourne sur lui-même, et observe les alentours. Il s'éloigne dans une autre direction, droit vers un groupe de Hare Khrishna, sans les remarquer le moins du monde.

Le duffel-coat beige se retourne, me lance un dernier regard assassin et repart, furibond.

Je continue de regarder. Si j'inverse la grimace... Ce sourire. Familier.

— Gracie, j'ai trouvé où on prend les billets, crie mon père, de loin.

— Attends un peu, papa.

Je suis le duffel-coat du regard. J'espère qu'il va encore se retourner, me montrer son visage.

---

1. Leader des nationalistes irlandais et de l'insurrection de 1916. Il deviendra chef du gouvernement, puis président d'Irlande en 1959. Il se retire de la vie politique en 1973. (*N.d.T.*)

— Bon, alors, je vais prendre les billets.

— D'accord, papa.

Je continue d'observer le duffel-coat qui s'éloigne. Je ne détourne pas le regard, j'en suis incapable. Je jette un lasso mental autour de lui et entreprends de le tirer vers moi. Son pas se fait plus court, sa vitesse diminue peu à peu.

Puis il s'arrête net. Là !

Tourne-toi. Je tire sur la corde.

Il pivote sur lui-même, cherche dans la foule. Moi ? Je chuchote :

— Qui êtes-vous ?

— C'est moi. Tu es au beau milieu de la rue.

Papa est revenu près de moi.

— Je sais ce que je fais. Tiens, va prendre les billets.

Je lui tends de l'argent.

Je m'écarte des Hare Khrishna, et continue de regarder le duffel-coat, en espérant qu'il va me voir. Au milieu des couleurs sombres et tristes des gens qui l'entourent, la laine neuve et claire de son manteau brille presque, sur les manches et le devant. On dirait un saint Nicolas d'automne. Je m'éclaircis la gorge et lisse mes cheveux raccourcis.

Ses yeux continuent de fouiller la rue, et lentement, très lentement, ils viennent croiser les miens. Je le reconnais dans la seconde qu'ils mettent à enregistrer ma présence. « Lui », du salon de coiffure.

Et maintenant ? Peut-être ne va-t-il pas me reconnaître. Peut-être est-il simplement encore furieux contre moi de l'avoir apostrophé. Je ne sais que faire. Devrais-je sourire ? Lui faire signe ? Aucun de nous ne bouge.

Il lève une main. L'agite. Je commence par jeter un œil derrière moi, pour m'assurer que c'est bien moi qu'il regarde. Pourtant j'en étais si sûre, j'aurais parié mon père là-dessus. Soudain, Grafton Street est déserte. Et silencieuse. Il n'y a plus que lui et moi. C'est drôle que ça se soit produit. C'est si gentil de la part des gens. Je lui fais signe à mon tour. Il articule quelques mots à mon adresse.

Épaulé ? Érodé ? Non.

Désolé. Il est désolé. J'essaie de trouver quelque chose à articuler en retour, mais je souris. Impossible de mimer des mots en souriant. C'est tout aussi impossible que de siffler en souriant.

— J'ai les billets ! crie papa. Vingt euros par personne – c'est du vol. Voir, c'est gratuit. Je ne comprends pas pourquoi je devrais payer pour me servir de mes yeux. J'ai l'intention d'écrire une lettre bien sentie à quelqu'un là-dessus. La prochaine fois que tu me demandes pourquoi je reste chez moi à regarder la télé, je penserai à te rappeler qu'au moins, c'est gratuit. Deux euros pour le programme, cent cinquante de redevance *annuelle*, c'est meilleur marché qu'*une journée* en ville avec toi, râle-t-il. Des trajets en taxis qui coûtent les yeux de la tête, tout ça pour voir des choses dans une ville où j'ai vécu et que j'ai regardée gratuitement pendant soixante ans.

Brusquement, j'entends de nouveau la circulation, je vois les gens qui se pressent autour de moi, je sens le soleil et la brise sur mon visage, mon cœur qui bat follement dans ma poitrine, mon sang qui coule avec frénésie. Je sens papa qui me tire par le bras.

— Le bus part tout de suite. Viens, Gracie, il démarre. C'est un peu plus haut dans la rue, il faut y aller. C'est à côté de l'hôtel Shelbourne. Ça va ? On dirait que tu as vu un fantôme, et ne me dis pas que c'est le cas parce que j'ai mon compte pour la journée. Quarante euros ! ajoute-t-il pour lui-même.

Un flot régulier de piétons se rassemble en haut de Grafton Street pour traverser et me le cache. Je sens papa qui me tire en arrière, alors je le suis dans Merrion Row, je marche à reculons, en essayant de ne pas le perdre de vue.

— Merde !

— Qu'est-ce qu'il y a, ma chérie ? Ce n'est pas loin du tout. Mais qu'est-ce qui te prend de marcher à reculons ?

— Je ne le vois pas.

— Qui ça, ma chérie ?

— Un type que je crois connaître.

J'arrête de marcher à reculons, reste près de papa en continuant de scruter la rue et la foule.

— Bon, sauf si tu es certaine de le connaître, cette ville, ce n'est pas un endroit pour s'arrêter bavarder, raisonne papa, protecteur. Qu'est-ce que c'est que ce bus, Gracie ? Il a l'air un peu bizarre. Je ne suis pas très sûr d'avoir envie d'y monter. Je n'étais pas venu depuis quelques années, et regarde ce que la régie des transports a fait de cette ville.

Je l'ignore et le laisse monter devant moi dans l'autobus, occupée que je suis à regarder de l'autre côté, cherchant fiévreusement à travers les drôles de vitres plastifiées. La foule finit par avancer devant nous, pour révéler le vide.

— Il est parti.

— Ah bon ? Tu ne devais pas le connaître si bien que ça s'il s'est sauvé.

Je reporte mon attention sur mon père.

— Papa, c'était vraiment bizarre.

— Quoi que tu en dises, rien ne peut être plus bizarre que ça, répond papa en regardant autour de lui, stupéfait.

Je regarde enfin autour de moi et remarque ceux qui m'entourent. Tout le monde est coiffé d'un casque viking et tient un gilet de sauvetage sur ses genoux.

— Bon, commence le guide dans le micro. Maintenant que nous sommes au complet, montrons aux nouveaux venus ce qu'il faut faire. Quand je dirai le mot, je veux que vous poussiez tous un RRRugissement digne des Vikings ! C'est parti !

Papa et moi sursautons sur nos sièges, et je le sens s'accrocher à moi, pendant que tous les autres passagers rugissent.

14

— Bonjour, tout le monde ! Je suis Olaf le Blanc, bienvenue à bord du Viking Splash Bus. Ces bus, historiquement, sont connus sous le nom de DUKWs, ou plus affectueusement Ducks. Nous sommes dans la version amphibie du véhicule construit par General Motors durant la Seconde Guerre mondiale. Conçus pour rouler sur des plages, dans cinq mètres d'eau, pour décharger du matériel ou des troupes, ils sont de nos jours plus communément utilisés comme véhicules amphibies et de secours en Amérique du Nord, au Royaume-Uni et dans d'autres parties du monde.

Je chuchote à l'oreille de mon père :

— On peut descendre ?

Il m'écarte d'un geste de la main, subjugué.

— Ce véhicule pèse sept tonnes, il mesure neuf mètres de long et deux mètres cinquante de large. Il possède six roues motrices. Vous pouvez constater qu'il a été reconditionné et équipé de sièges confortables, d'un toit, et de côtés relevables pour vous protéger des éléments, parce que, comme vous le savez tous, quand nous aurons fait le tour des monuments de la ville, nous irons « barboter » dans l'eau pour un fantastique circuit sur le Grand Canal !

Tout le monde crie de joie et papa me regarde, les yeux écarquillés comme un petit garçon.

— Pas étonnant que ça coûte vingt euros. Un autobus qui va sous l'eau. Un bus ! Qui va sous l'eau ! Je n'ai jamais vu ça. Attends un peu que je raconte ça aux copains du club du lundi. Pour une fois, Donal la grande gueule ne pourra pas lutter !

Il reporte son attention sur le guide qui, comme tous les autres passagers, porte un casque viking avec des cornes. Papa en prend deux, s'en colle un sur la tête et me tend l'autre, orné de nattes blondes.

— Olaf, je te présente Heidi, dis-je en le mettant sur ma tête.

Il éclate d'un rire silencieux.

— En cours de route, nous verrons les célèbres cathédrales de la ville, St. Patrick et Christ Church, ainsi que Trinity College, les bâtiments gouvernementaux, le Dublin de l'époque géorgienne...

— Ooh, ça va te plaire ! commente papa en me donnant un coup de coude.

— ... et bien sûr le Dublin des Vikings !

Tout le monde rugit, papa y compris, et je ne peux m'empêcher de rire.

— Je ne comprends pas pourquoi on célèbre la mémoire d'une bande de dégénérés qui a parcouru notre pays en pillant et en violant.

— Et si tu te déridais un peu, pour une fois, pour profiter du *craic*[1] ?

1. Bon moment, en gaélique. (*N.d.T.*)

— Et qu'est-ce qu'on fait quand on croise un *Duck* rival ? demande le guide.

Un mélange de huées et de rugissements s'élève.

— Très bien, en route ! s'écrie Olaf.

Justin essaie frénétiquement de voir au-dessus des crânes rasés d'un groupe de Hare Krishna qui paradent devant lui et l'empêchent de retrouver la femme au manteau rouge. Ils forment une mer de robes orange et lui sourient gaiement en faisant tinter leurs clochettes et résonner leurs tambours. Il sautille sur place, en essayant d'apercevoir Merrion Row.

Devant lui apparaît brusquement un mime, habillé d'un justaucorps noir, coiffé d'un chapeau rayé, le visage peint en blanc, les lèvres rouges. Ils se tiennent face à face ; chacun attend que l'autre esquisse un geste. Justin prie pour que le mime se lasse et parte. Hélas ! Épaules carrées, ce dernier prend l'air méchant, écarte les jambes et fait trembler ses doigts près d'un revolver imaginaire à sa hanche.

Justin lui parle à voix basse, poliment.

— Écoutez, je ne suis vraiment pas d'humeur. Vous voulez bien aller jouer avec quelqu'un d'autre ?

L'air malheureux, le mime se met à jouer d'un violon invisible.

Justin entend des rires et se rend compte qu'il a un public. *Super.*

— Oui, très drôle. Bon, ça suffit.

Ignorant le spectacle, Justin s'écarte de la foule qui grossit et continue à chercher le manteau rouge sur Merrion Row.

Le mime apparaît près de lui, porte la main à son front, en visière, et fouille le lointain, tel un marin en mer. Son troupeau de spectateurs le suit, bêlant, ravi. Un couple de Japonais prend une photo.

Justin serre les dents et parle doucement, dans l'espoir que seul le mime puisse l'entendre.

— Hé, trouduc, est-ce que j'ai l'air de trouver ça drôle ?

La réponse vient à travers des lèvres de ventriloque, dans un accent dublinois rocailleux :

— Hé, trouduc, est-ce que j'ai l'air d'en avoir quelque chose à foutre ?

— Vous voulez jouer à ça ? Très bien. Je ne sais pas si vous essayez d'imiter Marcel Marceau ou Coco le Clown, mais votre petite pantomime est insultante pour ces deux artistes. Ces gens apprécient peut-être votre numéro volé dans le répertoire de Marceau, mais moi, non. Eux ne comprennent pas que Marceau, à travers ses numéros, raconte une histoire, décrit une situation ou un personnage. Il ne s'installait pas dans une rue au hasard en essayant de sortir d'une boîte que personne ne voit. Votre manque de créativité et de technique salit la réputation des mimes du monde entier.

Le mime cligne des paupières, une fois, et se met à marcher contre une bourrasque invisible.

— Je suis là ! crie une voix dans la foule.

Elle est là ! Elle m'a reconnu !

Justin danse d'un pied sur l'autre, tente d'apercevoir son manteau rouge.

La foule se retourne et s'écarte, pour révéler Sarah, apparemment ravie de la scène.

Le mime saisit la déception évidente de Justin, se plaque une expression de désespoir sur le visage et se voûte. Ses bras pendent et ses mains frottent presque contre le sol.

— Oooooh ! s'écrie la foule.

Sarah se rembrunit.

Justin remplace son expression de déception par un sourire nerveux. Il se fraie un chemin dans la foule, dit un rapide bonjour à Sarah, et l'entraîne en hâte à l'écart, tandis que le public applaudit et que quelques pièces tombent dans un bol posé tout près.

— C'est un peu grossier, non ? Tu aurais peut-être dû lui donner un peu d'argent ? dit-elle en jetant un regard d'excuse, par-dessus son épaule, au mime qui se couvre le visage et agite violemment les épaules, feignant une crise de larmes.

— Je crois que c'est ce monsieur en justau-corps qui était grossier.

Justin, distrait, continue de chercher autour de lui le manteau rouge tandis qu'ils se dirigent vers le restaurant pour un déjeuner qu'il est désormais bien décidé à annuler.

Dis-lui que tu ne te sens pas bien. Non, elle est médecin, elle posera trop de questions. Dis-lui que tu as fait une erreur, malheureusement, et que tu as une conférence, tout de suite. Dis-lui, dis-lui !

Mais il continue de marcher avec elle, l'esprit aussi actif que le Mont St. Helens, les yeux partant de tous côtés comme ceux d'un drogué en manque. Dans le restaurant en sous-sol, on les conduit à une table dans un coin, au calme. Justin fixe la porte.

Crie « Au feu ! » et pars en courant.

Sarah se dégage de son manteau, révélant une grande étendue de chair, et tire sa chaise plus près de lui.

Quelle coïncidence qu'il se soit encore heurté – littéralement – à la femme du salon de coiffure. Encore que ce ne soit peut-être pas si étonnant. Dublin est une petite ville. Depuis qu'il est là, il a appris que tout le monde connaît plus ou moins tout le monde, ou alors a bien connu quelqu'un qui est parent avec quelqu'un d'autre. Mais la femme... il faut vraiment qu'il cesse de l'appeler ainsi. Il doit lui donner un nom. *Angelina.*

— À quoi tu penses ?

Sarah se penche au-dessus de la table et le dévisage.

Ou bien Lucille.

— Un café. Je pense à un café. Un café noir, s'il vous plaît, dit-il à la serveuse qui débarrasse leur table.

Il regarde son badge. *Jessica.* Non, sa femme n'est pas une Jessica.

— Tu ne manges pas ? s'étonne Sarah, déçue et perplexe.

— Non, je ne peux pas rester aussi longtemps que j'espérais. Je dois retourner à la fac plus tôt que prévu.

Sa jambe tressaute sous la table, faisant cliqueter les couverts. La serveuse et Sarah le regardent bizarrement.

— Oh, bon, très bien.

Elle étudie la carte.

— Je vais prendre une salade du chef et un verre du blanc de la maison, s'il vous plaît, dit-elle à la serveuse avant de se tourner vers Justin. Il faut que je mange, sinon je vais m'écrouler. J'espère que ça ne t'ennuie pas.

— Pas de problème, dit-il en souriant.

Même si tu as commandé la plus grosse salade sur ce putain de menu. Et pourquoi pas Susan ? Est-ce que ma femme a l'air d'une Susan ? Ma femme ? Qu'est-ce qui m'arrive, nom d'un chien ?

— Nous débouchons maintenant dans Dawson Street, ainsi nommée en l'honneur de Joshua Dawson, qui a également conçu Grafton, Anne et Henry Streets. Sur votre droite, vous allez voir Mansion House, le domicile du maire de Dublin.

Tous les casques vikings se tournent vers la droite. Caméras, appareils photo et téléphones portables s'alignent devant les vitres ouvertes. Je me penche vers papa pour murmurer :

— Tu crois que c'est ainsi que se comportaient les Vikings, à l'époque ? Tu crois qu'ils mitraillaient des monuments qui n'étaient même pas encore construits ?

— Oh, tais-toi, proteste-t-il à haute voix.

Le guide se tait, interloqué.

— Non, pas vous, fait papa. Elle.

Il me désigne du doigt, et tout le bus me dévisage.

— À votre droite, vous verrez St. Anne's Church, conçue par Isaac Wells en 1707. L'intérieur date du dix-septième siècle, poursuit Olaf à son équipage de trente Vikings.

— En réalité, la façade de style roman n'a été ajoutée qu'en 1868, et elle avait été dessinée par Thomas Newenham Deane, dis-je à voix basse à papa.

— Oh ! fait lentement papa, les yeux écarquillés. Je ne savais pas.

Ma propre science m'émerveille.

— Moi non plus.

Papa glousse.

— Nous sommes maintenant dans Nassau Street, nous allons voir Grafton Street sur la gauche dans un instant.

Papa se met à chanter *Grafton Street is a wonderland*, très fort.

L'Américaine devant nous se retourne, rayonnante.

— Vous connaissez cette chanson ? Mon père la chantait toujours. Il venait d'Irlande. Oh, j'adorerais l'entendre à nouveau, vous voulez bien nous la chanter ?

Un chœur de « oui, s'il vous plaît, allez... » s'élève autour de nous.

L'homme qui chante toutes les semaines au club du lundi, habitué à se produire en public, entonne sa chanson, et tout le bus se joint à lui, en se balançant d'un côté à l'autre. La voix de papa traverse les vitres en plastique repliées du *Duck* pour arriver aux oreilles des piétons et automobilistes qui passent.

Je prends une autre photographie mentale de papa, assis près de moi, qui chante les yeux fermés, deux cornes sur la tête.

Avec une impatience grandissante, Justin observe Sarah qui picore lentement sa salade. Sa fourchette poignarde oisivement un morceau de poulet. Le poulet s'accroche, tombe, se rattrape et réussit à se cramponner tandis qu'elle agite sa fourchette et l'utilise comme pelleteuse pour repousser des morceaux de laitue et voir ce qui se cache dessous. Enfin elle pique une rondelle de tomate et lève la fourchette vers sa bouche. Le fameux morceau de poulet retombe. C'est la troisième fois.

— Tu es sûr que tu n'as pas faim, Justin ? Mon assiette a l'air de vraiment t'intéresser, sourit-elle en agitant de nouveau dans les airs sa fourchette chargée, faisant pleuvoir dans l'assiette des lamelles d'oignon rouge et de cheddar.

Un pas en avant, deux pas en arrière, à chaque fois.

— Oui, c'est vrai, j'en veux bien un peu.

Il a déjà commandé et fini un bol de soupe dans le temps qu'il a fallu à Sarah pour avaler cinq bouchées de sa salade.

— Tu veux que je te fasse manger ? minaude-t-elle, décrivant des mouvements circulaires vers lui avec sa fourchette.

— Pour commencer, je veux une plus grosse bouchée.

Elle pique quelques morceaux supplémentaires.

— Plus, exige-t-il, l'œil rivé sur sa montre.

Plus il peut en enfourner, plus vite cette expérience exaspérante sera terminée. Il sait que sa femme *Veronica* est probablement partie depuis longtemps, mais ce n'est pas en restant assis là, à regarder Sarah qui brûle plus de calories en jouant avec sa nourriture qu'elle n'en absorbe en mangeant, qu'il pourra s'en assurer.

— Bien, voici l'avion, chantonne-t-elle.

— Plus.

Au moins la moitié du chargement est tombée de la fourchette au cours du « décollage ».

— Plus ? Comment veux-tu que ça tienne sur la fourchette, et ensuite dans ta bouche ?

— Donne, je vais te montrer.

Justin lui prend la fourchette et embroche tout ce qu'il peut. Poulet, maïs, laitue, betterave, oignon, tomate, fromage, il réussit à tout rassembler.

— Maintenant, si notre charmante pilote veut bien faire atterrir son avion...

Elle glousse.

— Tu ne pourras jamais enfourner tout ça.

— J'ai une très grande bouche.

Elle lui déverse le contenu de la fourchette dans la bouche, en riant, et a bien du mal à tout faire rentrer. Quand il réussit enfin à avaler, il consulte à nouveau sa montre, puis regarde l'assiette de Sarah.

— C'est ton tour.

Tu es une ordure, Justin.

— Pas question, répond-elle en riant.

— Allez.

Il rassemble autant de nourriture que possible, y compris le morceau de poulet qu'elle a déjà laissé retomber trois fois, et dirige son chargement vers la bouche ouverte de Sarah.

Elle rit en essayant de refermer la bouche. Presque incapable de respirer, mâcher, avaler ou sourire, elle tente encore d'être charmeuse. Pendant près d'une minute, elle ne peut parler, dans ses efforts pour mastiquer aussi délicatement que possible. Jus, sauce et fragments d'aliments lui coulent sur le menton, et quand elle parvient enfin à avaler, sa bouche barbouillée de rouge à lèvres sourit à Justin, pour révéler un gros morceau de laitue coincé entre ses dents.

— C'était drôle.

Elle sourit.

Hélène. Comme Hélène de Troie, si belle qu'elle avait déclenché une guerre.

— Vous avez fini ? Je peux débarrasser ? demande la serveuse.

— N..., commence Sarah.

— Oui, merci, intervient Justin en évitant son regard.

— En fait, je n'ai pas encore terminé, merci, déclare-t-elle d'un ton sec. L'assiette est reposée.

La jambe de Justin tressaute sous la table. Son impatience grandit. *Salma. Salma si sexy.* Un silence embarrassé s'installe entre eux.

— Pardon, Salma, je ne voulais pas être impoli...

— Sarah.

— Quoi ?

— Je m'appelle Sarah.

— Je sais bien. Je voulais juste...

— Tu m'as appelée Salma.

— Oh ! Quoi ? Qui est Salma ? Oh mon Dieu. Désolé. Je ne connais même pas de Salma, je t'assure.

Elle se dépêche de manger. Maintenant, de toute évidence, elle brûle d'impatience de le quitter.

Il reprend, plus doucement :

— Mais il faut que je retourne à la fac...

— Plus tôt que prévu. Tu l'as déjà dit.

Elle lui décoche un rapide sourire puis laisse son expression retomber en regardant son assiette. À présent, elle pique sa salade avec décision. Fini de jouer. C'est le moment de manger. Elle se remplit la bouche d'aliments plutôt que de mots.

Justin se recroqueville intérieurement, conscient que son comportement est d'une grossièreté qui ne lui est pas habituelle. *Maintenant, dis-lui ce que tu as à lui dire, salaud.* Il la regarde attentivement : un beau visage, un corps magnifique, une intelligence brillante. Tailleur pantalon élégant, longues jambes, grande bouche, doigts effilés. Ongles manucurés, bien nets, sac à main élégant, posé à ses pieds, assorti à ses chaussures. Professionnelle, sûre d'elle, intelligente. Cette femme n'a absolument aucun défaut. Le problème, c'est la confusion de Justin. Ce sentiment qu'une partie de lui est ailleurs. Une partie de lui, en fait, qu'il sent si proche, qu'il doit presque se retenir de partir en courant pour la rattraper. À cet instant précis, partir en courant paraît une bonne idée, le problème, c'est qu'il ne sait pas ce qu'il essaie d'attraper, ou qui. Dans une ville d'un million d'habitants, il ne peut espérer sortir de ce restaurant et la trouver devant lui sur le trottoir. Et cela vaut-il d'abandonner cette autre femme superbe assise auprès de lui dans ce restaurant, simplement pour essayer d'attraper une bonne idée ?

Il immobilise sa jambe et se renfonce dans sa chaise. Jusque-là, il était posé sur l'extrême bord, prêt à bondir vers la porte à la seconde où elle poserait ses couverts.

— Sarah, je suis vraiment désolé, soupire-t-il.

Et cette fois, il est sincère.

Elle cesse de manger et lève les yeux vers lui, mastique rapidement, se tamponne les lèvres avec sa serviette et avale. Son visage s'adoucit.

— Ce n'est pas grave.

Elle chasse les miettes autour de son assiette en haussant les épaules.

— Je ne cherche pas à me faire épouser, Justin.

— Je sais, je sais.

— C'est un déjeuner, rien d'autre.

— Je le sais bien.

— Ou peut-être devrais-je dire, un café, au cas où la mention du mot précédent t'enverrait courir vers la sortie de secours en criant « Au feu ! » ?

Elle regarde sa tasse vide. Maintenant, elle essuie des miettes imaginaires.

Il lui prend la main pour qu'elle arrête de s'agiter.

— Je suis désolé.

— Ce n'est pas grave, répète-t-elle.

L'atmosphère s'éclaircit, la tension s'évapore, la serveuse enlève son assiette.

— Je suppose qu'on devrait demander l'addition...

— Tu as toujours voulu être médecin ?

— Ouf !

Elle interrompt son geste vers son portefeuille.

— C'est toujours intense avec toi, dans un sens ou dans l'autre.

Mais elle sourit.

— Je suis désolé, répète Justin en secouant la tête. Prenons un café avant de partir. J'espère que ça me laissera le temps de me rattraper, pour que ce déjeuner ne soit pas le pire de tous tes rendez-vous.

— Il n'est qu'en seconde position. Il était presque premier, mais tu as réussi à gagner une place avec ta question sur ma vocation.

Justin sourit.

— Alors ? C'est ce que tu as toujours voulu ?

— Oui, depuis que James Goldin m'a opérée, à la maternelle. Comment vous dites aux États-Unis ? Le jardin d'enfants ? Bref, j'avais cinq ans et il m'a sauvé la vie.

— Dis donc, c'est très jeune pour une opération grave. Ça a dû te marquer.

— Profondément. J'étais dans la cour à l'heure du déjeuner. Je suis tombée en jouant à la marelle et je me suis fait mal au genou. Mes autres amis envisageaient l'amputation mais James Goldin est arrivé en courant et s'est mis aussitôt à me faire du bouche-à-bouche. Et la douleur a disparu. C'est à ce moment-là que j'ai su.

— Que tu voulais devenir médecin ?

— Non, que je voulais épouser James Goldin.

— Et tu l'as fait ? demande Justin en souriant.

— Non, je suis devenue médecin à la place.

— Tu es douée pour ça.

— Oui, tu as pu en juger à partir d'une simple piqûre pour un don de sang, sourit-elle. Tout va bien de ce côté-là ?

— Mon bras me démange un peu, mais ça va.

— Il ne devrait pas te démanger, laisse-moi regarder.

Il s'apprête à rouler sa manche et s'interrompt.

— Je peux te demander quelque chose ?

Il s'agite un peu sur sa chaise.

— Est-ce que j'ai un moyen de savoir où est allé mon sang ?

— Où, tu veux dire, dans quel hôpital ?

— Moui, ou mieux encore, est-ce que tu sais qui l'a reçu ?

Elle secoue la tête.

— La beauté de la chose, c'est que les dons sont totalement anonymes.

— Mais il y a bien quelqu'un, quelque part, qui doit le savoir ? Dans les registres de l'hôpital ou même dans tes registres à toi ?

— Bien sûr. Dans une banque du sang, les produits sont toujours traçables. Tout le proces-

sus est enregistré, don, tests, séparation des éléments, stockage et administration au receveur,
mais...

— Voilà un mot que je déteste.

— Malheureusement pour toi, tu ne peux pas
savoir qui a reçu ton sang.

— Mais tu viens de dire que tout était réper-
torié.

— Cette information ne peut pas être divul-
guée. Toutes nos informations, y compris celles
sur les donneurs, sont conservées dans une base
sécurisée. La loi t'autorise à consulter ton dossier.

— Est-ce que ce dossier m'indiquera qui a
reçu mon sang ?

— Non.

— Bon, alors, ça ne m'intéresse pas.

— Justin, le sang que tu as donné n'a pas été
transfusé directement à quelqu'un d'autre dans
l'état où il était en sortant de tes veines. Il a été
séparé en globules rouges, globules blancs, plaquettes...

— Je sais, je sais bien tout ça.

— Je suis désolée de ne rien pouvoir faire.
Pourquoi est-ce que tu veux tellement le savoir ?

Il réfléchit un moment, laisse tomber un morceau de sucre brun dans son café et le remue.

— J'ai simplement envie de savoir qui j'ai aidé,
si je l'ai aidé, d'ailleurs, et si oui, comment il
ou elle va. J'ai l'impression... Non, ça paraît
idiot, tu vas me prendre pour un fou. Ça n'a pas
d'importance.

— Hé, ne sois pas bête. Je te prends déjà pour
un fou.

— J'espère que ce n'est pas ton opinion en tant
que médecin.

— Explique-moi.

Elle prend une gorgée de café, ses yeux bleus perçants l'observent par-dessus le rebord de sa tasse.

— Excuse-moi de réfléchir tout haut, mais c'est la première fois que j'essaie de formuler ça. Au début, c'était du machisme stupide. Je voulais savoir à qui j'avais sauvé la vie. Pour quel petit veinard j'avais sacrifié mon précieux sang.

Sarah sourit.

— Mais depuis quelques jours, je n'arrête pas d'y penser. Je me sens différent. Vraiment différent. Comme si j'avais renoncé à quelque chose. Quelque chose de précieux.

— C'est précieux, Justin. Le besoin de donneurs s'accroît tous les jours.

— Je sais... mais ce n'est pas ça. J'ai l'impression qu'il y a une personne, quelque part, qui se promène avec à l'intérieur quelque chose que je lui ai donné et qui maintenant me manque...

— Le corps remplace le sang de ton don en moins de vingt-quatre heures.

— Non, je veux dire, j'ai l'impression d'avoir renoncé à quelque chose, à une partie de moi, et que cette personne est complète grâce à ça et... mon Dieu, ça paraît insensé. Je voudrais savoir qui est cette personne. J'ai l'impression qu'il y a une partie manquante en moi et j'ai besoin de la rattraper.

— Tu ne peux pas récupérer ton sang, tu sais, plaisante faiblement Sarah.

Tous deux se plongent dans leurs pensées ; Sarah contemple tristement son café, Justin tente de comprendre le sens de ses propres balbutiements.

— J'ai probablement tort d'essayer de discuter de quelque chose d'aussi irrationnel avec un médecin.

— Beaucoup de gens que je connais tiennent ce genre de discours, Justin. Mais tu es le premier à en rejeter la faute sur un don de sang.

Silence.

— Bon.

Sarah tend le bras derrière elle pour reprendre son manteau.

— Tu es pressé, alors nous ferions mieux d'y aller.

Ils descendent Grafton Street dans un silence confortable, parsemé de paroles anodines. Ils s'arrêtent machinalement devant la statue de Molly Malone, en face de Trinity College.

— Tu es en retard pour ton cours.

— Non, j'ai encore un peu de temps avant de...

Il consulte sa montre et se rappelle son excuse. Il se sent rougir.

— Désolé.

— Ce n'est pas grave, répète-t-elle.

— J'ai l'impression qu'on a passé le déjeuner, moi à dire « désolé », et toi à répondre, « ce n'est pas grave ».

— Ce n'est vraiment pas grave, assure-t-elle en riant.

— Et je suis vraiment...

— Stop !

Elle lui met les mains sur la bouche pour le faire taire.

— Ça suffit.

— J'ai vraiment passé un bon moment, reprend-il, mal à l'aise. On devrait peut-être... Tu sais, je me sens gêné, elle nous regarde.

168

Ils regardent vers la droite, Molly les fixe de ses yeux de bronze.

Sarah éclate de rire.

— Tu sais, on pourrait organiser un...

— RRRRRROUAOU !

Justin exécute un saut de carpe, sous l'effet du cri déchirant émanant de l'autobus arrêté au feu rouge près de lui. Sarah pousse un petit cri de frayeur et lève la main vers sa poitrine. Dans le bus, une douzaine d'hommes, de femmes et d'enfants, tous coiffés de casques vikings, agitent le poing en l'air, en riant et rugissant sur les passants. Sarah et une douzaine d'autres piétons aux alentours se mettent à rire, certains rugissent en retour, la plupart ignorent les passagers du bus.

Justin, souffle coincé dans la gorge, se tait, car il ne peut détacher les yeux de la femme qui rit à gorge déployée avec un vieil homme. Elle a un casque sur la tête, dont dépassent deux tresses blondes.

— On les a eus, Joyce, c'est sûr, jubile le vieil homme, en rugissant et en agitant les poings.

D'abord elle paraît surprise, puis elle lui tend un billet de cinq euros, au grand bonheur de son compagnon, et ils continuent à rire ensemble.

Regarde-moi, prie Justin dans sa tête. Elle regarde toujours le vieil homme qui lève le billet vers la lumière pour en vérifier l'authenticité. Justin jette un œil sur le feu, toujours rouge. Elle a encore le temps de le remarquer. *Retourne-toi ! Regarde-moi, rien qu'une fois !* Le feu passe au rouge pour les piétons. Le temps presse.

Elle est toujours détournée, complètement absorbée par sa conversation.

Le feu passe au vert et le bus reprend lentement sa route dans Nassau Street. Il commence à marcher à côté, essayant de toute sa volonté de la faire se tourner vers lui.

— Justin ! appelle Sarah. Qu'est-ce que tu fais ?

Il continue de marcher à côté de l'autobus, accélère le pas, puis se met à courir. Il entend Sarah qui l'appelle, mais ne peut s'arrêter.

— Hé ! crie-t-il.

Pas assez fort, elle ne l'entend pas. Le bus prend de la vitesse et Justin le suit, l'adrénaline afflue dans son corps. Le bus accélère, il sera bientôt distancé. Il est en train de la perdre.

— Joyce ! bredouille-t-il.

Le son surprenant de sa propre voix suffit à le stopper net. Qu'est-il en train de faire ? Il se plie en deux, appuie les mains sur ses genoux, tente de reprendre haleine, de se stabiliser dans le tourbillon où il se sent emporté. Il regarde le bus une dernière fois. Un casque viking apparaît à la vitre, des nattes blondes se balancent comme des pendules. Il ne distingue pas le visage mais si une seule tête, une seule personne dans ce bus regarde au-dehors, vers lui, il sait que ce ne peut être qu'elle.

Le tourbillon s'interrompt un instant, il lève la main, l'agite.

Une main apparaît à la vitre et le bus bifurque dans Kildare Street. Encore une fois, Justin la regarde disparaître de sa vue. Son cœur bat si fort qu'il est convaincu que le trottoir vibre sous ses pieds. Il n'a peut-être pas la moindre idée de ce qui se passe, mais maintenant il est sûr d'une chose.

Joyce. Elle s'appelle Joyce.

Il contemple la rue déserte.

Mais qui es-tu, Joyce ?

— Qu'est-ce qui te prend, de te pencher comme ça ?

Papa me tire à l'intérieur, affolé.

— Tu n'as peut-être plus beaucoup de raisons de vivre, mais pour l'amour du ciel, tu te dois de continuer quand même.

— Tu n'as pas entendu quelqu'un crier mon nom ?

Je lui pose la question à voix basse, le cerveau en ébullition.

— Voilà qu'elle entend des voix à présent, grogne-t-il. C'est moi qui ai dit ton nom, et tu m'as donné cinq euros pour ma peine, tu ne te rappelles pas ?

Il m'agite le billet sous le nez et reporte son attention sur Olaf.

— À votre gauche, c'est Leinster House, qui abrite de nos jours le Parlement national d'Irlande.

Clic, clac, flash. Souvenir.

— À l'origine, Leinster House s'appelait Kildare House, puisque c'est le comte de Kildare qui l'a commandée. Quand il est devenu duc de Leinster, la maison a été rebaptisée. Une partie du bâtiment, qui était autrefois l'École royale de chirurgie...

— De science, dis-je à voix haute, encore perdue dans mes pensées.

— Pardon ?

Il cesse de parler et toutes les têtes se tournent, une fois de plus.

— Je disais simplement que c'était l'École royale de sciences.

Je me sens rougir.

— Oui, c'est ce que je viens de dire.

— Non, vous avez dit « chirurgie », intervient l'Américaine assise devant moi.

— Oh.

Il perd contenance.

— Pardon. Je me suis trompé. Une partie du bâtiment, qui était autrefois l'École royale de... *sciences*, dit-il en me regardant, est devenue en 1922 le siège du gouvernement irlandais...

Je cesse d'écouter.

— Tu te rappelles ce que je t'ai dit sur le type qui a conçu le Rotunda Hospital ? dis-je à papa, en baissant la voix.

— Oui, Ritchie quelque chose.

— Richard Cassels. Il a aussi conçu ce bâtiment. Certains disent qu'il a servi de modèle pour la Maison-Blanche.

— Ah bon ? dit papa.

— Vraiment ?

L'Américaine se retourne pour me faire face. Elle parle fort. Très fort. Trop fort.

— Tu entends ça, chéri ? Madame dit que le type qui a dessiné ce monument a aussi dessiné la Maison-Blanche.

— Non, ce que j'ai dit, c'est que...

Brusquement, je remarque que le guide s'est tu et me foudroie du regard avec tout l'amour d'un drakkar viking pour un catamaran. Tous les yeux, oreilles et cornes sont tournés vers nous.

— Eh bien, je disais que certains *prétendent* qu'il a servi de *modèle* pour la Maison-Blanche. Il n'y a aucune certitude à ce sujet, dis-je doucement, répugnant à me laisser attirer sur ce terrain. Mais James Hoban, qui a gagné le concours pour la conception de la Maison-Blanche en 1792, était irlandais.

Tous me regardent, ils en attendent davantage.

— Comme il a étudié l'architecture à Dublin, il a plus que probablement étudié les plans de Leinster House.

Autour de moi, les gens poussent des Aaah et des Oooh et discutent entre eux de cette information.

— On n'entend pas ! crie quelqu'un à l'avant du bus.

— Lève-toi, Gracie.

Papa me pousse.

— Papa...

Je lui donne une claque sur le bras.

— Hé, Olaf, donnez-lui le micro ! ordonne la femme au guide.

Il le tend à contrecœur et croise les bras.

— Euh... bonjour.

Je tapote le micro du doigt et souffle dessus.

— Tu dois dire, un, deux, trois, test, Gracie.

— Euh... un, deux...

— On vous entend, aboie Olaf le Blanc.

— Très bien.

Je répète ce que j'ai déjà dit, et les passagers assis à l'avant hochent la tête, intéressés.

— Et tous ces bâtiments servent au gouvernement, eux aussi ? demande l'Américaine en désignant les immeubles des deux côtés.

Je regarde papa, hésitante, et il m'encourage d'un signe de tête.

— En fait, non. À gauche, c'est la Bibliothèque nationale, et à droite, le Musée national.

Je m'apprête à me rasseoir mais papa me pousse le postérieur pour m'en empêcher. Les passagers me regardent toujours. Ils en attendent davantage. Le guide paraît dépité.

— Vous aimeriez peut-être savoir que la Bibliothèque nationale et le Musée national abritaient à l'origine le Musée d'art et de science de Dublin, qui ouvrit en 1890. Les deux immeubles ont été conçus par Thomas Newenham Deane et son fils Thomas Manly Deane après un concours tenu en 1885. Les travaux ont été effectués par les entrepreneurs dublinois J. et W. Beckett, qui dans cette construction ont déployé tout le savoir-faire irlandais. Le musée est l'un des meilleurs exemples encore existants de la maçonnerie décorative, de l'ébénisterie et de la céramique irlandaises. La plus impressionnante particularité de la Bibliothèque nationale est l'entrée arrondie. À l'intérieur, cet espace mène, par un escalier monumental, vers la magnifique salle de lecture avec son dôme. Comme vous le voyez, l'extérieur est caractérisé par un grand nombre de colonnes et de piliers de style corinthien et par la rotonde, avec sa galerie et ses pavillons d'angle. Dans le...

Des applaudissements bruyants m'interrompent – isolés, retentissants, en provenance d'une seule personne, papa. Le reste du bus se tait. Un enfant rompt le silence en demandant à sa mère si l'on va bientôt recommencer à rugir. Un amas d'herbe sèche imaginaire roule dans l'allée centrale, et vient s'arrêter devant un Olaf le Blanc souriant d'une oreille à l'autre.

— Hem... je n'avais pas fini, dis-je doucement.

Papa applaudit encore plus fort, et un homme, assis tout seul à l'arrière, se joint à lui timidement.

— Et... je n'en sais pas plus.

Je m'empresse de me rasseoir.

— Comment savez-vous tout cela ? demande la femme devant nous.

— Elle est dans l'immobilier, déclare papa fièrement.

Les sourcils de la femme se froncent, sa bouche s'arrondit, et elle se retourne vers un Olaf extrêmement satisfait. Il me prend le micro des mains.

— Maintenant, tout le monde... RRR-ROUAOU !

Le silence est rompu, chacun se secoue, tandis que chaque muscle et organe de mon corps se recroqueville en position fœtale.

Papa se penche sur moi et m'écrase contre la vitre. Il approche sa tête pour chuchoter dans mon oreille, et nos casques s'entrechoquent.

— Comment tu sais tout ça, ma chérie ?

Ma bouche s'ouvre et se ferme mais aucun son n'en sort, comme si j'avais épuisé tous mes mots pour mon exposé. Comment diable puis-je savoir tout ça ?

15

Mes oreilles se mettent à grésiller dès que je pénètre dans le gymnase de l'école, ce soir-là, et aperçois Kate et Frankie serrées l'une contre l'autre sur les gradins, apparemment plongées dans leur conversation, le visage creusé d'inquiétude. À l'expression de Kate, on dirait que Frankie vient de lui annoncer le décès de son père. Je connais bien cette expression, puisque c'est moi qui la lui avait donnée, avec cette nouvelle précise, il y a cinq ans, au terminal des arrivées à l'aéroport de Dublin, quand elle avait abrégé ses vacances pour se précipiter à son chevet. À présent, c'est Kate qui parle, et Frankie a l'air d'apprendre que son chien s'est fait écraser par une voiture, air que je connais également très bien, puisque là encore, c'est moi qui ai porté et la nouvelle, et le coup qui avait cassé trois des pattes de son teckel. À présent, Kate prend l'air coupable en jetant un coup d'œil vers moi. Frankie aussi se fige. Un air de surprise, puis de culpabilité, et enfin un sourire pour me donner à penser qu'elles parlaient du temps, et non des événements dans ma vie, tout aussi changeants.

J'attends que la Dame des Traumatismes vienne chausser mes souliers. Pour m'accorder un bref répit en énonçant les commentaires sagaces qui lui permettent habituellement de tenir les inquisiteurs à distance ; en décrivant mon deuil récent non comme une impasse, mais comme une étape du voyage m'offrant l'opportunité inestimable de reprendre des forces et d'en apprendre davantage sur moi-même, muant ainsi cette tragédie en un événement immensément positif. Mais la Dame des Traumatismes n'apparaît pas : cet exercice ne serait pas facile pour elle. Elle sait bien que les deux personnes qui en ce moment me serrent fort dans leurs bras sont capables de voir au-delà des mots, jusqu'au fond de moi.

Les embrassades de mes amies sont plus longues et plus vigoureuses que d'habitude, comportent plus d'étreintes et de caresses, de petits gestes circulaires et de tapes dans le dos, en alternance. Je trouve la chose étrangement réconfortante. La pitié sur leur visage enfonce le clou de mon deuil, j'ai mal au cœur et je sens à nouveau mon esprit se brouiller. Je me rends compte que mon cocon avec papa ne possède pas les superpouvoirs de guérison que j'espérais, car chaque fois que je sors de la maison et rencontre quelqu'un de nouveau, il me faut tout recommencer. Pas seulement tout le blabla, mais aussi toutes les sensations, ce qui est bien plus fatigant que les mots. Enveloppée dans les bras de Kate et de Frankie, je peux facilement devenir le nourrisson que, dans leur esprit, elles cajolent, mais je résiste, parce que si je commence maintenant, je sais que je ne m'arrêterai jamais.

Nous nous installons sur les gradins, à l'écart des autres parents. Certains sont en groupes, mais la plupart profitent de ces rares et précieux instants de solitude pour lire, réfléchir, ou regarder leurs enfants exécuter de médiocres roulades de travers sur les tapis en caoutchouc bleu. Je repère les enfants de Kate, Eric, six ans, et ma filleule Jayda, cinq ans, la fanatique de *Noël chez les Muppets*, que je me suis juré de ne pas tenir pour responsable. Ils sautillent avec enthousiasme, piaillent comme des criquets, tirent sur leur culotte qui leur rentre dans les fesses et trébuchent sur leurs lacets défaits. Sam, onze mois, dort à côté de nous dans une poussette. Des bulles s'échappent de ses lèvres charnues. Je le regarde avec affection, puis me souviens à nouveau et détourne la tête. Ah, le souvenir. Cette vieille scie.

J'ai envie que tout soit comme avant, alors je demande à Frankie :

— Ça va, ton travail ?

— Débordée, comme d'habitude, répond-elle, et je sens de la culpabilité dans sa voix, peut-être même de l'embarras.

J'envie sa normalité, et même, sans doute, son ennui. J'envie le fait que son aujourd'hui soit comme son hier.

— Acheter bas, vendre haut, c'est toujours l'idée ? intervient Kate.

Frankie lève les yeux au ciel.

— Ça fait douze ans, Kate.

— Je sais, je sais.

Kate se mord la lèvre en essayant de ne pas rire.

— Ça fait douze ans que je fais ce travail, et ça fait douze ans que tu répètes la même chose.

Ce n'est plus drôle. En fait, je ne me rappelle pas que ça l'ait jamais été, et pourtant tu t'obstines.

Kate éclate de rire.

— Le truc, c'est que je n'ai pas la moindre idée de ce que tu fais. Du boursicotage ?

— Manager vice-directrice, services Finances et Solutions investisseurs, lui dit Frankie.

Kate lui lance un regard vide, puis soupire.

— Tant de mots pour dire que tu travailles dans un bureau.

— Oh, pardon. Qu'est-ce que tu fais, toi, toute la journée ? Tu torches des fesses merdeuses et tu fais des sandwichs aux bananes bio ?

— Être mère, ce n'est pas que ça, se rengorge Kate. J'ai la responsabilité de former trois êtres humains afin que, quand ils seront adultes, ou si, à Dieu ne plaise, il m'arrivait quelque chose, ils soient capables de vivre, fonctionner et réussir dans le monde, de façon responsable et autonome.

— Et tu écrases des bananes bio, ajoute Frankie. Non, non, attends, c'est après ou avant la formation de trois êtres humains ? Avant. Oui, bien sûr, écraser des bananes bio et *ensuite*, former trois êtres humains. J'ai compris ! triomphe-t-elle.

— Je disais juste qu'il te faut, quoi, six mots pour décrire ton travail de gratte-papier.

— Sept, je crois.

— Moi j'en ai un. Un seul.

— Je ne sais pas. Covoitureuse, ça compte pour un ou deux mots ? Qu'est-ce que tu en penses, Joyce ?

Je me garde bien de prendre parti.

— Ce que j'essaie de dire, c'est que le mot « maman », ce tout petit mot qui désigne toute femme ayant un enfant, ne décrit pas la pléthore de devoirs que cela implique. Si je faisais dans ta boîte tout ce que je fais chaque jour, putain, c'est moi qui la dirigerais.

Frankie hausse les épaules, nonchalante.

— Désolée, mais je ne crois pas que ça m'intéresse. Et je ne peux pas parler pour mes collègues, mais personnellement je préfère faire moi-même mes sandwichs à la banane et torcher mes propres fesses.

— Ah bon ?

Kate hausse un sourcil.

— Ça m'étonne que tu n'aies pas ramassé un pauvre type au bord de la route pour ça.

— Non, non. Je cherche encore la perle rare.

Frankie lui décoche un doux sourire.

C'est toujours comme ça. Elles ne se parlent pas, elles s'agressent, dans une sorte d'étrange rituel affectif qui semble les rapprocher, alors qu'il aurait l'effet inverse sur n'importe qui d'autre. Dans le silence qui suit, toutes deux ont le temps de comprendre de quoi elles parlaient exactement, devant moi. Dix secondes plus tard, Kate donne un coup de pied à Frankie. Ah, oui, c'est vrai. Ne pas parler d'enfants.

Quand se produit une tragédie, vous découvrez qu'il vous incombe à vous, la tragédiée, de rendre la situation confortable pour tous.

Je remplis leur silence gêné, en demandant des nouvelles du chien de Frankie :

— Comment va Crapper ?

— Pas mal. Ses pattes cicatrisent très bien. Par contre, il hurle toujours quand il voit ta photo. Je suis désolée, mais il a fallu que je l'enlève de la cheminée.

— Ça n'a pas d'importance. En fait, j'allais te demander de l'enlever. Kate, tu peux aussi te débarrasser de ma photo de mariage.

Enfin. Le divorce.

Elle secoue la tête, me regarde tristement.

— C'est la photo de moi que je préfère. J'étais très en beauté à ton mariage. Je ne pourrais pas simplement découper Conor ?

— Ou alors, lui dessiner une petite moustache, ajoute Frankie. Ou mieux encore, lui donner une personnalité. De quelle couleur, à votre avis ?

Je me mords les lèvres pour réprimer le sourire traître qui se glisse aux coins de mes lèvres. Je ne suis pas habituée à ce genre de discours sur mon ex. C'est irrespectueux et je ne suis pas sûre d'être parfaitement à l'aise avec cette idée. Mais c'est drôle. Je me tourne vers les enfants dans la salle.

— Bon, tout le monde.

Le professeur de gymnastique tape dans ses mains pour attirer l'attention, les bonds et piaillements baissent momentanément.

— Étendez les tapis. Nous allons faire des culbutes arrière. Avant de vous relever, posez les mains à plat par terre, les doigts vers vos épaules. Comme ça.

— Admirez un peu la souplesse de notre petit camarade, persifle Frankie.

Un par un, les enfants font leur culbute et se relèvent après un mouvement parfait. Jusqu'à Jayda, qui roule maladroitement sur le côté, donne un coup de pied dans les mollets d'un autre enfant, puis atterrit sur les genoux avant de se remettre debout d'un bond. Elle prend une pose de Spice Girl, dans toute sa gloire rose pailletée, signe de paix compris, en pensant que personne n'a remarqué sa maladresse. Le professeur l'ignore.

— Former un être humain, reprend Frankie d'un ton ironique. Ouais. Ce serait bien toi qui dirigerais tout, putain.

Puis elle se tourne vers moi et sa voix s'adoucit.

— Alors, Joyce, comment tu vas ?

Je m'étais demandé si je devais leur dire, le dire à qui que ce soit. À part m'emmener à l'asile le plus proche, je n'ai aucune idée de la réaction que l'on pourrait avoir devant ce qui m'est arrivé, je ne sais même pas quelle serait la bonne réaction. Mais après l'expérience d'aujourd'hui, je me rallie à la partie de mon cerveau qui brûle de parler.

— Ça va vous paraître vraiment étrange, alors un peu de patience, s'il vous plaît.

— Pas de problème, répond Kate en me prenant la main. Dis ce que tu veux. Laisse-toi aller.

Frankie lève les yeux au ciel.

— Merci.

Je laisse ma main glisser doucement de la sienne.

— Je vois sans arrêt un type.

Kate tente de digérer l'information. Je la vois essayer de le relier à la perte de mon bébé où à mon divorce imminent, en vain.

— Je crois que je le connais, mais en même temps, je sais que non. Je l'ai vu exactement trois fois, maintenant. La dernière fois, c'était aujourd'hui, il courait après mon autobus viking. Et je crois qu'il a crié mon nom. Mais ça, je l'ai peut-être imaginé, parce que, comment aurait-il pu le savoir ? Sauf s'il me connaît, mais comme je suis sûre que ce n'est pas le cas... Qu'est-ce que vous en pensez ?

— Attends, j'en suis restée à l'autobus viking, proteste Frankie. Tu dis que tu as un autobus viking.

— Mais non, j'étais simplement dedans. Avec papa. Il va dans l'eau aussi. On porte un casque avec des cornes et on crie « rrrouaou » aux gens

Je brandis les poings devant leur nez.

Elles me regardent, l'œil vide.

Je soupire et me recule.

— Bon, en tout cas, je le vois tout le temps.

— D'accord, dit lentement Kate, en regardant Frankie.

Un silence lourd s'installe pendant qu'elles s'inquiètent de ma santé mentale. Là-dessus, je suis bien de leur avis.

Frankie s'éclaircit la gorge.

— Alors cet homme, Joyce, il est jeune, vieux, ou alors, c'est un Viking qui voyage en haute mer dans son autobus magique ?

— La quarantaine. Il est américain. On s'est fait couper les cheveux ensemble. C'est la première fois que je l'ai vu.

— Ça te va très bien, au fait, dit Kate en lissant doucement quelques mèches.

— Papa trouve que je ressemble à Peter Pan.

— Alors, peut-être qu'il s'est rappelé t'avoir vue au salon de coiffure ? raisonne Frankie.

— Même au salon, c'était bizarre. J'ai senti un... souvenir, enfin... quelque chose.

Frankie sourit.

— Bienvenue dans le monde du célibat.

Elle se tourne vers Kate, dont le visage se fronce de désapprobation.

— C'était quand la dernière fois que Joyce s'est permis un petit flirt ? Ça fait si longtemps qu'elle est mariée.

— Je t'en prie, tance Kate d'un ton condescendant. Si tu crois que ça se passe comme ça quand on est marié, tu te trompes. Pas étonnant que tu aies peur du mariage.

— Je n'ai pas peur, je désapprouve. Tu sais, pas plus tard qu'aujourd'hui, je regardais une émission sur le maquillage...

— Et voilà, c'est reparti.

— Tais-toi et écoute. Le spécialiste disait que comme la peau autour de l'œil est très sensible, on doit appliquer la crème avec l'annulaire, le doigt qui porte l'anneau, parce que c'est le doigt *le moins puissant* !

— Ouaouh ! fait Kate sèchement, quelle démonstration renversante !

Je me frotte les yeux de lassitude.

— Je sais que ça paraît dingue. Je suis fatiguée, je dois imaginer des choses là où il n'y a rien. L'homme que je suis censée avoir en tête, c'est Conor, et je n'y pense pas. Pas du tout. C'est peut-être une réaction à retardement, si ça se trouve, le mois prochain, je vais m'effondrer, me mettre à boire et m'habiller tout en noir...

— Comme Frankie, glisse Kate.

— Mais pour l'instant, je ne ressens que du soulagement. C'est terrible, non ?

— J'ai le droit, moi aussi, de me sentir soulagée ? demande Kate.

— Tu le détestais, c'est ça ? m'enquiers-je tristement.

— Non, il était très bien. Gentil. Mais je n'aimais pas te voir malheureuse.

— Moi, je le détestais, intervient Frankie.

— Nous avons discuté un petit moment hier. C'était bizarre. Il voulait savoir s'il pouvait prendre la machine à expresso.

— Le salaud, crache Frankie.

— Je m'en fiche de la machine à expresso. Vraiment. Il peut la prendre.

— C'est de la guerre psychologique, Joyce. Fais attention. D'abord, c'est la machine à expresso, ensuite, c'est la maison, et ensuite, c'est ton âme. Et puis ensuite c'est cette bague avec une émeraude qui appartenait à sa grand-mère, que d'après lui, tu as volée, alors que tu te rappelles très bien que la première fois que tu es venue chez lui, il t'a dit : « choisis ce que tu veux » et elle était là.

Elle ricane.

Je regarde Kate, quêtant son aide.

— Sa rupture avec Lee.

— Ah. Ça ne tournera pas comme ta rupture avec Lee.

Frankie grommelle.

— Christian est allé boire une bière avec Conor hier soir, annonce Kate. J'espère que ça ne t'ennuie pas.

— Bien sûr que non, ils sont amis. Il va bien ?

— Oui, il a l'air en forme. Il est bouleversé à cause du... tu sais...

— Le bébé. Tu peux dire le mot. Je ne vais pas m'effondrer.

— Il est bouleversé à cause du bébé, et déçu de l'échec de votre mariage, mais je crois qu'à ses yeux, c'est la bonne décision. Il repart pour le Japon dans quelques jours. Il a aussi dit que vous alliez mettre la maison en vente.

— Je n'aime plus y vivre et nous l'avions achetée ensemble, alors c'est la meilleure solution.

— Tu es sûre ? Où est-ce que tu vas vivre ? Ton père ne te fait pas tourner en bourrique ?

En tant que tragédiée et future divorcée, vous découvrirez également que les gens vous interrogent sur les décisions les plus importantes de votre vie comme si vous n'y aviez pas du tout réfléchi, comme si, grâce à leur vingtaine de questions et leurs grimaces sceptiques, une lumière allait briller et illuminer quelque chose qui vous aurait échappé la première ou la centième fois pendant vos heures les plus sombres.

— Bizarrement, non.

Je souris en pensant à lui.

— En fait, c'est l'inverse. Même s'il ne réussit à m'appeler Joyce qu'une fois par semaine. Je vais rester chez lui jusqu'à ce que la maison soit vendue et que je trouve un autre logement.

— Ce type, là... en dehors de lui, comment est-ce que tu te sens vraiment ? Nous ne t'avons pas vue depuis l'hôpital et nous étions si inquiètes...

— Je sais. Je suis désolée.

J'avais refusé de les voir quand elles étaient venues, et j'avais envoyé papa dans le couloir pour les renvoyer chez elles, ce que bien sûr il n'avait pas fait, si bien qu'elles étaient restées quelques minutes à mon chevet, tandis que je regardais le mur rose, en pensant au fait que j'étais en train de regarder un mur rose, puis elles étaient parties.

— Mais j'ai vraiment apprécié votre visite.

— Non, ce n'est pas vrai.

— D'accord. Sur le coup, non, mais maintenant oui.

Je réfléchis à la question, comment je me sens, vraiment. Elles n'avaient qu'à pas me le demander.

— À présent, je mange de la viande. Et je bois du vin rouge. Je déteste les anchois et j'écoute de la musique classique. J'aime surtout l'émission musicale de John Kelly, sur Lyric FM, il ne passe pas Kylie Minogue, mais je m'en fiche. Hier soir j'ai écouté « Mi restano le lagrime », dans l'acte III, scène I d'*Alcina* de Haendel avant de m'endormir ; je connaissais les paroles, et je ne sais absolument pas comment. J'en sais beaucoup sur l'architecture irlandaise, mais moins que sur l'architecture française et italienne. J'ai lu *Ulysse* et je peux en réciter des passages entiers, alors qu'avant, je n'avais même pas réussi à aller jusqu'au bout du livre audio. Pas plus tard qu'aujourd'hui, j'ai envoyé une lettre au conseil municipal pour leur dire que rajouter encore un affreux immeuble moderne dans une zone où la plupart des bâtiments sont anciens et moins huppés signifie non seulement que le patrimoine national est sérieusement menacé, mais la santé mentale des habitants aussi. Je croyais que mon père était le seul à écrire des lettres de protestation. En soi, ce n'est pas très grave. Le plus grave, c'est qu'il y a quinze jours, j'aurais été tout excitée à l'idée de faire visiter ces appartements. Aujourd'hui, je suis particulièrement contrariée par des rumeurs sur la démolition d'un immeuble ancien dans la vieille ville de Chicago, et donc j'ai l'intention d'écrire, là aussi. Je parie que vous vous demandez comment je l'ai su. Eh bien, je l'ai lu dans un des derniers numéros de l'*Art and Architectural Review*, la seule publication réellement internationale sur l'art et l'architecture. J'y suis abonnée maintenant.

Je reprends mon souffle.

— Demandez-moi ce que vous voulez, je connais sûrement la réponse, et je ne sais pas du tout comment.

Stupéfaites, Kate et Frankie se regardent.

— Peut-être que maintenant que tu ne t'inquiètes plus en permanence pour ton couple, tu arrives à te concentrer davantage ? propose Frankie.

J'examine cette hypothèse, mais pas long-temps.

— Je rêve presque chaque nuit d'une petite fille aux cheveux blond pâle, qui grandit toutes les nuits. Et j'entends de la musique – un mor-ceau que je ne connais pas. Quand je ne rêve pas de la petite, je rêve d'endroits où je ne suis jamais allée, de plats auxquels je n'ai jamais goûté, et je suis environnée d'étrangers qu'appa-remment je connais très bien. Un pique-nique dans un parc avec une femme rousse. Un homme aux pieds verts. Et un arrosage automa-tique.

Je réfléchis.

— Quelque chose à propos d'un arrosage auto-matique. Quand je me réveille, il me faut me rappeler à chaque fois que mes rêves ne sont pas réels et que ma réalité n'est pas un rêve. Ça m'est presque impossible, mais pas tout à fait, parce que papa est là, avec un sourire sur le visage et des saucisses dans la poêle, il pour-chasse un chat qui s'appelle Boule de poils dans le jardin, et pour une raison inconnue, il cache la photo de maman dans le tiroir de l'entrée. Et après les premiers moments de ma journée éveillée, où tout est absurde, toutes ces autres choses deviennent les seules dans mon esprit. Et un homme que je n'arrive pas à me sortir de la tête, et qui n'est pas Conor, comme on pourrait le croire, l'amour de ma vie dont je viens de me séparer. Non. Je pense sans arrêt à un Américain que je ne connais même pas.

Les yeux des filles sont pleins de larmes, leur expression un mélange de compassion, d'inquiétude et de perplexité.

Je ne m'attends pas à ce qu'elles disent quelque chose – elles me croient sans doute folle – alors je regarde de nouveau les enfants sur le sol du gymnase. Eric monte sur la poutre, large de dix centimètres et recouverte de cuir fin. Le professeur lui conseille de se servir de ses bras comme balancier. Image même de la concentration inquiète, Eric cesse d'avancer et lève lentement les bras. Le professeur l'encourage et un petit sourire fier naît sur son visage. Il lève les yeux un instant pour voir si sa mère le regarde, et dans ce bref moment, perd l'équilibre et tombe tout droit. Malheureusement, son entrejambe heurte la poutre. Son visage prend une expression horrifiée.

Frankie ricane. Eric hurle. Kate se précipite vers son fils. Sam continue de faire des bulles.

Je m'en vais.

16

Sur le chemin du retour, je longe ma maison en essayant de ne pas la regarder. Mes yeux perdent le combat contre mon esprit et je vois la voiture de Conor garée devant. Depuis notre dernier dîner au restaurant, nous avons eu quelques conversations, plus ou moins affectueuses. La plus récente a été la plus basse sur l'échelle. Le premier coup de fil était venu en fin de soirée, le lendemain de notre dîner. Conor me demandait une dernière fois si c'était vraiment la meilleure solution. Allongée sur mon lit, dans la chambrette de mon enfance, j'écoutais ses mots brouillés et sa voix douce, tout comme autrefois, quand nous nous étions rencontrés, lors de ces appels qui duraient toute la nuit. Vivre avec son père à trente-trois ans après l'échec d'un mariage, écouter son mari vulnérable à l'autre bout du fil... C'était si facile de se rappeler alors les bons moments que nous avions vécus ensemble et de revenir sur notre décision. Mais le plus souvent, les décisions faciles sont de mauvaises décisions, et parfois, quand on a l'impression de reculer, on avance en réalité.

L'appel suivant avait été un peu plus froid, une excuse embarrassée et une allusion à un détail légal. Celui d'après, agacé, demandait pourquoi mon avocat n'avait pas encore répondu au sien. Puis, il m'avait appelée pour me dire que sa sœur, tout juste tombée enceinte, allait prendre le berceau. J'avais éclaté de rage et de jalousie en raccrochant, et jeté le téléphone à la poubelle. Le dernier appel m'informait qu'il avait tout emballé, qu'il partait pour le Japon dans quelques jours. Et pouvait-il prendre la machine à expresso ?

Mais à chaque fois que je raccrochais, je sentais que mes adieux manquaient de conviction, n'étaient pas de vrais adieux. C'était plutôt des « à la prochaine ». Je savais que je pouvais encore faire marche arrière, qu'il ne disparaîtrait pas tout de suite, que nos paroles n'étaient pas réellement définitives.

Je me gare et contemple la maison où nous avons vécu pendant presque dix ans. Ne méritait-elle pas mieux que des adieux sans conviction ?

Je sonne et personne ne répond. Par la fenêtre de devant, je vois que tout est emballé, les murs et le sol nus, la scène prête à accueillir la prochaine famille qui viendra s'installer et arpenter les planches. Je tourne ma clef dans la serrure et entre, en faisant du bruit pour ne pas le surprendre. Je m'apprête à l'appeler, quand j'entends une faible mélodie en provenance de l'étage. J'arrive devant la chambre d'enfant à demi décorée et trouve Conor assis sur la moquette, le visage ruisselant de larmes, contemplant le souriceau qui pourchasse son morceau de fromage. Je traverse la pièce et m'approche de lui. Par terre, je le serre contre moi en le berçant doucement. Je ferme les yeux et me perds dans mes pensées.

Il cesse de pleurer et lève lentement les yeux vers moi.

— Quoi ?

— Mmm ?

Je sors de mes rêves en sursaut.

— Tu as dit quelque chose. En latin.

— Non.

— Si. À l'instant. Depuis quand est-ce que tu parles latin ? demande-t-il en s'essuyant les yeux.

— Je ne le parle pas.

— Et la phrase que tu viens de dire ?

— Conor, je ne me rappelle pas avoir dit quoi que ce soit.

Il me foudroie d'un regard proche de la haine. Je déglutis difficilement.

Un étranger me dévisage, dans un silence tendu.

— D'accord.

Il se relève et se dirige vers la porte. Pas d'autres questions, pas de tentatives pour me comprendre. Il ne s'en soucie plus.

— À partir de maintenant, c'est Patrick, mon avocat.

Génial. Son connard de frère.

— D'accord.

Il s'arrête devant la porte et se retourne, mâchoire crispée, pour balayer la pièce du regard. Un dernier coup d'œil à tout, moi comprise, et il disparaît.

L'adieu définitif.

Durant la nuit chez papa, de nouvelles images me traversent l'esprit comme des éclairs, si vives et brèves qu'elles m'illuminent la tête d'une urgente zébrure avant de disparaître. Retour au noir.

Une église. Des cloches. Un arrosage automatique. Un raz-de-marée de vin rouge. De vieux immeubles avec des boutiques au rez-de-chaussée. Des vitraux.

Un homme vu à travers les barreaux d'une rampe, il a les pieds verts, il ferme une porte derrière lui. Un bébé dans mes bras. Une fillette aux cheveux blond pâle. Une chanson familière.

Un cercueil. Des larmes. Une famille vêtue de noir.

Des balançoires dans un parc. Plus haut, encore plus haut. Mes mains qui poussent un enfant. Moi, enfant, sur une balançoire. Une bascule. Un petit garçon rondouillard qui me fait m'élever dans les airs en plongeant vers le sol. Un arrosage automatique, encore. Des rires. Moi et le même petit garçon, en maillot de bain. Une banlieue. De la musique. Des cloches. Une femme en robe blanche. Des rues pavées. Des cathédrales. Des confettis. Des mains, des doigts, des anneaux. Des cris. Une porte qui claque.

L'homme aux pieds verts qui ferme la porte.

De nouveau l'arrosage. Un petit garçon rondouillard qui me poursuit en riant. Un verre dans ma main. Ma tête dans les toilettes. Des salles de conférences. Le soleil, une pelouse verte. De la musique.

L'homme aux pieds verts dehors, dans le jardin, un tuyau à la main. Des rires. La fillette aux cheveux blond pâle joue dans le sable. La fillette sur une balançoire, elle rit.

Vu depuis la rampe, l'homme aux pieds verts qui ferme une porte. Un flacon dans sa main.

Une pizzeria. Des sundays glacés.

Et aussi des cachets dans sa main. Les yeux de l'homme qui voient les miens avant que la porte ne se referme. Ma main sur la poignée. La porte qui s'ouvre. Un flacon vide par terre. Des pieds nus, verts sur le dessous. Un cercueil.

Un arrosage automatique. Qui oscille d'avant en arrière. Je fredonne cette chanson. De longs cheveux blonds sur mon visage et dans ma petite main. Un chuchotement...

J'ouvre les yeux avec un hoquet, mon cœur me martèle la poitrine. Sous moi, les draps sont trempés, je ruisselle de sueur. Dans le noir, je cherche à tâtons la lampe de chevet. Je refuse de laisser couler les larmes qui m'emplissent les yeux. Je saisis mon portable et compose un numéro, les doigts tremblants.

— Conor ? dis-je d'une voix entrecoupée.

Il marmonne de façon incohérente un moment, avant de se réveiller.

— Joyce, il est trois heures du matin, coasse-t-il.

— Je sais. Pardon.

— Qu'est-ce qu'il y a ? Tu vas bien ?

— Oui, oui, très bien. C'est juste que... enfin, j'ai fait un rêve. Ou un cauchemar, ou peut-être que c'était autre chose, des images de... enfin, de tas d'endroits et de gens et...

Je m'interromps et tente de reprendre le fil.

— *Perfer et obdura ; dolor hic tibi proderit olim ?*

— Quoi ? grogne-t-il, mal réveillé.

— Ce que j'ai dit hier soir, en latin, est-ce que c'était ça ?

— Oui, on dirait. Seigneur, Joyce...

— « Sois patient et résiste ; un jour cette douleur te sera utile ». Voilà ce que ça veut dire.

Il se tait, puis soupire.

— D'accord, Joyce. Merci.

— Quelqu'un me l'a dit. Peut-être pas quand j'étais petite, mais ce soir, oui.

— Tu n'as pas d'explications à me donner.

Silence.

— Je vais retourner me coucher, maintenant.

— D'accord.

— Ça va, Joyce ? Tu veux que j'appelle quelqu'un pour toi ou...

— Non, ça va. Très bien.

Ma voix s'étrangle.

— Bonne nuit.

Il a raccroché.

Une unique larme roule sur ma joue et je l'essuie avant qu'elle atteigne mon menton. Ne commence pas, Joyce. Surtout, ne commence pas maintenant.

17

En descendant l'escalier le lendemain matin, je surprends papa en train de remettre en place la photo de maman dans l'entrée. Il m'entend approcher, sort son mouchoir de sa poche et fait mine de l'épousseter.

— Ah, la voilà. La zombie s'est relevée d'entre les morts.

— Disons que la chasse d'eau tous les quarts d'heure m'a tenue éveillée une bonne partie de la nuit.

J'embrasse le sommet de son crâne presque chauve et entre dans la cuisine. Je sens à nouveau une odeur de fumée.

— Je suis désolé que ma prostate *te* gêne pour dormir.

Il examine mon visage.

— Qu'est-ce que tu as aux yeux ?

— Mon mariage est à l'eau, alors j'ai décidé de passer la nuit à pleurer, dis-je d'un ton détaché, mains sur les hanches, en humant l'air.

Il s'adoucit quelque peu mais remue quand même le couteau dans la plaie.

— Je croyais que c'était ce que tu voulais.

— Oui, papa, tu as raison. Ces dernières semaines ont comblé tous mes rêves.

Il chaloupe jusqu'à la table de la cuisine, s'assoit à sa place habituelle, dans le rayon de soleil, dépose ses lunettes au bout de son nez et continue son Sudoku. Je l'observe un moment, sa simplicité me captive, puis je reprends mes recherches olfactives.

— Tu as encore brûlé tes toasts ?

Il ne m'entend pas et continue de gribouiller. Je vérifie le grille-pain.

— Il est bien réglé. Je ne comprends pas ce qui cloche.

Je regarde à l'intérieur. Pas de miettes. Je vérifie la poubelle, pas de toasts brûlés. Je hume l'air à nouveau, désormais soupçonneuse, et observe papa du coin de l'œil. Il gigote.

— On dirait cette Fletcher, ou ce Monk, toujours en train de fouiner partout. Tu ne trouveras pas de cadavre ici, dit-il sans lever les yeux.

— Non, mais je vais trouver quelque chose, pas vrai ?

Sa tête se relève brusquement. Il est inquiet. Ah ah ! Je plisse les yeux.

— Qu'est-ce qui te prend ?

Je l'ignore et parcours la cuisine en ouvrant les placards pour en inspecter l'intérieur.

Il paraît inquiet.

— Tu as perdu la tête ? Qu'est-ce que tu fais ?

— Tu as pris tes cachets ? m'enquiers-je en arrivant devant le placard à médicaments.

— Quels cachets ?

Ce genre de réponse, c'est louche.

— Tes cachets pour le cœur, pour la mémoire, tes vitamines.

— Non, non et...

Il réfléchit un instant.

— Non.

Je les lui apporte, les aligne sur la table. Il se détend légèrement. Puis je reprends ma fouille des placards et je le sens se crisper. Je saisis la poignée du placard à céréales...

— De l'eau ! hurle-t-il.

Je sursaute et referme la porte du placard à la volée.

— Ça va ?

— Oui. Mais j'ai besoin d'un verre d'eau pour mes cachets. Les verres sont dans ce placard, là.

Il désigne du doigt l'autre bout de la cuisine.

Soupçonneuse, je remplis le verre d'eau et le lui apporte. Je reviens au placard à céréales.

— Du thé ! hurle-t-il. Tu prendras bien une tasse de thé ? Assieds-toi là, je vais te la préparer. Tu as traversé une période difficile, et tu t'en es très bien sortie. Avec courage. Comme une championne. Maintenant, assieds-toi là, je vais te chercher une tasse. Et un bon morceau de gâteau, aussi. Du Battenberg. Tu adorais ça quand tu étais petite. Tu essayais toujours de chiper la pâte d'amande sur le dessus quand personne ne regardait, gourmande comme une chèvre.

Il tente de m'éloigner du placard.

— Papa !

Il cesse de déblatérer et baisse la tête, vaincu.

J'ouvre la porte du placard et regarde à l'intérieur. Rien d'étrange, rien de déplacé, seulement les céréales que je prends le matin et des pétales soufflés auxquels je ne touche pas. Papa a l'air satisfait, laisse échapper un soupir triomphal et repart vers la table. Attends un peu... J'ouvre de nouveau le placard et attrape le paquet de pétales soufflés que je n'aime pas et que je n'ai jamais vu papa manger. Dès que je l'ai en main,

198

je me rends compte qu'il ne contient pas de céréales. Je regarde à l'intérieur.

— Papa !

— Quoi donc, ma chérie ?

— Papa, tu m'avais promis !

Je lui brandis le paquet de cigarettes sous le nez.

— Je n'en ai fumé qu'une, ma chérie.

— Tu n'en as pas fumé qu'une. Cette odeur de fumée tous les matins, ce n'étaient pas des toasts brûlés. Tu m'as menti !

— Une cigarette par jour, ce n'est pas ça qui va me tuer !

— Si, justement. Tu as eu un pontage, tu es censé ne pas fumer du tout ! Je ferme les yeux sur tes saucisses à la poêle au petit-déjeuner, mais ça, ce n'est pas acceptable.

Papa lève les yeux au ciel et, avec ses doigts, imite une bouche, qu'il ouvre et ferme devant mes yeux au rythme de mes paroles.

— Ça suffit. J'appelle ton médecin.

Sa figure s'allonge, il jaillit de sa chaise.

— Non, ma chérie, ne fais pas ça.

Je gagne l'entrée à grands pas et il me court après. En haut, en bas, en bas et en haut. Descend sur sa jambe droite, plie la gauche.

— Tu ne vas pas me faire ça ? Si les cigarettes ne me tuent pas, c'est elle qui le fera, je t'assure. Cette femme est un vrai dragon !

Je décroche le téléphone à côté de la photo de maman et compose le numéro d'urgence que je connais par cœur. Le premier numéro qui me vient à l'esprit quand la personne la plus importante dans ma vie a besoin d'aide.

— Si maman savait ça, elle serait folle de rage. Oh ! C'est pour ça que tu cachais sa photo ?

Papa regarde ses mains et hoche la tête, tristement.

— Elle m'a fait promettre d'arrêter. Sinon pour moi, au moins pour elle. Je ne voulais pas qu'elle me voie, chuchote-t-il, comme si elle risquait de nous entendre.

— Allô ?

On répond à l'autre bout du fil.

— Allô ? C'est toi, papa ?

Une jeune fille à l'accent américain.

Je reprends mes esprits, papa me regarde d'un air suppliant.

— Oh, pardon, dis-je dans le téléphone. Allô ?

— Désolée, j'ai vu un numéro irlandais s'afficher et j'ai cru que c'était mon père, explique la voix.

— Ce n'est pas grave.

Papa se tient devant moi, les mains jointes. Je suis perplexe.

— Je cherchais...

Papa secoue la tête, affolé, et je me tais.

— Des billets pour le spectacle ? demande la jeune fille.

— Quel spectacle ?

— Celui du Royal Opera House.

— Excusez-moi, qui est à l'appareil ? Je ne comprends pas.

Papa lève les yeux au ciel et s'assoit en bas de l'escalier.

— C'est Bea.

— Bea.

Je regarde papa d'un air interrogateur. Il hausse les épaules.

— Bea qui ?

— Qui êtes-vous ? demande-t-elle d'une voix plus dure.

— Je m'appelle Joyce. Je m'excuse, Bea. Je crois que j'ai fait un faux numéro. Vous dites que vous avez vu s'afficher un numéro en Irlande ? Est-ce que j'appelle aux États-Unis ?

— Non, ne vous inquiétez pas.

Rassurée, elle reprend une voix plus amicale.

— Vous êtes à Londres. J'ai vu l'indicatif de l'Irlande et je vous ai prise pour mon père. Il revient aujourd'hui pour assister à mon spectacle demain et je m'inquiète parce que je n'ai même pas encore fini mes études et c'est tellement important et j'ai pensé... désolée, je ne sais pas du tout pourquoi je vous explique tout ça mais j'ai tellement le trac...

Elle éclate de rire et respire profondément.

— Techniquement, c'est un numéro d'urgence.

— C'est drôle, moi aussi, j'ai composé mon numéro d'urgence, dis-je à voix basse.

Nous rions ensemble.

— C'est bizarre, remarque-t-elle.

— Votre voix m'est familière, Bea. On se connaît ?

— Je ne crois pas. Je ne connais personne en Irlande à part mon père, qui est un homme, et américain, alors sauf si vous êtes mon père qui essaie de me faire une blague...

— Non, non...

J'ai les genoux qui tremblent.

— Ça va vous paraître idiot, mais est-ce que vous êtes blonde ?

Papa se prend la tête dans les mains, et je l'entends grogner.

— Oui, pourquoi, j'ai une conversation de blonde ? Ce n'est peut-être pas flatteur, répond-elle en riant.

J'ai une boule dans la gorge qui m'oblige à me taire. Je réussis à articuler :

— Ce n'était qu'une idée idiote.

— Bien vu, répond-elle avec curiosité. Bon, j'espère que tout va bien, vous disiez que vous aviez composé un numéro d'urgence ?

— Oui, mais merci, tout va bien.

Papa paraît soulagé.

Elle éclate de rire.

— C'est vraiment bizarre. Je ferais mieux d'y aller. Ravie de vous avoir parlé, Joyce.

— Moi aussi. Bonne chance pour votre ballet.

— C'est gentil ! Merci.

D'une main tremblante, je repose le combiné.

— Espèce de nouille ! Tu as appelé en Amérique ? vitupère papa en chaussant ses lunettes et en appuyant sur un bouton du téléphone. C'est mon voisin Joseph qui m'a montré comment faire ça, quand je recevais ces appels bizarres. On peut voir qui appelle et qui on a appelé. En fait, c'était Fran qui laissait tomber son téléphone de poche. Ses petits-enfants le lui ont offert à Noël dernier et tout ce qu'elle a réussi à faire avec, c'est me réveiller à n'importe quelle heure. Bon, voilà. Les premiers chiffres sont 0044. C'est où, ça ?

— C'est en Angleterre.

— Mais pourquoi est-ce que tu as fait ça ? Tu essayais de me mener en bateau ? Seigneur, il y avait de quoi avoir une crise cardiaque !

— Désolée, papa.

Je sens mes jambes qui flageolent et m'assois en bas de l'escalier.

— Je ne sais pas comment j'ai composé ce numéro.

— En tout cas, ça m'a donné une bonne leçon, affirme-t-il d'un ton faux. Je ne fumerai plus jamais. Promis juré ! Donne-moi ces cigarettes, je vais les jeter.

Je tends la main, abasourdie.

Il s'empare du paquet et l'enfonce dans sa poche de pantalon.

— J'espère que tu vas payer ce coup de fil, parce que ce n'est pas avec ma pension que je pourrais.

Il plisse les yeux.

— Qu'est-ce que tu as ?

— Je vais à Londres.

— Quoi ?

Les yeux lui sortent presque de la tête.

— Dieu tout-puissant, Gracie, tu n'arrêtes jamais !

— Il me faut trouver des réponses à... quelque chose. Je dois aller à Londres. Viens avec moi.

Je me lève et avance vers lui.

Il recule, la main dans la poche pour protéger ses cigarettes.

— Je ne peux pas, dit-il nerveusement.

— Pourquoi ?

— Je ne suis jamais parti d'ici, de toute ma vie !

— Raison de plus.

J'essaie désespérément de le convaincre.

— Si tu dois fumer, tu ferais bien de visiter les alentours de l'Irlande avant de te tuer.

— Il y a des numéros que je peux appeler, si tu continues à me parler comme ça. Les enfants n'ont pas le droit de maltraiter leurs vieux parents, je suis au courant !

— Ne joue pas les victimes. Tu sais très bien que je me fais du souci pour toi. Viens à Londres avec moi, je t'en prie, papa.

— Mais, mais...

Il continue de reculer, les yeux agrandis d'horreur.

— Je ne peux pas rater la réunion du club du lundi.

— Si on part demain matin, on sera rentrés avant lundi, je te le promets.

— Mais je n'ai pas de passeport.

— N'importe quelle pièce d'identité avec photo fait l'affaire.

Nous approchons de la cuisine.

— Mais nous n'avons pas de point de chute.

Il passe la porte.

— On ira à l'hôtel.

— C'est trop cher.

— On partagera une chambre.

— Mais je ne sais pas où sont les choses, à Londres.

— Moi je sais, j'y suis souvent allée.

— Mais... mais...

Il se cogne à la table et ne peut aller plus loin. Son visage est un masque de terreur.

— Je ne suis jamais monté dans un avion.

— Ce n'est rien du tout. Ça te plaira sûrement beaucoup. Et je serai à côté de toi, je te parlerai tout le temps.

Il paraît indécis.

— Qu'est-ce qu'il y a ?

— Qu'est-ce que j'emporterai ? De quoi est-ce que j'aurai besoin ? C'était toujours ta mère qui me faisait ma valise.

— Je t'aiderai.

Je souris, tout excitée.

— On va bien s'amuser. Toi et moi, nos premières vacances outre-mer !

Papa a l'air excité un instant, puis son expression change.

— Non, je ne viens pas. Je ne sais pas nager. Si l'avion tombe, je ne sais pas nager. Je ne veux pas voler au-dessus de la mer. Je veux bien partir quelque part en avion avec toi, mais pas traverser la mer.

— Papa, on vit sur une île. Pour sortir de ce pays, on est obligé de traverser la mer. Et il y a des gilets de sauvetage dans les avions.

— Ah bon ?

— Oui, tout ira bien. Les hôtesses te montreront ce qu'il faut faire en cas d'urgence, mais crois-moi, il ne se passera rien. J'ai pris l'avion des dizaines de fois sans le moindre hoquet. Tu vas bien t'amuser. Et imagine tout ce que tu auras à raconter aux copains, lundi ! Ils n'en croiront pas leurs oreilles. Ils seront pendus à tes lèvres !

Un sourire s'insinue sur son visage et il cède.

— Donal la grande gueule devra écouter parler quelqu'un d'autre, pour une fois. Je crois que Maggie réussira à libérer un créneau dans mon programme. D'accord.

18

— Fran est arrivée, papa. Il faut y aller.

— Attends, ma chérie. Je vérifie que tout est en ordre.

— Tout est en ordre. Tu as déjà vérifié cinq fois.

— On n'est jamais trop prudent. Un court-circuit dans la télé ou le grille-pain, et en rentrant de vacances on trouve un tas de cendres fumantes à la place de sa maison. On entend ça tous les jours.

Il vérifie pour la énième fois les interrupteurs des multiprises de la cuisine.

Fran klaxonne à nouveau.

— Je te jure, un de ces jours, je vais l'étrangler. Pouet pouet toi-même ! crie-t-il.

J'éclate de rire.

— Papa, il faut vraiment y aller. Il n'y aura aucun problème. Tous tes amis dans le voisinage garderont un œil sur la maison. Au moindre petit bruit dehors, ils ont tous le nez collé aux vitres. Tu le sais bien.

Il hoche la tête et regarde autour de lui, les yeux humides.

— On va bien s'amuser. Je t'assure. Pourquoi est-ce que tu t'inquiètes ?

— Je m'inquiète à cause de cette saleté de Boule de poils, qui va venir dans mon jardin pisser sur mes plantes. Je m'inquiète à cause des liserons qui vont étrangler mes pauvres pétunias et mes gueules-de-loup, et puis, il n'y aura personne pour surveiller mes asters. S'il y a du vent ou de la pluie pendant notre absence ? Je ne les ai pas encore tuteurés, les branches vont s'alourdir et les tiges risquent de casser. Tu sais combien de temps il a fallu au magnolia pour s'installer ? Je l'ai planté quand tu étais toute petite, pendant que ta mère se faisait bronzer les jambes en se moquant de M. Henderson, paix à son âme, qui la lorgnait depuis sa fenêtre.

Fran klaxonne à nouveau.

— On ne part que quelques jours, papa. Le jardin se passera très bien de toi. Tu pourras y travailler de nouveau dès qu'on sera rentrés.

— Bon, alors...

Il regarde une dernière fois autour de lui et se dirige vers la porte.

Je regarde sa silhouette chalouper. Il est sur son trente et un, avec son costume trois-pièces, chemise et cravate, des chaussures encore mieux cirées que d'habitude, et sa casquette en tweed, naturellement, sans laquelle on ne le voit jamais dehors. Il a l'air d'être sorti d'une des photographies au mur derrière lui. Il s'arrête net devant la tablette et soulève la photo de maman.

— Tu sais, ta mère me tannait toujours pour qu'on aille à Londres ensemble.

Il fait mine d'essuyer une trace sur le verre, mais en réalité il caresse du doigt le visage de maman.

— Emmène-la avec toi, papa.

— Oh non, ce serait idiot, refuse-t-il d'un ton sans réplique.

Mais en même temps il me regarde, incertain.

— Non ?

— Je trouve que c'est une excellente idée. On va partir tous les trois et on va bien s'amuser.

Ses yeux sont de nouveau humides. Il hoche la tête en glissant la photo dans la poche de son pardessus, et sort de la maison au moment où Fran recommence à klaxonner.

— Ah, te voilà, Fran. Tu es en retard, on t'attend depuis des heures.

— J'ai klaxonné, Henry, tu n'as pas entendu ?

— Ah bon ?

Il monte dans la voiture.

— Tu devrais appuyer un peu plus fort la prochaine fois, on n'entendait rien à l'intérieur.

Au moment où je mets la clef dans la serrure, le téléphone de l'entrée se met à sonner. Je regarde ma montre. Sept heures du matin. Qui peut bien appeler à sept heures du matin ?

Le klaxon retentit à nouveau et je me retourne, furieuse, pour voir papa, penché au-dessus de l'épaule de Fran, la main sur le volant.

— Voilà, Fran. La prochaine fois, on t'entendra. Dépêche-toi, ma chérie, on a un avion à prendre !

Il éclate d'un rire tonitruant.

J'ignore la sonnerie du téléphone et me dépêche de monter en voiture avec les bagages.

— Pas de réponse.

Justin arpente le séjour, pris de panique. Il compose le numéro à nouveau.

— Pourquoi est-ce que tu ne m'as pas parlé de ça hier, Bea ?

Bea lève les yeux au ciel.

— Parce que je ne pensais pas que c'était si important. Les gens font des faux numéros tout le temps.

— Mais ce n'était pas un faux numéro.

Il cesse de marcher et tape du pied d'impatience, au rythme des sonneries.

— Si, c'était un faux numéro.

Répondeur. Merde ! Est-ce que je laisse un message ?

Il raccroche et refait le numéro, frénétique.

Fatiguée de ces gesticulations, Bea s'assoit sur un fauteuil de jardin dans le séjour. Elle parcourt du regard la pièce recouverte de bâches et les murs parsemés d'échantillons de peinture.

— Quand est-ce que Doris aura fini de décorer cet appartement ?

— Après avoir commencé, aboie Justin, en refaisant le numéro.

— J'ai les oreilles qui sifflent, annonce Doris qui apparaît dans l'encadrement de la porte, vêtue d'une combinaison de travail à impression léopard, le visage aussi maquillé que d'habitude. Je l'ai trouvée hier, tu ne trouves pas qu'elle est adorable ? Ma petite Bea ! s'écrie-t-elle en se précipitant vers sa nièce pour l'embrasser. Comme c'est bon de te voir ! Tu ne peux pas savoir comme on languit de t'admirer sur scène. Notre petite Bea devenue grande, qui va se produire au Royal Opera House !

Sa voix grimpe dans les aigus.

— Oh, ma chérie, comme on est fiers, pas vrai, Al ?

Al entre dans la pièce, une cuisse de poulet à la main.

— Mmmm Hum.

Doris l'examine des pieds à la tête d'un œil dégoûté, et se retourne vers sa nièce.

— On nous a livré hier matin le lit pour la chambre d'amis. Donc, tu auras un lit où dormir quand tu resteras pour la nuit. La grande vie !

Elle foudroie Justin du regard.

— Et puis, j'ai pris des échantillons de peinture et de tissus pour qu'on puisse commencer la décoration de ta chambre, mais je m'en tiens aux règles du feng shui. Je n'accepterai rien d'autre.

Bea se fige.

— Oh. Super.

— On va bien s'amuser !

Justin lance un regard assassin à sa fille.

— C'est bien fait. Ça t'apprendra à faire de la rétention d'informations.

— Quelle information ? Qu'est-ce qui se passe ?

Doris s'attache les cheveux avec un foulard rouge cerise et se fait une rosette au sommet du crâne.

— Papa est en pleine crise, explique Bea.

— Je lui ai déjà dit d'aller chez le dentiste. Il a un abcès, j'en suis sûre, déclare Doris d'un ton dégagé.

— Moi aussi, je lui ai dit, renchérit Bea.

— Ce n'est pas ça, le problème. Cette femme, martèle Justin. Tu te rappelles, la femme dont je t'ai parlé ?

— Sarah ? demande Al.

— Mais non ! répond Justin comme s'il s'agissait de la plus ridicule des suppositions.

— C'est difficile de se tenir au courant, avec toi. Sûrement pas Sarah, surtout depuis que tu

t'es mis à courir après les autobus en l'abandon-
nant derrière toi.

— Je me suis excusé, se défend Justin, crispé.

— Sur son répondeur, glousse son frère. Elle
ne répondra plus jamais à tes coups de fil.

Je ne pourrai pas le lui reprocher.

— La femme *déjà-vue* ? comprend soudain
Doris.

— Oui, s'enthousiasme Justin. Elle s'appelle
Joyce, et elle a téléphoné à Bea hier.

— Ce n'est pas sûr.

La protestation de Bea reste sans effet.

— Une femme qui s'appelle Joyce a téléphoné
hier. Mais je crois bien qu'il y a plusieurs Joyce
dans le monde.

Doris l'ignore et demande à Justin, haletante :

— Ce n'est pas possible ! Comment est-ce que
tu sais son nom ?

— J'ai entendu quelqu'un l'appeler comme ça
dans un autobus viking. Et *hier*, Bea a reçu un
coup de fil, sur son *numéro d'urgence*, que personne n'a sauf moi, d'une *femme en Irlande*.

Justin s'interrompt pour augmenter l'effet dramatique.

— Une femme qui s'appelle Joyce.

Silence. Justin hoche la tête d'un air entendu.

— Oui, je sais, Doris, c'est fou, hein ?

Figée sur place, les yeux écarquillés, Doris
renchérit :

— Fou, c'est le mot. En plus de l'autobus viking.

Elle se tourne vers Bea.

— Tu as dix-huit ans et tu donnes à ton père
un numéro d'urgence ?

Justin grogne, exaspéré, et recompose le
numéro.

Bea rosit.

— Avant qu'il vienne en Angleterre, maman ne le laissait pas appeler à certaines heures à cause du décalage. Alors j'ai pris un autre numéro. Techniquement, ce n'est pas un numéro d'urgence, mais il est le seul à l'avoir et chaque fois qu'il appelle, il a l'air d'avoir un problème.

— Ce n'est pas vrai ! proteste Justin.

— Bien sûr, répond Bea d'un ton nonchalant, en feuilletant un magazine. Et moi, je ne vais pas m'installer avec Peter.

— Exactement. Peter gagne sa vie en ramassant des fraises, crache Justin.

— J'adore les fraises, intervient Al. Sans Pete, je n'en mangerais pas.

— Il est consultant en technologies de l'information.

Bea écarte les bras d'incompréhension.

Doris choisit ce moment pour intervenir. Elle se tourne vers Justin et dit :

— Mon chou, tu sais que je suis à cent pour cent avec toi, pour la femme *déjà-vue*...

— Joyce, elle s'appelle Joyce.

— Si tu veux. Mais tout ce que tu as, c'est une coïncidence. Je crois beaucoup aux coïncidences, mais celle-ci est... un peu stupide.

— Je n'ai pas rien, Doris. Cette phrase est bancale grammaticalement, mais tant pis. J'ai un *nom* et un *numéro de téléphone*.

Il s'agenouille devant Doris et lui serre le visage entre ses mains, en poussant sur ses joues de sorte que ses lèvres pointent en avant.

— Et ça, Doris Hitchcock, ça veut dire que j'ai quelque chose !

— Et ça fait de toi un fou qui harcèle les gens au téléphone, marmonne Bea entre ses dents.

Vous quittez Dublin. Nous espérons que votre séjour a été agréable.

Les oreilles caoutchouteuses de papa reculent, ses sourcils broussailleux se haussent.

— Tu diras à toute la famille que je les invite, hein, Fran ? dit-il, un peu nerveusement.

— Bien sûr, Henry, tu vas bien t'amuser.

Les yeux de Fran me sourient d'un air complice dans le rétroviseur.

— Je les verrai tous en rentrant, ajoute papa, en examinant avec attention un avion qui disparaît dans le ciel. Il est derrière les nuages maintenant, observe-t-il, en me regardant d'un air incertain.

— C'est le meilleur moment, dis-je en souriant.

Il se détend légèrement.

Fran se gare sur l'aire de dépose-minute, encombrée de gens qui savent qu'ils ont peu de temps et se dépêchent de décharger leurs bagages, faire leurs adieux, payer le chauffeur de taxi, tandis que d'autres voitures s'en vont. Papa reste immobile, rocher dans le courant une fois de plus, et contemple le spectacle, tandis que je sors les bagages du coffre. Enfin il se ressaisit et reporte son attention sur Fran, soudain débordant d'affection pour une femme que d'habitude il ne peut s'empêcher d'asticoter. Il nous surprend tous les trois en la serrant maladroitement dans ses bras.

Une fois à l'intérieur, dans le remue-ménage d'un des aéroports les plus fréquentés d'Europe, papa s'accroche à mon bras d'une main tandis que, de l'autre, il tire le bagage à roulettes que je lui ai prêté. Il m'a fallu toute la journée et toute la nuit pour le persuader que cette valise ne ressemble en rien aux chariots que Fran et les autres femmes du quartier utilisent pour faire leurs courses. Il regarde autour de lui et je le vois remarquer des hommes tirant des bagages similaires. Il a l'air heureux, bien qu'assez perplexe. Nous nous dirigeons vers les bornes d'enregistrement automatique.

— Qu'est-ce que tu fais ? Tu prends de l'argent anglais ?

— Ce n'est pas un distributeur, c'est la borne d'enregistrement.

— On ne parle pas à quelqu'un ?

— Non, la machine se charge de tout.

— Je ne me fierais pas à ces gadgets.

Il regarde par-dessus l'épaule de l'homme à la machine voisine.

— Excusez-moi, est-ce que cet engin fonctionne ?

— *Scusi ?*

Papa éclate de rire.

— Scousi-wousi à vous aussi.

Il se retourne vers moi, hilare.

— Scousi. C'est un joli mot.

— *Mi dispiace tanto, signore, la prego di ignorarlo, è un vecchio sciocco e non sa cosa dice,* dis-je à l'Italien, qui paraît franchement mortifié par les commentaires de papa.

Je ne sais pas du tout ce que je lui ai raconté, mais il me rend mon sourire et continue son enregistrement.

— Tu parles italien ?

Papa a l'air surpris mais je n'ai pas le temps de lui répondre, il me fait taire pour écouter une annonce.

— Chut, Gracie, c'est peut-être pour nous. On ferait bien de se dépêcher.

— Notre vol est dans deux heures.

— Pourquoi est-ce qu'on est venus si tôt ?

— Parce que c'est la règle.

Je suis déjà fatiguée, et plus je suis fatiguée, plus mes réponses se font sèches.

— La règle de qui ?

— De la sécurité.

— Quelle sécurité ?

— La sécurité de l'aéroport. Par là, dis-je en désignant du menton les détecteurs à métaux.

— Où est-ce qu'on va, maintenant ? demande-t-il pendant que je retire nos cartes d'embarquement à la machine.

— Enregistrer nos bagages.

— On ne peut pas les garder avec nous ?

— Non.

— Bonjour, sourit la dame au guichet en prenant mon passeport et la carte d'identité de papa.

— Bonjour, répond papa d'un ton joyeux, tandis qu'un sourire sirupeux se fraie un passage sur son visage d'ordinaire maussade.

Je lève les yeux au ciel. Il fond toujours devant les dames.

— Combien de bagages avez-vous ?

— Deux.

— Les avez-vous faits vous-mêmes ?

— Oui.

— Non !

Papa me donne un coup de coude et fronce les sourcils.

— C'est toi qui as fait le mien, Gracie.

— Oui, mais tu étais avec moi, papa, nous l'avons fait ensemble.

— Ce n'est pas ça qu'elle a demandé.

Il se retourne vers l'employée.

— C'est bon quand même ?

— Oui.

Elle continue.

— Est-ce qu'une personne vous a demandé de prendre quelque chose pour elle à bord de l'avion ?

— N…

— Oui, m'interrompt encore papa. Gracie a mis une paire de ses chaussures dans mon sac, parce qu'elles ne rentraient pas dans le sien. On ne part que deux jours, et elle emporte trois paires. Trois !

— Avez-vous quelque chose de coupant ou de dangereux dans vos bagages à main, des ciseaux, pinces à épiler, briquets ou autres ?

— Non, dis-je.

Papa s'agite et ne répond pas.

— Papa, dis-lui non.

— Non, grogne-t-il enfin.

— Bravo.

— Je vous souhaite un agréable voyage, conclut-elle en nous rendant nos pièces d'identité.

— Merci. Vous avez un très joli rouge à lèvres, ajoute papa avant que je l'entraîne.

En approchant des portiques de sécurité, je respire profondément, en essayant de me rappeler que c'est la première fois que mon père met les pieds dans un aéroport et que si l'on n'a jamais entendu ces questions auparavant, surtout à soixante-quinze ans, elles peuvent paraître étranges, il faut bien le reconnaître.

— Tu es content ? m'enquiers-je, dans l'espoir d'alléger l'atmosphère.

— Très, ma chérie.

Je renonce.

Je prends un sachet en plastique transparent, y place mon maquillage et ses cachets, et nous nous engageons dans le labyrinthe formé par les files de passagers.

— J'ai l'impression d'être une souris, commente papa. Il y a du fromage à la sortie ?

Il éclate d'un rire caverneux. Et c'est notre tour de passer sous les détecteurs à métaux.

— Fais ce qu'ils demandent, lui dis-je en retirant ma ceinture et ma veste. Tu ne vas pas poser de problèmes, si ?

— Des problèmes ? Pourquoi est-ce que je poserais des problèmes ? Qu'est-ce que tu fais ? Pourquoi est-ce que tu te déshabilles, Gracie ?

Je gémis tout bas.

— Monsieur, pouvez-vous enlever vos chaussures, votre ceinture, votre pardessus et votre casquette ?

— Quoi ?

Mon père lui rit au nez.

— Retirez vos chaussures, ceinture, pardessus et casquette.

— Il n'en est pas question. Vous voulez que je me promène en chaussettes ?

— Papa, fais ce qu'il demande.

— Si j'enlève ma ceinture, mon pantalon va tomber, objecte-t-il avec colère.

— Tu peux le tenir avec tes mains.

— Dieu tout-puissant ! s'exclame-t-il.

Le jeune homme se tourne vers ses collègues.

— Papa, fais ce qu'il demande.

Je prends un ton plus ferme. Une très longue queue de voyageurs aguerris et irrités, ayant déjà ôté leurs chaussures, ceinture et manteau, se forme derrière nous.

— Videz vos poches, s'il vous plaît, intervient un autre employé de la sécurité, plus âgé et à l'expression plus revêche.

Papa paraît hésiter.

— Mon Dieu, papa, ce n'est pas une blague. Fais-le.

— Je peux les vider plus loin d'elle ?

— Non, ici.

— Je ne regarde pas.

Je me retourne, perplexe.

J'entends des cliquetis pendant que papa vide ses poches.

— Monsieur, vous avez été informé que vous ne pouviez pas emporter ces objets à bord.

Je me retourne et vois l'employé de la sécurité tenant dans ses mains un briquet et un coupe-ongles. Le paquet de cigarettes est sur le plateau avec la photo de maman. Et une banane.

— Papa !

— Restez en dehors de ça, je vous prie.

— Ne prenez pas ce ton avec ma fille. Je ne savais pas que je ne pouvais pas les emporter. La dame disait ciseaux, pinces à épiler, et...

— D'accord, monsieur. Nous comprenons. Mais nous allons devoir vous les prendre.

— Mais c'est mon briquet préféré, vous ne pouvez pas me le confisquer ! Et comment je vais faire sans mon coupe-ongles ?

— On en rachètera, dis-je entre mes dents. Obéis !

— D'accord.

Il agite les mains devant eux, d'un geste très impoli.

— Gardez tout ça.

— Monsieur, veuillez retirer votre casquette, votre manteau, vos chaussures et votre ceinture.

218

— Il est âgé, dis-je à voix basse à l'employé, pour que la foule massée derrière nous ne puisse pas m'entendre. Il a besoin de s'asseoir pour retirer ses chaussures. Et il ne devrait pas avoir à le faire, parce que ce sont des chaussures orthopédiques. Vous ne pourriez pas le laisser passer ?

— La forme de sa chaussure droite nous impose de l'examiner... commence l'employé.

Mais papa l'entend et explose.

— Vous croyez que je cache une bombe dans ma chaussure ? Il faudrait vraiment être un imbécile pour faire ça ! Vous croyez que j'ai une bombe sous ma casquette ou dans ma ceinture ? Et ma banane, vous pensez que ce pourrait être un pistolet ?

Il agite sa banane vers les employés en faisant « pan pan ».

— Vous êtes tous devenus dingues ici !

Il lève la main vers sa casquette.

— Ou alors, peut-être que j'ai une grenade sous ma...

Il n'a pas le temps de finir sa phrase. Tout s'emballe. On le fouille sous mes yeux et je suis emmenée dans une petite pièce qui ressemble à une cellule, où l'on m'ordonne d'attendre.

19

Après un quart d'heure passé seule, assise dans cette salle d'interrogatoire dépouillée qui ne contient qu'une table et une chaise, j'entends la porte de la pièce voisine s'ouvrir, puis se refermer. J'entends un grincement de chaises et ensuite la voix de papa, plus forte que toutes les autres, comme à l'accoutumée. Je m'approche du mur et y colle l'oreille.

— Avec qui voyagez-vous ?

— Gracie.

— Vous en êtes sûr, monsieur Conway ?

— Évidemment ! C'est ma fille, demandez-lui.

— Son passeport indique qu'elle se prénomme Joyce. Est-ce qu'elle nous ment, monsieur Conway ? Ou bien est-ce que c'est vous ?

— Je ne mens pas... Oh ! Je veux dire Joyce. Je voulais dire Joyce.

— Vous changez votre histoire ?

— Quelle histoire ? Je me suis trompé de prénom, voilà tout. Gracie, c'est ma femme. J'ai confondu.

— Où est votre femme ?

— Elle n'est plus de ce monde. Je l'ai mise dans ma poche. Enfin, j'ai mis sa photo dans ma poche. Enfin, elle était dans ma poche jusqu'à ce que les agents me la prennent pour la mettre sur leur plateau. Vous croyez que je vais récupérer mon coupe-ongles ? Il m'a coûté bonbon.

— M. Conway, vous aviez été averti que les objets coupants et le gaz à briquets n'étaient pas autorisés dans l'avion.

— Je sais bien, mais ma fille Gracie, enfin, Joyce, elle s'est mise en colère hier quand elle a trouvé mon paquet de sèches caché dans les céréales, et je n'ai pas voulu sortir le briquet de ma poche de peur qu'elle ne s'énerve encore. Mais je m'excuse. Je n'avais pas l'intention de faire sauter l'avion.

— Monsieur Conway, veuillez éviter ce genre de propos. Pourquoi avez-vous refusé de retirer vos chaussures ?

— J'ai des trous dans mes chaussettes.

Silence.

— J'ai soixante-quinze ans, jeune homme. Pourquoi diable est-ce que je devrais retirer mes chaussures ? Vous croyez que je vais faire sauter l'avion avec une chaussure ? Ou alors, ce sont les semelles intérieures qui vous inquiètent. Vous avez peut-être raison. Qui sait les dégâts que peut causer un homme avec une bonne semelle...

— Monsieur Conway, veuillez cesser de faire le malin, sans quoi vous ne serez pas autorisé à monter à bord. Pourquoi avez-vous refusé de retirer votre ceinture ?

— Mon pantalon serait tombé ! Je ne suis pas comme ces gamins d'aujourd'hui, je ne porte pas de ceinture pour faire *cool*, comme ils disent. Là d'où je viens, on met une ceinture parce que ça tient le pantalon. Et vous m'arrêteriez pour bien plus grave sinon, vous pouvez me croire.

— Vous n'êtes pas en état d'arrestation, monsieur Conway. Nous voulons simplement vous poser quelques questions. Les comportements tels que le vôtre sont interdits dans l'aéroport, nous devons vérifier si vous représentez un danger pour nos passagers.

— Comment ça, un danger ?

L'officier de sécurité s'éclaircit la gorge.

— Nous devons découvrir si vous appartenez à un gang ou à une organisation terroriste avant d'envisager de vous laisser embarquer.

J'entends mon père éclater d'un rire tonitruant.

— Vous devez comprendre qu'un avion est un espace confiné et que nous ne pouvons y admettre une personne dont nous ne soyons pas sûrs. Nous avons le droit de choisir qui nous laissons monter à bord.

— La seule menace que je pourrais représenter dans un espace confiné, c'est quand je viens de manger un bon curry au pub du coin. Et une organisation terroriste ? Ah ! Je ne suis membre que du club du lundi. On se retrouve tous les lundis, sauf les jours fériés, dans ces cas-là on se voit le mardi. Un groupe de copains et de copines comme moi, qui se retrouvent pour boire quelques pintes et chanter ensemble. Encore que, si vous cherchez du sensationnel, la famille de Donal était drôlement impliquée dans l'IRA.

J'entends l'homme qui l'interroge s'éclaircir la gorge.

— Donal ?

222

— Donal McCarthy. Mais laissez-le tranquille, il a quatre-vingt-dix-sept ans, et je vous parle d'il y a longtemps, quand son père combattait. La seule rébellion dont il est capable aujourd'hui, c'est de taper sur l'échiquier avec sa canne, et c'est seulement parce qu'il est frustré de ne pas pouvoir jouer. Il a de l'arthrite aux deux mains. C'est bien dommage qu'il n'en ait pas à la bouche, si vous voulez mon avis. Il ne fait que parler. Peter ne le supporte pas, mais aussi ils ne s'entendent plus depuis qu'il a courtisé sa fille et lui a brisé le cœur. Elle a soixante-douze ans. Vous avez déjà entendu quelque chose d'aussi ridicule ? Il avait l'œil baladeur, qu'elle disait. Mais en fait, il a un problème de strabisme. Ses yeux se promènent sans même qu'il en ait conscience. On ne peut pas le lui reprocher, même s'il adore monopoliser la conversation toutes les semaines. Je languis d'être à lundi, il sera obligé de m'écouter, pour une fois.

Dans le long silence qui suit, papa éclate de rire et soupire.

— Vous croyez que je pourrais avoir une tasse de thé ?

— Nous n'en avons plus pour longtemps, monsieur Conway. Quel est le but de votre voyage à Londres ?

— J'y vais parce que ma fille m'a traîné ici, à la dernière minute. Elle raccroche le téléphone hier matin, et me regarde, blanche comme un linge. « Je pars à Londres », qu'elle m'annonce, comme si c'était le genre de chose qu'on décide à la dernière minute. Ah ! Vous, les jeunes, peut-être, mais moi non. Je ne suis pas du tout habitué à ça, pas du tout. Je ne suis jamais monté en avion, vous comprenez. Alors elle dit, ce serait bien qu'on y aille ensemble ! Et normalement, j'aurais dit non. J'ai des tonnes de choses à faire au jardin. Je dois planter les lis, tulipes, jonquilles et hyacinthes à temps pour le printemps, vous comprenez, mais elle m'a dit que je devrais vivre un peu, et j'ai eu envie de l'envoyer paître, parce que j'ai vécu plus qu'elle. Mais à cause de certains, disons... problèmes récents, j'ai décidé de l'accompagner. Ce n'est pas un crime, si ?

— Quels problèmes récents, monsieur Conway ?

— Ma Gracie...

— Joyce.

— Oui, merci. Ma Joyce, elle a passé un sale moment. Elle a perdu son bébé il y a quelques semaines, vous comprenez. Ça faisait des années qu'elle essayait d'en avoir un avec un type qui joue au tennis en petit short blanc, et finalement, tout avait l'air d'aller pour le mieux, mais elle a eu un accident, elle est tombée et elle a perdu le petit. Et un peu d'elle-même avec, si vous voulez la vérité. Elle a perdu son mari aussi, la semaine dernière, mais ce n'est pas la peine de la plaindre pour ça. Elle a perdu quelque chose, c'est sûr, mais aussi elle a gagné un je-ne-sais-quoi qu'elle n'avait pas avant, et je ne crois pas que ce soit mauvais. En bref, sa vie n'est pas bien rose, alors quel genre de père je serais si je la laissais partir toute seule dans son état ? Elle n'a pas de travail, pas de bébé, pas de mari, pas de mère et bientôt plus de maison, alors si elle a envie de partir à Londres pour se changer les idées, même à la dernière minute, elle a bien le droit d'y aller sans que quelqu'un vienne encore l'empêcher de faire ce qu'elle veut.

« Là, prenez ma casquette. Ma Joyce veut aller à Londres et vous, vous devez la laisser faire. C'est une bonne petite, elle n'a jamais rien fait de mal dans sa vie. Pour l'instant, elle n'a plus rien, sauf moi et ce voyage, à ce que je sais. Alors voilà, prenez-la. Et si je dois partir sans casquette, ni chaussures, ni ceinture, ni manteau, très bien, mais ma Joyce n'ira pas à Londres sans moi.

De quoi vous fendre le cœur...

— Monsieur Conway, vous savez que vous récupérerez vos affaires dès que vous aurez passé le détecteur ?

— Quoi ? hurle-t-il. Elle ne pouvait pas me le dire ? Toutes ces inepties pour rien ! Franchement, des fois on dirait qu'elle cherche les ennuis. Très bien, vous pouvez prendre mes affaires. Vous croyez qu'on arrivera à temps pour notre avion ?

Les larmes qui me montaient aux yeux sèchent instantanément.

Enfin, la porte de ma cellule s'ouvre, et sur un simple signe de tête, me revoilà libre.

— Non, Doris, tu ne peux pas déplacer la cuisinière. Al, dis-lui.

— Et pourquoi ?

— D'abord, mon trésor, elle est lourde et, ensuite, elle fonctionne au gaz. Tu n'es pas qualifiée pour déplacer le gros électroménager, explique Al en s'apprêtant à mordre dans un beignet.

Doris le lui arrache des mains, et il ne lui reste qu'un peu de confiture à se lécher sur les doigts.

— Vous n'avez pas l'air de comprendre que, selon le feng shui, une cuisinière face à la porte, c'est très mauvais. La personne qui cuisine risque instinctivement de regarder derrière elle vers la porte, parce qu'elle crée un sentiment de malaise, ce qui peut provoquer des accidents.

— Ce serait peut-être plus sûr pour papa d'enlever carrément la cuisinière.

— Fichez-moi la paix, soupire Justin en s'asseyant sur une des nouvelles chaises de cuisine, devant la nouvelle table. Cet endroit a besoin de meubles et d'une couche de peinture, c'est tout, pas d'une restructuration complète selon le jedi.

— Rien à voir avec le jedi, s'emporte Doris. Donald Trump suit le feng shui, tu sais.

— Oh, alors ! s'exclament en chœur Al et Justin.

— D'accord, d'accord. Peut-être que si tu avais fait ce qu'il a fait, tu serais capable de monter l'escalier sans faire une pause déjeuner au milieu, lance-t-elle à Al. Ce n'est pas parce que tu vends des pneus que tu es obligé d'en porter, mon chou.

La bouche de Bea s'ouvre, et Justin essaie de ne pas rire.

— Allez, mon cœur, partons d'ici avant que ça dégénère.

— Où est-ce que vous allez, tous les deux, Je peux venir ? demande Al.

— Moi, je vais chez le dentiste, et Bea à sa répétition pour ce soir.

— Bonne chance, Blondie, fait Al en ébouriffant les cheveux de Bea. On va t'applaudir à tout rompre.

— Merci.

Elle serre les dents et arrange ses cheveux.

— Oh ! ça me revient, encore une chose sur la femme au téléphone, Joyce.

Quoi, quoi, quoi ?

— Oui ?

— Elle sait que je suis blonde.

— Comment elle le sait ? s'étonne Doris.

— Elle dit que c'est une idée qui lui est venue. Mais ce n'est pas ça. Avant de raccrocher, elle m'a souhaité bonne chance pour le ballet.

— Alors, elle est attentionnée, en plus d'avoir des idées, commente Al en haussant les épaules.

— En fait, j'y ai repensé après, et je ne me rappelle pas avoir précisé que mon spectacle était un ballet.

Justin regarde tout de suite son frère, un peu plus inquiet maintenant que sa fille est impliquée, mais la poussée d'adrénaline se produit malgré tout.

— Qu'est-ce que tu en penses ?

— J'en pense, surveille tes arrières, frérot. C'est peut-être une dingue.

Il se lève et part vers la cuisine en se frottant l'estomac.

— Ça me donne faim, cette histoire.

Dépité, Justin contemple sa fille avec espoir.

— Est-ce qu'elle t'a paru dingue ?

— Je ne sais pas. Comment ça parle, une dingue ?

Justin, Al et Bea se tournent vers Doris avec ensemble.

— Quoi ? s'indigne-t-elle d'un ton strident.

— Non.

Bea secoue vigoureusement la tête.

— Elle ne parlait pas du tout comme ça.

— À quoi ça sert, ce sac, Gracie ?

— C'est au cas où tu serais malade.

— Et ça ?

— C'est pour suspendre ton manteau.

— Qu'est-ce que ça fait là, ça ?

— C'est une tablette.

— Comment on la fait descendre ?

— Il faut tourner le loquet, en haut.

— Monsieur, vous ne pourrez abaisser votre tablette qu'après le décollage, merci.

Silence.

— Qu'est-ce qu'ils font, dehors ?

— Ils chargent les bagages.

— C'est quoi, ce truc ?

— Un siège éjectable pour les gens qui posent trois millions de questions.

— Allez, dis-moi.

— Ça sert à incliner ton siège.

— Monsieur, vous ne pourrez abaisser votre siège qu'après le décollage, merci.

Silence.

— Et ça, à quoi ça sert ?

— C'est l'air conditionné.

— Et ça ?

— Une lampe.

— Et ça ?

— Oui, monsieur, je peux vous aider ?

— Euh, non merci.

— Tu as appuyé sur le bouton pour appeler l'hôtesse.

— Oh, c'est pour ça qu'il y a une petite bonne femme dessus ? Je ne savais pas. Je peux avoir un verre d'eau ?

— Nous ne pourrons servir de boissons qu'après le décollage, monsieur.

— D'accord, d'accord. C'était bien, votre petite démonstration de tout à l'heure. Vous étiez le portrait craché de mon amie Edna, avec votre masque à oxygène. Elle fumait trois paquets par jour, vous comprenez.

La bouche de l'hôtesse s'arrondit.

— Je me sens tout à fait en sécurité, maintenant, mais qu'est-ce qui se passera si on tombe ?

Il a élevé la voix et les passagers regardent dans notre direction.

— Les gilets de sauvetage ne serviront sûrement à rien, sauf si on souffle dans nos sifflets pendant la chute et que quelqu'un en bas nous entend et nous rattrape. Il n'y a pas de parachutes ?

— Inutile de vous inquiéter, monsieur, nous ne tomberons pas.

— D'accord. Très bien. C'est rassurant. Mais si ça arrive, dites au pilote de viser une meule de foin, ou quelque chose comme ça.

Je respire à fond et fais mine de ne pas le connaître. Je continue de lire mon livre, *L'Âge d'or de la peinture hollandaise, Vermeer, Metsu et Terborch,* en essayant de me persuader que l'emmener n'était pas une si mauvaise idée que ça.

— Où sont les toilettes ?

— Vers l'avant à gauche, mais vous ne pourrez y aller qu'après le décollage.

— Et ce sera quand ? demande papa, en ouvrant grand les yeux.

— Dans quelques minutes.

— Dans quelques minutes ceci, déclare-t-il en saisissant le sac dans la pochette du siège, contiendra autre chose que ce qui est prévu.

— On sera en l'air dans quelques minutes, je vous assure.

L'hôtesse s'empresse de s'éloigner avant qu'il pose une autre question.

Je soupire.

— Tu ne pourras soupirer qu'après le décollage, me reprend papa.

L'homme à côté de moi fait semblant de tousser pour cacher son éclat de rire.

Papa regarde par le hublot et je profite de ce moment de silence.

— Oh, oh, oh, chantonne-t-il. On bouge, Gracie.

Les roues gémissent en rebondissant sur le sol, puis nous voilà en l'air. Papa se tait soudain. Tourné de côté dans son siège, le visage contre le hublot, il regarde au-dehors, pendant que l'avion se hisse dans les nuages, qui ne sont au départ que de simples volutes. Puis, après quelques secousses, nous nous retrouvons environnés de blanc. Papa ne se tient plus de joie, il tourne la tête dans tous les sens pour regarder par les hublots, et soudain tout est bleu et calme au-dessus du monde laineux des nuages. Papa se signe. Il recolle son nez au hublot, le visage éclairé par le soleil, et je prends une photographie mentale pour les murs de ma propre entrée à souvenirs.

Tandis que le signal lumineux « attachez votre ceinture » s'éteint avec un ding, le personnel de bord annonce que nous pouvons utiliser nos appareils électroniques et les commodités, et qu'une collation nous sera servie sous peu. Papa descend sa tablette, met la main dans sa poche et en ressort la photo de maman. Il la dépose sur la tablette, tournée vers le hublot. Il abaisse son siège et tous deux contemplent la mer infinie des nuages blancs qui disparaît au loin en dessous de nous. Il ne dit plus un mot avant la fin du vol.

20

— Je dois reconnaître, c'était merveilleux.
Mer-veil-leux.

Papa secoue la main du pilote avec enthousiasme.

Nous nous tenons près de la porte tout juste
ouverte de l'avion. Je sens sur ma nuque le souffle
des centaines de passagers énervés qui attendent.
On dirait des lévriers dont les cages viennent de
s'ouvrir. Le lapin est lâché, et la seule chose qui
les empêche de s'élancer c'est... eh oui, papa.
Comme d'habitude, le rocher dans le courant.

— Et le repas, poursuit papa en s'adressant
aux hôtesses. C'était délicieux, tout simplement
délicieux.

Il a mangé un sandwich au jambon avec une
tasse de thé.

— Je n'arrive pas à croire que j'ai mangé dans
le ciel, ajoute-t-il en éclatant de rire. Encore
bravo. C'était merveilleux. Miraculeux, rien de
moins, à mon avis. Seigneur !

Il se remet à secouer la main du pilote,
comme s'il venait de rencontrer Kennedy en personne.

— Bon, papa, il faut avancer. On retarde tout
le monde.

— Ah bon ? Merci encore, vous tous. Au revoir. On se reverra peut-être sur le vol de retour, crie-t-il par-dessus son épaule tandis que je l'entraîne.

Nous nous engageons dans le tunnel qui relie l'avion au terminal. Papa dit bonjour en levant la main vers sa casquette à tous ceux que nous croisons.

— Tu n'es pas obligé de dire bonjour à tout le monde, tu sais ?

— C'est agréable d'être important, Gracie, mais c'est encore plus important d'être agréable. Surtout à l'étranger, ajoute l'homme qui n'a pas quitté sa province de Leinster depuis dix ans.

— Tu ne pourrais pas arrêter de crier ?

— Je n'y peux rien, mes oreilles sont toutes bizarres.

— Bâille, ou alors bouche-toi le nez et souffle. Ça ira mieux.

Il se tient près du carrousel à bagages, cramoisi, les joues gonflées et les doigts sur le nez. Il inspire à fond et pousse. Un pet lui échappe.

Le carrousel s'ébranle avec une secousse et, comme des mouches autour d'une charogne, les passagers s'agglutinent soudain devant nous, nous empêchant de voir, comme si leur vie dépendait de leur capacité à saisir leurs bagages à cette seconde précise.

— Voilà ta valise.

Je m'avance.

— Je vais la prendre, ma chérie.

— Non, je m'en occupe, tu vas te faire mal au dos.

— Recule, ma chérie. J'en suis capable.

Il franchit la ligne jaune, saisit sa valise et comprend alors que la force qu'il possédait autrefois l'a abandonné. Il tire, mais se retrouve quand même obligé de marcher à côté. Normalement, je me serais précipitée à son secours, mais je suis pliée en deux de rire. Je n'entends que papa qui répète « excusez-moi, excusez-moi » aux gens qui se tiennent devant le carrousel, tout en essayant de rester à la hauteur de son bagage itinérant. Il effectue un tour complet avant que quelqu'un ait le bon sens d'aider le vieil homme essoufflé et grommelant.

Il revient près de moi, qui suis toujours pliée de rire, écarlate et haletant.

— Je vais te laisser t'occuper de la tienne, annonce-t-il, en tirant sa casquette plus en avant sur ses yeux pour dissimuler son embarras.

J'attends ma valise tandis que papa arpente la zone de récupération des bagages, « pour s'acclimater à Londres ». Après l'incident à l'aéroport de Dublin, la voix du navigateur par satellite, dans ma tête, n'a cessé de me tarauder pour que je fasse demi-tour *tout de suite*, mais une autre part de moi a reçu l'ordre strict de continuer, convaincue que ce voyage est judicieux. Maintenant, je me demande ce que « ce voyage » signifie exactement. En récupérant ma valise sur le carrousel, je me rends compte que mon but n'est pas clair. C'est une chasse au fantôme, voilà tout. Mon instinct seul, stimulé par une conversation avec une jeune fille nommée Bea, m'a persuadée de m'envoler vers un autre pays avec mon père de soixante-quinze ans, qui n'a jamais quitté l'Irlande de toute sa vie. Brusquement, ce qui paraissait « la seule chose à faire » sur le coup me semble totalement irrationnel.

Qu'est-ce que cela signifie de rêver d'une personne qu'on n'a jamais rencontrée presque toutes les nuits, puis de faire sa connaissance par hasard au téléphone ? J'ai composé le numéro d'urgence de mon père, et elle a répondu au numéro d'urgence de son père. Quel message renferme cette coïncidence ? Que suis-je censée apprendre ? Est-ce qu'une personne ordinaire, sensée, l'ignorerait, ou bien ai-je raison de penser et de sentir que quelque chose d'autre se cache là-dessous ? Mon espoir, c'est que ce voyage m'apporte des réponses. Je regarde papa lire une affiche à l'autre bout de la salle et la panique monte en moi. Je n'ai aucune idée de ce que je vais faire de lui.

Soudain, il porte la main à sa tête, puis à sa poitrine, et se précipite vers moi avec un regard fou. J'attrape ses cachets.

— Gracie ! souffle-t-il.

— Là, dépêche-toi, prends ça.

Je lui tends les cachets et une bouteille d'eau, les mains tremblantes.

— Mais qu'est-ce que tu fais ?

— Tu as l'air...

— J'ai l'air de quoi ?

— D'être au bord de la crise cardiaque !

— C'est parce que je vais en faire une, si on ne sort pas d'ici en vitesse !

Il me saisit le bras et m'entraîne.

— Qu'est-ce qui se passe ? Où est-ce qu'on va ?

— À Westminster.

— Quoi ? Mais pourquoi ? Non, papa, on doit passer à l'hôtel déposer nos bagages...

Il s'arrête et se retourne, approche son visage du mien, presque agressif. Sa voix tremble sous l'effet de l'adrénaline. *The Antiques Roadshow* fait une séance d'estimation aujourd'hui, de neuf heures trente à seize heures trente, dans un endroit qui s'appelle Banqueting House. Si on part maintenant, on pourra commencer à faire la queue. Je n'ai pas l'intention de le manquer à la télé, et de faire tout ce chemin jusqu'à Londres pour le rater en chair et en os. Peut-être même qu'on pourra voir Michael Aspel ? Bonté Divine, Gracie, *Michael Aspel* ! Sortons d'ici.

Il a les pupilles dilatées, il est chargé à bloc. Il passe en trombe les portes coulissantes, sans rien à déclarer si ce n'est une démence temporaire et, sûr de lui, prend à gauche.

Je reste dans le hall des arrivées, tandis que des hommes en costume m'approchent de tous côtés en brandissant des pancartes. Je soupire et attends. Papa revient, chaloupant, tirant sa valise derrière lui aussi vite qu'il peut.

— Tu aurais pu me dire que c'était la mauvaise direction, me reproche-t-il en passant devant moi pour se diriger du côté opposé.

Il traverse Trafalgar Square comme une flèche, son bagage derrière lui, éparpillant les pigeons vers le ciel. Il n'a plus envie de s'acclimater à Londres. Il ne voit que Michael Aspel et des vieilles dames BCBG. Enfin, après quelques erreurs de direction à la sortie du métro, nous apercevons Banqueting House, ancien palais royal du dix-septième siècle, et bien que je sois certaine de ne l'avoir jamais visité, il me paraît familier maintenant que je le vois devant moi.

Une fois que nous nous sommes insérés dans la file d'attente, j'examine le tiroir que tient le vieux monsieur devant nous. Derrière, une femme déballe une tasse à thé pour la montrer à quelqu'un d'autre. Tout autour de moi s'élève un bavardage excité, plutôt innocent et poli. Sous le soleil, nous attendons de pénétrer dans la zone de réception. Des camionnettes de télévision, des cameramen et des preneurs de son entrent et sortent du bâtiment. Des caméras filment la longue queue tandis qu'une femme armée d'un micro y choisit des personnes à interviewer. Beaucoup ont apporté des chaises pliantes, des paniers de pique-nique remplis de scones et de mini-sandwichs, des Thermos de thé et de café. En voyant papa regarder autour de lui, estomac grondant, je me sens coupable, comme une mère qui n'aurait pas convenablement pris soin de son enfant. Je m'inquiète aussi à l'idée que nous risquons de ne pas passer la porte d'entrée.

— Papa, je ne voudrais pas t'inquiéter mais je crois vraiment qu'on est supposé avoir quelque chose.

— C'est-à-dire ?

— Un objet. Tous les autres ont apporté quelque chose à faire évaluer.

Papa regarde autour de lui et remarque pour la première fois les objets que tiennent les gens. Son visage s'allonge. Je m'empresse d'ajouter :

— Ils feront peut-être une exception pour nous.

Mais j'en doute.

— Et les bagages ?

Il regarde nos valises.

J'essaie de ne pas rire.

— Je les ai achetées dans une boutique de dégriffé. Je ne crois pas qu'ils voudront les estimer.

Papa éclate de rire.

— Je pourrais peut-être leur donner mes dessous, Gracie, qu'est-ce que tu en dis ? Ils sont chargés d'histoire.

Je fais la grimace et il agite la main, dédaigneux.

Nous avançons lentement dans la queue et papa s'amuse bien en discutant avec tout le monde de sa vie et de son fantastique voyage avec sa fille. Après une heure et demie d'attente, deux salles nous sont ouvertes pour une collation, et papa a obtenu du monsieur qui nous suit une recette pour empêcher la menthe d'envahir son jardin. Devant nous, juste derrière les portes, je vois un couple âgé refoulé pour être venu les mains vides. Papa le voit aussi et me regarde, l'œil inquiet. Ça va être notre tour.

Je cherche autour de moi, indécise et pressée.

Les deux portes ont été ouvertes pour laisser passer la foule. Dès l'entrée, derrière la porte ouverte, je repère une poubelle en bois, qui contient quelques parapluies cassés et oubliés là. Pendant que personne ne regarde, je la renverse pour la vider de ses quelques boules de papier froissées et débris de parapluies. Du pied, je les expédie derrière la porte juste à temps pour entendre « Au suivant. »

Je la porte jusqu'au comptoir. Les yeux de papa manquent lui sortir de la tête quand il me voit.

— Bienvenue à Banqueting House, nous salue la jeune femme.

— Merci, dis-je avec un sourire innocent.

— Combien d'objets avez-vous apportés aujourd'hui ?

— Un seul.

Je dépose la poubelle sur le comptoir.

— Oh, superbe ! Elle fait courir ses doigts sur l'objet et papa me lance un regard. Si, l'espace d'une seconde, j'avais oublié qui de nous deux est le parent, me voilà immédiatement remise à ma place.

— Avez-vous déjà assisté à une journée d'estimation ?

— Non, répond papa, en secouant vigoureusement la tête. Mais je les regarde tout le temps à la télé. Je suis un grand fan de l'émission. Depuis l'époque où c'était Hugh Scully qui la présentait.

— Merveilleux, approuve-t-elle. En entrant dans la salle, vous verrez qu'il y a de nombreuses files. Veuillez choisir celle qui correspond à votre type d'objet.

— Et quelle est la bonne queue pour ça ? demande papa en regardant la poubelle comme si une odeur nauséabonde s'en dégageait.

— Voyons ? Qu'est-ce que c'est ? interroge-t-elle en souriant.

Papa me regarde, perplexe.

— Nous espérions que vous pourriez nous l'apprendre, dis-je poliment.

— Je vous conseillerais la table « divers ». C'est la plus chargée, mais nous y avons placé quatre experts pour que l'attente soit la moins longue possible. Quand vous arriverez devant la table, il vous suffira de montrer votre objet et l'expert vous dira tout à son sujet.

— À quelle table doit-on aller pour voir Michael Aspel ?

— Malheureusement, Michael Aspel n'est pas vraiment un expert, il est présentateur, de sorte qu'il n'a pas de table attitrée, mais nous avons vingt experts disponibles pour répondre à vos questions.

Papa semble effondré.

— Il est possible que votre objet soit sélectionné pour passer à l'antenne, s'empresse-t-elle d'ajouter, en sentant sa déception. L'expert montre l'objet à l'équipe de télévision et elle décide de le filmer ou non, selon sa rareté et sa qualité, ce que l'expert peut en dire, et, bien sûr, sa valeur. Si votre objet est choisi, on vous maquillera et vous pourrez en parler avec l'expert pendant environ cinq minutes. Dans ce cas, vous rencontrerez Michael Aspel. Et le plus beau, c'est que pour la première fois, nous serons en direct dans... voyons voir...

Elle consulte sa montre.

— Dans une heure.

Les yeux de papa s'écarquillent.

— Mais cinq minutes ? Pour parler de ça ? explose-t-il.

Elle éclate de rire :

— Rappelez-vous que nous avons les objets de deux mille personnes à examiner avant l'émission, explique-t-elle en me lançant un regard entendu.

— Nous comprenons. Nous sommes juste venus pour profiter de la journée, n'est-ce pas, papa ?

Il n'entend pas, tout occupé à chercher des yeux Michael Aspel.

— Bonne journée, nous souhaite la jeune femme avant d'appeler la personne suivante.

Dès que nous pénétrons dans la salle entourée d'une galerie et bourdonnante d'activité, je lève les yeux, en sachant déjà à quoi m'attendre :

neuf toiles gigantesques commandées par Charles Ier, pour décorer les caissons du plafond.

— Vas-y, papa, dis-je en lui fourrant la poubelle dans les mains. Je vais visiter ce magnifique endroit pendant que tu regardes les saletés que les gens y ont apportées.

— Ce ne sont pas des saletés, Gracie. J'ai vu une fois un homme avec une collection de cannes qui est partie pour soixante mille livres.

— Wouaou ! Dans ce cas, tu devrais leur montrer ta chaussure.

Il essaie de ne pas rire.

— Vas faire ton tour, je te retrouve ici.

Il commence à s'éloigner avant même d'avoir fini sa phrase, pressé de se débarrasser de moi.

— Amuse-toi bien !

Je lui fais un clin d'œil.

Il sourit d'une oreille à l'autre et regarde autour de lui avec tant de bonheur que je prends une nouvelle photo mentale.

En me promenant dans les seules salles du palais de Whitehall à avoir survécu à un incendie, le sentiment d'être déjà venue me submerge comme une vague gigantesque. Je trouve un coin tranquille et sors mon portable.

— Responsable, vice-directrice, services finances et solutions investisseurs, Frankie à l'appareil.

— Seigneur, tu ne plaisantais pas. C'est ridicule, tant de mots.

— Joyce ! Salut !

Elle parle bas, et derrière elle on entend les bruits frénétiques des échanges au Centre des services financiers irlandais.

— Tu peux parler ?

— Un moment, oui. Comment tu vas ?

— Bien. Je suis à Londres. Avec papa.

— Quoi ? Avec ton père ? Joyce, je t'ai déjà dit qu'il était très mal élevé de ligoter et bâillonner ses vieux parents. Qu'est-ce que tu fais là-bas ?

— J'ai décidé de partir à la dernière minute. Pourquoi, je n'en ai aucune idée.

— En ce moment, on est à l'*Antiques Road-show*. C'est une longue histoire.

J'abandonne les pièces silencieuses et entre dans la galerie de la salle principale. En dessous de moi, je vois papa qui erre dans la foule, la poubelle dans les mains. Je souris en le regardant.

— Est-ce qu'on est déjà allées à Banqueting House ?

— Rappelle-moi, qu'est-ce que c'est et à quoi ça ressemble ?

— C'est une partie de Whitehall, du côté de Trafalgar Square. C'est un ancien palais royal du dix-septième siècle dessiné par Inigo Jones en 1619. Charles Ier a été exécuté juste devant. Je suis dans une pièce avec un plafond à caissons orné de neuf peintures.

— À quoi ça ressemble ?

Je ferme les yeux.

— De mémoire, le toit est bordé d'une balustrade, la façade sur la rue s'orne de colonnes corinthiennes et ioniques, au-dessus d'un piédestal, qui forment un tout harmonieux.

— Joyce ?

— Oui ?

Je reviens brusquement à la réalité.

— Est-ce que tu es en train de me lire un guide touristique ?

— Non.

— À notre dernier voyage à Londres ensemble, on a visité le musée Madame Tussauds[1], passé la soirée en boîte, et fini à une fête dans l'appartement d'un type qui s'appelait Gloria. Ça recommence, c'est ça ? Le truc dont tu parlais.

— Oui.

Je m'écroule sur une chaise dans un angle, sens une corde derrière moi et me relève d'un bond. Je m'empresse de m'écarter de l'antiquité, en cherchant du regard des caméras de sécurité.

— Est-ce que ton voyage à Londres a quelque chose à voir avec ton Américain ?

— Oui.

— Oh, Joyce...

— Non, Frankie. Écoute. Écoute, tu vas comprendre, j'espère. Hier, j'ai paniqué pour une broutille et j'ai appelé le médecin de papa, un numéro pratiquement gravé dans mon cerveau, ce qui est naturel. Je ne pouvais pas me tromper, d'accord ?

— D'accord.

— Eh bien si. J'ai composé un numéro en Angleterre et c'est une jeune fille nommée Bea qui a répondu. Elle a vu un numéro irlandais s'afficher et elle a cru que c'était son père qui appelait. De notre brève conversation, j'ai compris que son père était américain, mais se trouvait à Dublin et rentrait à Londres hier soir pour voir son spectacle aujourd'hui. Et elle est blonde. Je crois que Bea est la petite fille que je vois dans mes rêves, sur une balançoire ou dans un bac à sable, à des âges différents.

Frankie se tait.

---

1. Équivalent de notre musée Grévin. (*N.d.T.*)

— Je sais que j'ai l'air d'une folle, Frankie, mais c'est ce qui m'arrive. Je n'ai pas d'explication.

— Je sais, je sais, se hâte-t-elle de dire. Je te connais pratiquement depuis toujours – ce n'est pas le genre de chose que tu inventerais – mais même si je te prends au sérieux, n'oublie pas que tu viens de vivre une expérience traumatisante et que ce qui t'arrive en ce moment pourrait être le résultat d'un profond stress.

— J'y ai déjà pensé.

Je gémis et me prends la tête dans les mains.

— J'ai besoin d'aide.

— Nous n'envisagerons la folie qu'en dernier ressort. Laisse-moi réfléchir une seconde.

Les bruits me donnent à penser qu'elle écrit ce que je viens de lui dire.

— Donc, pour l'essentiel, tu as vu cette fille, Bea, dans tes rêves...

— Peut-être que c'est Bea.

— D'accord, d'accord. Disons que c'est Bea. Tu l'as vue grandir ?

— Oui.

— De quel âge à quel âge ?

— De la naissance jusqu'à... je ne sais pas.

— La vingtaine ? La trentaine ? Plus ?

— La vingtaine.

— D'accord. Qui d'autre apparaît dans les scènes avec Bea ?

— Une autre femme. Avec un appareil photo.

— Mais jamais ton Américain ?

— Non. Donc il n'a probablement rien à voir avec tout ça.

— N'écartons aucune possibilité. Donc, quand tu vois Bea et cette femme avec son appareil photo, tu fais partie de la scène ou bien tu regardes de l'extérieur ?

Je ferme les yeux et réfléchis intensément. Je vois mes mains qui poussent la balançoire, qui tiennent d'autres mains, qui prennent une photo de la fillette et de sa mère dans le parc. Je sens l'eau de l'arrosage automatique qui vient me chatouiller...

— Non, j'en fais partie. Elles me voient.

— D'accord.

Elle se tait.

— Qu'est-ce qu'il y a, Frankie ?

— Je réfléchis. Ne quitte pas. D'accord. Tu vois une enfant et sa mère, et elles te voient ?

— Oui.

— Est-ce que tu dirais que dans tes rêves tu vois cette petite fille grandir avec les yeux d'un père ?

J'ai soudain la chair de poule.

— Oh mon Dieu ! L'Américain !

— Je suppose que ça veut dire oui. Bon, on tient quelque chose. Je ne sais pas quoi, mais c'est tordu, et je n'arrive pas à croire que je pense ce que je pense. Mais après tout, je n'ai qu'un million d'autres choses à faire. Qu'est-ce que tu vois d'autre dans tes rêves ?

— Ça va très vite, ce ne sont que des images, des flashs.

— Essaie de te souvenir.

— Un arrosage automatique dans un jardin. Un petit garçon rondouillard. Une femme avec de longs cheveux roux. J'entends des cloches. Je vois de vieux immeubles avec des boutiques au rez-de-chaussée. Une église. Une plage. Je suis à un enterrement. Puis à l'université. Puis avec la femme et la petite fille. Parfois elle sourit en me tenant la main, parfois elle crie et fait claquer les portes.

— Hum. Ce doit être ta femme.

Je me prends la tête dans les mains.

— Frankie, ça a l'air ridicule !

— Et alors ? Depuis quand est-ce que la vie a un sens ? Continuons.

— Je ne sais pas. Les images sont si abstraites. Je n'y comprends rien.

— Voilà ce qu'on va faire. Chaque fois que tu as un flash, ou que tu sais soudain quelque chose que tu ne devrais pas savoir, écris-le et dis-le-moi. Je t'aiderai à t'y retrouver.

— Merci.

— Donc, en dehors de l'endroit où tu es en ce moment, quel genre de choses est-ce que tu connais tout à coup ?

— Euh, des monuments, pour l'essentiel.

Je regarde autour de moi, puis vers le plafond.

— Et l'art. J'ai parlé en italien à un type à l'aéroport. Et en latin. J'ai parlé à Conor en latin l'autre jour.

— Oh mon Dieu !

— Je sais. Je crois qu'il voudrait me faire enfermer.

— On ne le laissera pas faire. Pour l'instant. Donc, les monuments, l'art, les langues. C'est génial, Joyce, c'est comme si tu avais reçu en accéléré toute l'éducation universitaire que tu n'as jamais eue. Où est mon ignorante préférée ?

— Elle est toujours là, dis-je en souriant.

— D'accord. Encore une chose. Mon patron m'a convoquée pour cet après-midi. Il s'agit de quoi ?

— Frankie, je ne suis pas voyante !

La porte de la galerie s'ouvre et une jeune fille à l'air débordé, coiffée d'un casque audio, entre en courant. Elle s'approche de presque toutes les femmes sur sa route, à ma recherche.

— Joyce Conway ? me demande-t-elle, hors d'haleine.

— Oui ?

Mon cœur bat à tout rompre. Pourvu que papa aille bien. Oh mon Dieu, je vous en prie.

— Votre père s'appelle Henry ?

— Oui.

— Il veut que vous veniez le retrouver dans la chambre verte.

— Il veut quoi ? Où ça ?

— Il est dans la chambre verte. Il va passer en direct avec Michael Aspel dans quelques minutes et il veut que vous veniez parce que, d'après lui, vous en savez bien plus que lui sur l'objet qu'il a apporté. Il faut nous dépêcher maintenant, nous n'avons plus beaucoup de temps et nous devons vous faire maquiller.

— En direct avec Michael Aspel...

Je laisse ma phrase en suspens. Je me rends compte que je tiens toujours mon téléphone.

— Frankie, dis-je, abasourdie, mets la BBC. Vite. Tu vas me contempler en plein marasme.

21

J'accompagne la jeune fille au casque, moitié marchant, moitié courant, jusqu'à la chambre verte. En arrivant, essoufflée et nerveuse, je vois papa qui se fait maquiller assis sur une chaise devant un miroir éclairé par des ampoules, des mouchoirs en papier autour du col, tasse et soucoupe en main, tandis qu'on poudre son gros nez en vue des plans rapprochés.

— Ah, te voilà, ma chérie, m'accueille-t-il, royal. Je vous présente ma fille. C'est elle qui vous expliquera tout sur ce bel objet qui a retenu l'attention de Michael Aspel.

Il glousse et boit une gorgée de thé.

— Il y a des petits gâteaux là-bas, si tu veux.

Le petit perfide.

Je regarde dans la pièce tous les visages intéressés et ouverts, et me force à sourire.

Justin gigote sur sa chaise, mal à l'aise, dans la salle d'attente du dentiste, avec sa joue enflée et douloureuse, entre deux petites vieilles qui poursuivent leur conversation sur une connaissance commune nommée Rebecca, qui devrait quitter un homme nommé Timothy.

La ferme, la ferme, la ferme !

La télévision datant des années soixante-dix qui trône dans un coin, couverte d'un napperon de dentelle et de fleurs artificielles, annonce le début imminent de l'*Antiques Roadshow*.

Justin gémit.

— Ça ennuie quelqu'un si je change de chaîne ?

— Je regarde, objecte un petit garçon qui n'a pas plus de sept ans.

— Charmant.

Justin lui lance un sourire plein de haine, puis se tourne vers la mère, en quête de soutien.

Mais elle hausse les épaules.

— Il regarde.

Justin grogne, agacé, avant de se décider à interrompre les deux femmes autour de lui.

— Excusez-moi, voudriez-vous changer de place avec moi, pour pouvoir continuer votre conversation avec un peu d'intimité ?

— Ne vous inquiétez pas, mon petit, cette conversation n'a rien d'intime, je vous assure. Écoutez tant que vous voudrez.

L'haleine de la vieille dame s'approche à pas de loup des narines de Justin, les chatouille d'un coup de plumeau, et s'enfuit en ricanant méchamment.

— Je n'écoutais pas. Vos lèvres étaient carrément dans mes oreilles, et je ne sais pas si Charlie, ou Graham, ou Rebecca, apprécieraient.

Il tourne le nez de l'autre côté.

— Oh, Ethel, rit une des deux dames, il croit qu'on parle de personnes réelles !

Quel imbécile je fais.

Justin reporte son attention sur la télévision, à laquelle sont scotchées les six autres personnes présentes.

— ... et bienvenue à notre premier *Antiques Roadshow* en direct...

Justin soupire bruyamment.

Le petit garçon le dévisage, yeux plissés, et augmente le volume avec la télécommande qu'il tient fermement en main.

— ... depuis Banqueting House à Londres...

Ah ! Je l'ai visité. Bel exemple de colonnes corinthiennes et ioniques assemblées en un tout harmonieux.

— Plus de deux mille spectateurs ont franchi les portes depuis ce matin, neuf heures trente, et lesdites portes viennent tout juste de se refermer, pour nous permettre de vous présenter, chez vous, les plus belles pièces. Notre premier invité vient de...

Ethel se penche sur Justin en posant le coude sur sa cuisse.

— Je disais donc, Margaret...

Il regarde la télévision pour s'empêcher d'attraper leurs deux têtes et de les fracasser l'une contre l'autre.

— Alors, qu'avons-nous ici ? demande Michael Aspel. Je trouve que ça ressemble à une poubelle design, ajoute-t-il pendant que la caméra zoome sur l'objet posé sur la table.

Le cœur de Justin bat plus fort.

— Vous voulez que je change maintenant, monsieur ? demande le gamin en zappant à toute vitesse.

— Non ! hurle-t-il, interrompant la conversation de Margaret et Ethel, et tendant le bras en une pose dramatique, comme s'il pouvait intercepter les ondes de la télécommande.

Il tombe à genoux sur la moquette, devant l'écran. Margaret et Ethel sursautent et se taisent.

— Allez, remets l'autre chaîne ! crie-t-il à l'enfant.

La lèvre inférieure du gamin se met à trembler, il regarde vers sa mère.

— Inutile de lui crier dessus !

Elle serre la tête de son enfant contre sa poitrine, protectrice.

Il arrache la télécommande au gamin et passe de chaîne en chaîne aussi vite qu'il peut. Il s'arrête en voyant un gros plan de Joyce, regardant de tous côtés, l'œil inquiet, comme si elle venait d'atterrir dans la cage d'un tigre du Bengale à l'heure de la gamelle.

Au Centre des services financiers irlandais, Frankie court de bureau en bureau à la recherche d'une télévision. Elle en trouve une, environnée de dizaines de costumes et tailleurs qui étudient les tableaux défilant sur l'écran.

— Pardon, je ne fais que passer ! hurle-t-elle en se frayant un chemin.

Elle se précipite sur le téléviseur et se met à manipuler les boutons, sous les insultes des hommes et femmes qui l'entourent.

— J'en ai pour une minute. Le marché ne va pas s'effondrer !

Elle passe de chaîne en chaîne et voit enfin Joyce et Henry, en direct sur la BBC.

Avec un hoquet, elle lève les mains vers sa bouche, puis éclate de rire et brandit le poing vers l'écran.

— Vas-y, Joyce !

L'équipe autour d'elle se dépêche de vider les lieux à la recherche d'un autre poste, à l'exception d'un homme qui semble ravi du changement de programme et décide de rester.

— Oh, comme c'est joli ! commente-t-il en s'appuyant au bureau, bras croisés.

— Euh... dit Joyce. Eh bien, nous l'avons trouvé... Enfin, nous l'avons mis... nous avons mis ce magnifique, extraordinaire... euh... seau en bois... devant la maison. Enfin, pas dehors, bat-elle en retraite devant la réaction de l'expert. À l'intérieur. Nous l'avons mis sous le porche, pour qu'il soit à l'abri des intempéries, vous voyez. Comme porte-parapluies.

— Oui, il a pu avoir cet usage. Où l'avez-vous trouvé ?

La bouche de Joyce s'ouvre et se ferme pendant quelques secondes, et Henry intervient. Il se tient bien droit, les mains croisées sur le ventre. Il a le menton levé et une lueur dans l'œil. Il ignore l'expert et prend un accent maniéré pour adresser sa réponse à Michael Aspel, avec tout le respect qu'il manifesterait au pape en personne.

— Voyez-vous, Michael, cet objet me vient de mon arrière-arrière-grand-père, Joseph Conway, qui était fermier à Tipperary. Il l'a donné à mon grand-père Shay, fermier lui aussi. Mon grand-père l'a donné à mon père, Paddy-Joe, qui était aussi fermier dans le Cavan, et quand il est mort, je l'ai pris.

— Je vois. Et savez-vous où votre arrière-arrière-grand-père l'a trouvé ?

— Il l'a probablement volé aux Anglais ! plaisante Henry.

Il est le seul à rire. Joyce donne un coup de coude à son père, Frankie ricane et, sur la moquette devant la télévision, dans la salle d'attente d'un dentiste londonien, Justin renverse la tête en arrière et éclate d'un rire bruyant.

— Je vous le demande parce que c'est une pièce fabuleuse. Une jardinière de l'époque victorienne très rare...

— J'adore le jardinage, Michael, dit Henry, interrompant l'expert. Et vous ?

Michael lui sourit poliment et l'expert reprend.

— Elle est ornée sur les quatre côtés de splendides plaques sculptées à la main dans le style Forêt-Noire, fixées sur le cadre victorien en bois teinté ébène.

— À ton avis, c'est un décor anglais ou français ? demande le collègue de Frankie.

Elle l'ignore, concentrée sur Joyce.

— À l'intérieur, on voit ce qui paraît être une doublure en fer-blanc d'époque, laquée. Elle est en très bon état. Nous avons des décors extrêmement élaborés sur les panneaux en bois massif. On voit que deux des côtés ont des motifs floraux, et les deux autres des figures, une tête de lion et des griffons. Elle est vraiment surprenante. C'est une pièce magnifique à exposer devant sa porte d'entrée.

— Ça vaut quelques sous ? demande Henry en laissant tomber son accent maniéré.

— Nous allons y venir, dit l'expert. Elle est en bon état, mais il semble qu'elle devait avoir des pieds, sans doute en bois. Les côtés ne présentent ni fentes, ni déformations, la doublure en fer-blanc amovible est là et les poignées en anneaux sur les côtés sont intactes. Alors dans ces conditions, combien pensez-vous qu'elle vaut ?

— Frankie !

252

Frankie entend son patron qui l'appelle depuis la porte.

— Il paraît que tu fiches la pagaille avec les écrans ?

Frankie se retourne, cachant le téléviseur, tout en tentant de changer de chaîne.

— Ah ! se lamente son collègue. Ils étaient sur le point d'annoncer la valeur. C'est le plus intéressant.

— Pousse-toi, ordonne son patron, sourcils froncés.

Frankie s'écarte pour révéler les taux de change qui se succèdent sur l'écran. Elle lui décoche un sourire éclatant, en montrant toutes ses dents, puis regagne son bureau au pas de course.

Dans la salle d'attente du cabinet dentaire, Justin est collé à l'écran, au visage de Joyce.

— C'est une amie, mon petit ? s'enquiert Ethel.

Justin scrute le visage et le sourire de Joyce.

— Oui. Elle s'appelle Joyce.

Margaret et Ethel émettent des Oooh ! et des Aaah !

Sur l'écran, celui qui semble être le père de Joyce se tourne vers elle et hausse les épaules.

— Qu'est-ce que tu en dis, ma chérie ? Combien d'oseille pour la corbeille ?

Joyce lui fait un sourire crispé.

— Je n'ai aucune idée de sa valeur.

— Que diriez-vous de mille cinq cents à mille sept cents livres ? demande l'expert.

— Sterling ? demande le vieil homme, renversé.

Justin éclate de rire.

La caméra fait un gros plan sur Joyce et sur son père. Ils sont tous deux bouche bée. La surprise leur coupe le sifflet.

— Voilà une réaction impressionnante, commente Michael en riant. Nous avons donc de bonnes nouvelles à cette table. Allons voir du côté des porcelaines si un autre de nos collectionneurs londoniens est aussi chanceux.

— Justin Hitchcock, annonce la secrétaire.

Personne ne parle. Tous se regardent.

— Justin, répète-t-elle en haussant la voix.

— Ce doit être lui, là, par terre, dit Ethel. Ouhouh ! fait-elle.

Elle lui donne un coup de pied avec sa chaussure pour pieds sensibles.

— C'est vous, Justin ?

— Quelqu'un ici est amoureux, eu-eux, persifle Margaret, tandis qu'Ethel fait des bruits de baisers.

— Louise, et si je passais pendant que ce jeune homme court à Banqueting House pour voir sa bonne amie ? J'en ai assez d'attendre, propose Ethel à la secrétaire.

Elle étire sa jambe gauche et fait des grimaces de douleur.

Justin se relève et chasse les poils de moquette de son pantalon.

— En fait, je ne comprends pas pourquoi vous attendez toutes les deux, à votre âge. Vous devriez laisser vos dents ici et revenir les chercher plus tard, quand le dentiste en aurait fini.

Il sort de la pièce au moment où un vieil exemplaire de *Homes and Gardens* s'envole vers sa tête.

22

— En fait, ce n'est pas une mauvaise idée.

Justin s'arrête dans le couloir menant au cabinet. De nouveau, une poussée d'adrénaline lui parcourt le corps.

— C'est exactement ce que je vais faire.

— Vous allez laisser vos dents ici ? demande sèchement la secrétaire, avec un fort accent de Liverpool.

— Non, je vais à Banqueting House, répond-il en trépignant d'excitation.

— Ben voyons.

Elle le foudroie du regard, douchant son enthousiasme.

— Je me fiche de ce qui vous passe par la tête, vous ne vous sauverez pas, cette fois-ci. Allez, le docteur Montgomery ne sera pas content si vous manquez encore votre rendez-vous.

— D'accord, d'accord. Attendez, ma dent ne me fait plus mal.

Il ouvre les mains devant lui en haussant les épaules d'un air dégagé.

— La douleur a disparu. Vraiment, poursuit-il en claquant des mâchoires, je ne sens plus rien. Qu'est-ce que je fais ici ? Je n'ai plus mal du tout.

— Vous avez les larmes aux yeux.

— Je suis sensible.

— Vous vous faites des illusions. Venez.

Le docteur Montgomery l'accueille, une fraise à la main.

— Ayez confiance, dit l'araignée à la mouche, fait-il en s'étranglant de rire. Je plaisante. Vous avez encore essayé de vous enfuir, Justin ?

— Non. Enfin si. Enfin, pas exactement de m'enfuir mais je me suis rendu compte qu'il fallait que j'aille quelque part et...

Pendant qu'il s'explique, le docteur Montgomery et son assistante réussissent à l'installer de force sur le fauteuil, et en finissant ses excuses il se rend compte qu'il porte une blouse de protection et qu'il est en position allongée.

— Bla bla bla, c'est tout ce que j'ai compris, déclare joyeusement le docteur Montgomery.

Il soupire.

— Vous n'allez pas vous débattre aujourd'hui ? s'enquiert le dentiste en enfilant ses gants chirurgicaux avec un claquement.

— Tant que vous ne me demandez pas de cracher le morceau.

Le dentiste éclate de rire pendant que Justin ouvre la bouche à contrecœur.

Le voyant rouge de la caméra s'éteint et j'attrape le bras de papa.

— Papa, il faut y aller, dis-je d'une voix pressante.

— Pas maintenant, répond-il dans un chuchotement de théâtre. Michael Aspel est juste là. Je le vois, derrière la table des porcelaines, il est bien plus grand et séduisant que je ne pensais.

Il regarde autour de lui, il cherche quelqu'un à qui parler.

— Michael Aspel est dans son élément naturel, très occupé à présenter une émission de télévision.

J'enfonce les ongles dans le bras de papa.

— Je ne crois pas que parler avec toi fasse partie de ses priorités pour l'instant.

Il paraît un peu blessé, et la faute n'en revient pas à mes ongles. Il lève très haut son menton qui, je l'ai appris au fil des années, est relié par un fil invisible à sa fierté. Il s'apprête à s'approcher de Michael Aspel, debout, seul, près de la table des porcelaines, un doigt dans l'oreille.

— Il doit produire beaucoup de cerumen, tout comme moi, murmure papa. Il devrait utiliser ce truc que tu m'as apporté. Pop ! Ça marche illico.

— C'est une oreillette, papa. Il écoute les gens dans la salle de contrôle.

— Non, moi je crois que c'est une aide auditive. Allons le voir, et n'oublie pas de parler fort et de bien articuler. J'ai de l'expérience dans ce domaine.

Je lui barre la route et me penche sur lui d'une façon aussi intimidante que possible. Il s'empresse de grimper sur sa jambe gauche et nous nous retrouvons pratiquement œil à œil.

— Papa, si nous ne quittons pas cet endroit tout de suite, nous allons nous retrouver dans une cellule. Encore une fois.

— Tu exagères, Gracie, s'amuse-t-il.

— Je m'appelle Joyce, merde, dis-je d'une voix sifflante.

— Très bien, Joyce, merde. Pas besoin de te mettre la rate au court-bouillon.

— Je crois que tu ne comprends pas la gravité de notre situation. Nous venons de voler une poubelle victorienne de mille sept cents livres dans ce qui fut un palais royal, et nous en avons parlé en direct à la télé.

Papa me lance un regard, ses sourcils broussailleux presque au milieu du front. Pour la première fois depuis longtemps, je vois ses yeux. Ils paraissent inquiets. Et humides, et jaunes aux coins. Je prends note mentalement de lui en parler plus tard, quand nous ne fuirons plus la police. Ni la BBC.

La jeune femme que j'avais suivie pour retrouver mon père me fait signe depuis l'autre bout de la salle. Cœur battant, je regarde autour de moi. Toutes les têtes se tournent vers nous. Ils savent.

— Bon, il faut y aller. Je crois qu'ils sont au courant.

— Ce n'est pas un drame, on va la remettre en place, dit-il comme si c'était vraiment une affaire d'État. On ne l'a même pas sortie du bâtiment. Ce n'est pas un crime.

— Bon, c'est maintenant ou jamais. Dépêche-toi de la prendre, qu'on puisse la remettre en place et filer.

J'examine les gens autour de nous, pour m'assurer qu'aucun individu grand et costaud ne s'approche en faisant craquer ses jointures et en brandissant une batte de base-ball. Je ne vois que la jeune fille au casque. Je suis certaine d'être de taille à l'affronter, et dans le cas contraire, papa n'aurait qu'à la frapper sur la tête avec sa grosse chaussure orthopédique.

Papa saisit la poubelle sur la table et tente de la dissimuler sous son manteau. Le tissu n'en recouvre qu'un tiers. Je le regarde bizarrement et il renonce à la cacher. Nous nous frayons un chemin dans la foule, ignorant les félicitations et les vœux de ceux qui, apparemment, pensent que nous avons décroché le gros lot. Je vois la jeune fille au casque nous emboîter le pas.

— Vite, papa, dépêche-toi.

— Je vais aussi vite que je peux.

Nous nous dégageons de la foule et parvenons à la porte de la salle. Je regarde en arrière avant de la refermer et vois la jeune fille parler à toute vitesse dans son micro. Nous nous dirigeons vers l'entrée principale. Elle se met à courir mais se retrouve coincée derrière deux hommes en combinaison marron qui transportent une armoire. J'arrache la poubelle des mains de papa et nous accélérons l'allure. Au bas de l'escalier, nous récupérons nos bagages au vestiaire puis nous précipitons, en haut, en bas, en bas et en haut, dans le couloir dallé de marbre.

Papa tend la main vers la poignée dorée, démesurée, de la porte principale, et nous entendons :

— Stop ! Attendez !

Nous nous arrêtons net et nous tournons lentement pour nous regarder, terrifiés. J'articule en silence « cours ! » à papa. Il pousse un soupir théâtral et descend sur sa jambe droite, en pliant la gauche, sa façon à lui de me rappeler ses difficultés à marcher, sans parler de courir.

— Où allez-vous donc si vite ? demande l'homme en s'approchant de nous.

Nous nous tournons lentement vers lui, et je me prépare à défendre notre honneur.

— C'est elle, s'empresse d'accuser papa, en me désignant du pouce.

Ma bouche s'ouvre.

— C'est vous deux, j'en ai bien peur, déclare l'homme avec un sourire. Vous avez gardé vos micros et vos batteries. Il y en a pour une fortune.

Il s'active sur l'arrière du pantalon de papa pour dégager la batterie.

— Vous auriez pu vous attirer des ennuis si vous aviez filé avec, ajoute-t-il en riant.

Papa paraît soulagé, mais je demande nerveusement :

— Ces engins marchaient tout le temps ?

— Mmm..., fait-il en examinant la batterie et remettant l'interrupteur en position off. Oui.

— Qui a pu nous entendre ?

— Ne vous inquiétez pas, vous n'auriez pas été à l'antenne alors qu'ils étaient passés à l'objet suivant.

Je pousse un soupir de soulagement.

— Par contre, parmi les techniciens, tous ceux qui avaient un casque sur la tête ont entendu, poursuit-il en enlevant son micro à papa. Oh ! Et la salle de contrôle, aussi.

Il se tourne vers moi et je traverse un moment d'intense embarras quand il tire la batterie fixée à la ceinture de mon pantalon, et que le fil se coince dans mon string.

Je pousse un glapissement qui se répercute dans tout le couloir.

— Désolé.

Le visage du jeune homme s'empourpre pendant que je remets de l'ordre dans ma tenue.

— Ce sont les inconvénients du boulot.

— Les avantages, vous voulez dire, s'amuse papa.

Pendant qu'il repart vers la foule, nous replaçons la poubelle près de la porte en vérifiant que personne ne nous regarde, y remettons les débris de parapluies et quittons la scène du crime.

— Alors Justin, quoi de neuf ? demande le docteur Montgomery.

Allongé sur le fauteuil, avec deux mains gantées et des appareils dans la bouche, Justin ne sait pas très bien comment répondre, et décide de cligner des paupières une fois, parce qu'il l'a vu faire à la télévision. Puis, se demandant ce que signifie exactement le message, il cligne deux fois pour embrouiller les choses.

Le dentiste rate son code et glousse.

— Vous avez perdu votre langue ?

Justin lève les yeux au ciel.

— Un de ces jours, je vais me vexer, si mes patients continuent à ignorer mes questions, continue-t-il, riant toujours, avant de se pencher sur Justin, en lui offrant une vue magnifique sur ses narines.

— Arrrgh ! fait-il quand la pointe froide frappe le point sensible.

— Je déteste dire ça, mais je vous avais prévenu. La carie que vous n'avez pas voulu me laisser regarder la dernière fois s'est infectée, et maintenant la dent est nécrosée.

Il se remet à tapoter.

Justin émet des gargouillis.

— Je devrais écrire un livre sur le langage dentaire. Tout le monde fait des bruits que je suis seul à comprendre. Qu'est-ce que vous en dites, Rita ?

Rita s'en fiche.

Justin gargouille quelques onomatopées.

— Allons, allons. Pas de grossièretés.

Justin se concentre sur le téléviseur fixé au mur dans un angle de la pièce, stupéfait. Le Logo de Sky News, en bas de l'écran, annonce une information de dernière minute, et malgré l'absence de son et l'éloignement qui l'empêchent de comprendre de quoi il s'agit, il est bien content de ce dérivatif aux plaisanteries lamentables du docteur Montgomery. Son envie de bondir du fauteuil et d'attraper le premier taxi sur son chemin pour foncer à Banqueting House en est atténuée.

Pour l'instant, le journaliste se tient devant Westminster, mais comme Justin n'entend rien, il n'a aucune idée de ce qui se passe. Il scrute le visage du journaliste et tente de lire sur ses lèvres, tandis que le dentiste s'approche avec ce qui ressemble à une aiguille. Ses yeux s'écarquillent quand il aperçoit quelque chose sur l'écran. Ses pupilles lui fondent dans les yeux, ils deviennent entièrement noirs.

Le docteur Montgomery sourit en approchant l'aiguille du visage de Justin.

— Ne vous inquiétez pas, Justin, Je sais que vous détestez les piqûres, mais j'ai besoin de vous anesthésier. Il vous faut un plombage sur une autre dent avant qu'elle ne développe elle aussi un abcès. Ça ne fera pas mal, vous ne sentirez qu'un drôle de picotement.

Captivé par l'écran, Justin tente de se redresser, les yeux écarquillés. Pour une fois, il se fiche de l'aiguille. Il doit tenter de communiquer aussi clairement que possible. Incapable de remuer ou de fermer la bouche. Il entreprend d'émettre des bruits profonds, gutturaux.

— D'accord. Pas de panique. Plus qu'une minute, j'y suis presque.

Il se penche à nouveau sur Justin, l'empêchant de voir la télévision. Justin s'agite, essaie de voir l'écran.

— Justin ! Arrêtez ça tout de suite. L'injection ne vous tuera pas, mais moi peut-être, si vous n'arrêtez pas de gigoter !

Il glousse.

— Ted, je crois qu'il vaudrait peut-être mieux faire une pause, intervient l'assistante.

Justin lui lance un regard reconnaissant.

— Il fait une crise ? demande le dentiste.

Puis il élève la voix, comme si Justin était devenu sourd :

— Je disais, vous faites une crise ?

Justin lève les yeux au ciel et émet encore quelques grognements.

— La télé ? Quoi, la télé ?

Le dentiste regarde l'écran et, enfin, sort les doigts de la bouche de Justin.

Tous trois se concentrent sur la télévision, le dentiste et son assistante sur les infos, tandis que Justin regarde le fond de l'image, où Joyce et son père se sont retrouvés dans le champ de la caméra, avec Big Ben en arrière-plan. Apparemment, ils n'ont pas remarqué l'équipe de télévision et poursuivent en agitant les mains ce qui semble être une discussion particulièrement houleuse.

— Regardez ces deux imbéciles au fond, se moque le dentiste.

Soudain, le père de Joyce pousse sa valise vers elle, puis part en trombe dans la direction opposée, laissant Joyce seule avec deux valises, levant les bras au ciel, exaspérée.

— Super, merci beaucoup. C'est très adulte !

Mon père vient de partir en trombe, en me laissant sa valise. Il part dans la mauvaise direction. Encore. Il se trompe depuis que nous avons quitté Banqueting House, mais refuse de l'admettre. Il refuse aussi de prendre un taxi pour rentrer à l'hôtel, car il a décidé de faire des économies de bouts de chandelle.

Il est encore en vue, alors je m'assois sur ma valise et attends qu'il comprenne son erreur et revienne. Mon téléphone sonne.

— Salut, Kate !

Elle est en train de rire comme une hystérique.

— Qu'est-ce qui t'arrive ? Enfin, c'est agréable de parler à quelqu'un qui est de bonne humeur.

— Oh, Joyce !

Elle reprend son souffle et j'imagine qu'elle essuie ses larmes.

— Tu es le meilleur des remèdes. Vraiment.

— Qu'est-ce que tu veux dire ?

J'entends des rires d'enfants en fond sonore.

— Fais-moi plaisir, lève la main droite.

— Pourquoi ?

— Ne pose pas de questions. C'est un jeu que les enfants m'ont appris.

— OK.

Je soupire et lève la main droite.

J'entends les enfants hurler de rire à l'arrière-plan.

— Dis-lui de remuer le pied droit, crie Jayda dans le téléphone.

— D'accord.

Je me mets à rire. Je suis de bien meilleure humeur. Je remue le pied et ils rient à nouveau. J'entends même le mari de Kate s'étrangler en arrière-plan, ce qui me met soudain la puce à l'oreille.

— Kate, qu'est-ce qui se passe exactement ?

Elle ne peut répondre tant elle rit.

— Dis-lui de sautiller ! crie Eric.

— Non.

Maintenant, je suis énervée.

— Elle a fait ce que disait Jayda ! geint-il.

Je sens que les larmes ne sont pas loin.

Je m'empresse de sautiller.

Tous hurlent de rire à nouveau.

— Au fait, réussit à articuler Kate. Est-ce qu'il y aurait quelqu'un près de toi qui aurait l'heure ?

Sourcils froncés, je regarde autour de moi. Je vois Big Ben, mais ne comprends toujours pas la blague. Je me retourne et, enfin, je remarque l'équipe de télévision au loin. Je cesse de sautiller.

— Mais qu'est-ce qu'elle fait, cette femme ?

Le docteur Montgomery s'approche de l'écran.

— Elle danse ?

— Ou a oyé ? fait Justin, la bouche engourdie.

— Bien sûr que je la vois. Je crois qu'elle danse le hokey-cokey. Vous voyez ? Tendez la jambe gauche, se met-il à chanter, ramenez la jambe gauche. Tendez, ramenez, tendez, ramenez. Secouez-vous !

Il se met à danser. Rita lève les yeux au ciel.

Soulagé de constater que Joyce n'est pas une illusion de son esprit, Justin se met à s'agiter sur son fauteuil, impatient. *Dépêchez-vous ! Je dois aller la rejoindre.*

Le dentiste le dévisage avec curiosité et le repousse contre le dossier du fauteuil. Il lui remet les instruments dans la bouche. Justin gargouille et grogne.

— Ne vous fatiguez pas, Justin. Vous n'irez nulle part avant que j'aie bouché cette carie. Pour l'abcès, vous allez devoir prendre des antibiotiques, et quand vous reviendrez, je verrai si je préfère l'extraire ou effectuer un traitement racinaire. Suivant mon humeur.

Il rit comme une petite fille.

— Et qui que soit cette Joyce, vous devriez la remercier de vous avoir guéri de votre phobie des piqûres. Vous n'avez même pas remarqué que je vous en avais fait une.

— Ai ohé on an.

— C'est très bien. Moi aussi, j'ai déjà donné mon sang. C'est très gratifiant, vous ne trouvez pas ?

— I. I a uu ?

Le docteur Montgomery renverse la tête en arrière et éclate de rire.

— Ne soyez pas idiot. Ils ne vous diront pas à qui ils ont donné votre sang. De toute façon, il a été décomposé en plaquettes, globules rouges et je ne sais quoi encore.

Justin se remet à gargouiller.

Le dentiste, riant toujours, lui demande :

— Des muffins à quoi ?

— Aae.

— À la banane ?

Le dentiste réfléchit.

— Moi, je les préfère au chocolat. Aspiration, Rita, je vous prie.

Sidérée, Rita place le tube dans la bouche de Justin.

23

Je parviens à arrêter un taxi noir et dirige le chauffeur vers le vieil homme endimanché, facile à repérer sur le trottoir grâce à son mouvement horizontal et balancé de marin ivre, dans le courant vertical des passants. Comme un saumon, il remonte le courant, lutte contre les masses qui avancent dans la direction opposée. Ce n'est pas de la bravade, ni la volonté d'être différent, il ne se rend même pas compte qu'il détonne.

En le regardant, je me rappelle une histoire qu'il m'avait racontée quand j'étais toute petite. À l'époque, il me paraissait aussi gigantesque que le chêne du voisin, qui se penchait au-dessus de notre jardin et faisait pleuvoir les glands sur notre pelouse, quand les jeux en plein air laissaient place aux après-midi passés le nez collé aux vitres, pour contempler le monde gris au-dehors. Sous l'effet du vent mugissant, les branches du chêne se balançaient, comme papa. Mais ni l'arbre ni mon père ne succombaient. Contrairement aux glands, qui sautaient de leur branche tels des parachutistes poussés par surprise.

Quand mon père était aussi solide qu'un chêne et qu'on se moquait de moi à l'école parce que je suçais mon pouce, il me racontait le mythe irlandais du saumon ordinaire qui avait mangé des noisettes tombées dans la fontaine de la Sagesse. Le saumon avait alors reçu tout le savoir du monde, et celui qui, le premier, mangerait sa chair, recevrait à son tour ce savoir. Le poète Finneces passa sept longues années à tenter de pêcher ce saumon, et quand il l'eut enfin attrapé, il ordonna à son jeune apprenti, Fionn, de le lui préparer. Celui-ci, recevant sur le pouce une goutte de graisse brûlante, se mit à sucer son doigt pour soulager la douleur. Ce faisant, il gagna une sagesse et un savoir incomparables. Tout le reste de sa vie, quand il ne savait que faire, il lui suffisait de sucer son pouce pour que le savoir lui revienne.

Il m'avait raconté cette histoire il y a longtemps, au temps où je suçais mon pouce et où il était grand comme un chêne. Quand les bâillements de maman ressemblaient à des chansons. Quand nous étions tous ensemble. Quand je n'imaginais même pas qu'il puisse en être autrement. Quand nous bavardions dans le jardin, sous le saule pleureur. Où je me cachais toujours, et où il me trouvait toujours. Quand rien n'était impossible et qu'il me paraissait évident que nous serions ensemble, tous les trois, pour toujours.

Maintenant, je souris en observant mon grand saumon chargé de savoir remonter le courant, en louvoyant entre les passants qui piétinent le trottoir en sens inverse.

Papa lève la tête, me voit, me fait un bras d'honneur et poursuit son chemin.

Ah.

— Papa, dis-je par la vitre baissée, viens, monte dans la voiture.

Il m'ignore et porte une cigarette à sa bouche, inhale longtemps, profondément, à tel point que ses joues se creusent.

— Papa, arrête un peu. Monte dans la voiture, on va à l'hôtel.

Il continue de marcher en regardant droit devant lui, une vraie tête de mule. Je lui ai vu cette expression si souvent, quand il se disputait avec maman parce qu'il passait trop de temps, trop souvent, au pub ; quand il se disputait avec ses amis du club du lundi sur l'état politique de notre pays ; au restaurant quand son steak ne ressemblait pas à un morceau de charbon, comme il l'avait spécifié. L'expression « J'ai raison, tu as tort » qui lui fige le menton dans cette attitude de défi, saillant comme la côte des comtés de Cork et Kerry. Un menton bravache, un esprit troublé.

— Écoute, on n'est même pas obligés de parler. Tu peux très bien m'ignorer dans la voiture. Et à l'hôtel. Ne me parle pas de la soirée, si ça peut te soulager.

— Ça te plairait, hein ? bougonne-t-il.

— Franchement ?

Il me regarde.

— Oui.

Il essaie de ne pas sourire. Se gratte le coin de la bouche avec ses doigts jaunis de nicotine pour cacher qu'il s'adoucit. La fumée lui monte dans les yeux. Je repense à ses yeux teintés de jaune, je pense au bleu perçant qu'ils avaient autrefois quand, petite fille, jambes pendantes et menton dans la main, je le regardais, assis à la table de la cuisine, démonter une radio, un réveil ou une prise électrique. Des yeux d'un bleu perçant, alertes, actifs, comme un scanner à la recherche d'une tumeur. Sa cigarette, écrasée entre ses lèvres, pendait au coin de sa bouche, à la Popeye, la fumée montait vers ses yeux plissés, peut-être les teignait-elle en ce jaune à travers lequel il regarde à présent. La couleur de l'âge, comme les vieux journaux imprégnés par le temps.

Je l'observais, médusée, je n'osais ni parler ni respirer, de peur de rompre l'envoûtement dont il avait frappé l'appareil à réparer. Comme le chirurgien qui a effectué son pontage il y a dix ans, il avait la jeunesse de son côté. Il connectait les fils, dégageait les blocages. Ses manches roulées juste en dessous des coudes laissaient voir les muscles de ses bras brunis par le jardinage qui jouaient pendant que ses doigts résolvaient le problème. Ses ongles, avec toujours un peu de crasse. Son index et son majeur droits, jaunes de nicotine. Jaunes, mais fermes. Inégaux, mais fermes.

Enfin il s'arrête. Il jette sa cigarette et l'écrase sous sa grosse chaussure. Le taxi s'arrête. Je jette la bouée de sauvetage autour de lui et nous le hissons hors de son courant de bravade, dans le bateau. Toujours opportuniste, toujours chanceux. Il pourrait tomber à l'eau et en ressortir sec, avec des poissons plein les poches. Il s'installe dans la voiture sans me dire un mot ; ses vêtements, son haleine et ses doigts sentent le tabac. Je me mords les lèvres pour ne pas faire de réflexions et me prépare à me faire brûler le pouce.

Il se tait un temps record. Dix minutes, peut-être quinze. Enfin les mots se déversent de sa bouche, comme s'ils avaient attendu impatiemment leur tour derrière ses lèvres fermées pendant ce silence exceptionnel. On dirait qu'ils viennent droit de son cœur et non de sa tête, catapultés vers sa bouche, pour cette fois rebondir sur ses lèvres closes, au lieu de pouvoir se déverser dans le monde. Ils se sont accumulés telles des cellules de gras paranoïaques, craignant que la nourriture ne vienne à manquer. Mais à présent les lèvres s'ouvrent et les mots s'échappent dans toutes les directions, comme des vomissures.

— Tu as pris un sorbet, mais j'espère que tu sais que je n'ai pas de saucisse.

Il lève son menton, qui tire sur le fil invisible relié à sa fierté. Il paraît satisfait de l'assemblage de mots qui se sont associés pour lui en cette occasion particulière.

— Quoi ?

— Tu as entendu.

— Oui, mais...

— Sorbet : taxi. Saucisse : fric, explique-t-il.

J'essaie de comprendre.

— C'est de l'argot cockney[1], achève-t-il. Lui, il comprend, ajoute-t-il en désignant le chauffeur.

— Il ne t'entend pas.

— Pourquoi, il est sourd ?

— Non.

Je me sens fatiguée et perdue.

— Quand la lumière rouge est éteinte, ils ne t'entendent pas.

---

1. Le *rhyming slang* : argot du Londres populaire jouant sur les associations d'idées et les rimes. Totalement impossible à comprendre si on ne connaît pas déjà les correspondances. (*N.d.T.*)

— C'est comme la prothèse auditive de Joe.

Papa se penche en avant et actionne l'interrupteur sur la séparation.

— Vous m'entendez ? hurle-t-il.

— Ouais, mon pote. Cinq sur cinq.

Papa sourit et actionne l'interrupteur à nouveau.

— Et maintenant, vous m'entendez ?

Pas de réponse. Le chauffeur lui lance de rapides coups d'œil dans le rétroviseur, le front plissé d'inquiétude, tout en s'efforçant de continuer à regarder la route.

Papa glousse de rire.

Je m'enfouis la tête dans les mains.

— C'est ce qu'on fait à Joe, explique-t-il avec espièglerie. Parfois, il peut se passer toute une journée sans qu'il se rende compte qu'on lui a éteint sa prothèse. Il croit que personne ne dit rien. Toutes les demi-heures, il crie « bon sang, comme c'est calme ici ! »

Papa éclate de rire et appuie une fois de plus sur l'interrupteur.

— Bonjour, chef, dit-il d'un ton amical.

— Salut, Paddy, répond le chauffeur.

Je m'attends à voir le poing noueux de papa traverser la fente dans la vitre. Mais il éclate de rire.

— Vous pourriez me dire où je pourrais trouver un bon marin près de mon hôtel ?

Le jeune chauffeur étudie le visage innocent de papa dans son rétroviseur, toujours plein de bonnes intentions, ne pensant jamais à mal. Mais il continue de conduire sans réagir.

Je détourne la tête, pour ne pas embarrasser papa, mais j'éprouve un certain sentiment de supériorité que je me reproche aussitôt.

Quelques instants plus tard, à un feu rouge, la fente s'ouvre et le chauffeur nous fait passer une feuille de papier.

— En voilà quelques-uns, mon pote. Je vous recommande le premier, c'est mon préféré. Ils font de bons dompteurs, si vous voyez ce que je veux dire.

Il sourit et fait un clin d'œil.

— Merci.

Le visage de papa s'illumine. Il étudie le papier de près, comme si c'était la chose la plus précieuse qu'on lui ait jamais donnée. Puis il le plie soigneusement et le glisse dans sa poche poitrine avec fierté.

— Parce que celle-ci, c'est un éléphant, si vous voyez ce que je veux dire ! Assurez-vous qu'elle vous donne une bonne carabine.

Le chauffeur se met à rire et se gare devant notre hôtel. Je l'inspecte depuis le taxi et suis agréablement surprise. C'est un trois étoiles en plein centre-ville, à dix minutes à pied des principaux théâtres, d'Oxford Street, de Piccadilly et de Soho. L'idéal pour se tenir à l'écart des ennuis. Ou en plein dedans.

Papa sort de la voiture et tire sa valise jusqu'aux portes à tambour à l'entrée de l'hôtel. Je l'observe en attendant ma monnaie. Les portes tournent très vite, et je le vois tenter de calculer son passage. Comme un chien qui appréhende le moment de sauter dans une eau froide, il avance lentement, s'arrête, avance encore et s'arrête. Enfin, il se précipite et sa valise se retrouve coincée à l'extérieur, bloquant les portes avec lui à l'intérieur.

Je prends mon temps pour sortir du taxi. Je m'appuie à la portière côté passager pendant que papa tambourine sur la vitre derrière moi. Je l'entends crier :

— Au secours ! Quelqu'un !

J'ignore ses appels.

— Au fait, de quoi est-ce qu'il m'a traitée ?

— Quand il a dit que vous étiez un éléphant ? répond-il en souriant. Il vaut mieux que vous ne le sachiez pas.

— Dites-moi.

— Ça veut dire trou du cul.

Il éclate de rire, puis redémarre, me laissant plantée au bord du trottoir, bouche bée.

Je remarque que le vacarme s'est tu et me retourne. Papa a été enfin délivré. Je me dépêche d'entrer.

— Je ne peux pas vous donner ma carte de crédit, mais je peux vous donner ma parole, explique papa très fort et très lentement à la réceptionniste. Et ma parole engage mon honneur.

— C'est bon. Voilà.

Je fais glisser ma carte de crédit vers la jeune femme.

— Pourquoi est-ce qu'on ne peut plus payer avec des billets, de nos jours ? se plaint papa en s'appuyant au comptoir. Les jeunes d'aujourd'hui, ils s'endettent de plus en plus parce qu'ils ont envie de ceci ou cela, mais ils ne veulent pas travailler pour se le payer, alors ils utilisent ces machins en plastique. Ce n'est pas de l'argent gratuit, je peux vous le dire.

Il hoche la tête avec conviction.

— On perd toujours à ce jeu-là.

Personne ne répond.

La réceptionniste lui sourit poliment et pianote sur son clavier.

— Vous partagez une chambre ? demande-t-elle.

— Oui.

— Il y a deux Ted, j'espère, s'inquiète papa. Elle fronce les sourcils.

— Des lits, dis-je doucement. Il veut dire des lits.

— Oui, ce sont des lits jumeaux.

— Avec une salle de bains ?

Il se penche en avant pour déchiffrer son nom sur son badge.

— Brenda, c'est bien ça ?

— Oui, monsieur, toutes nos chambres ont une salle de bains.

— Oh !

Il paraît impressionné.

— Bon, j'espère que l'ascenseur marche, parce que je ne peux pas prendre les pommes, mon Cadbury me joue des tours.

Je ferme les yeux de toutes mes forces.

— Les pommes, ça veut dire l'escalier. Le Cadbury, c'est le dos, dit-il de la voix qu'il prenait pour me chanter des comptines quand j'étais petite.

— Je vois. Très bien, monsieur Conway.

Je prends la clef et me dirige vers l'ascenseur. Je l'entends répéter la même question encore et encore, d'une petite voix, tout en me suivant dans le hall. J'appuie sur le bouton marqué trois. La porte de l'ascenseur se ferme.

La chambre est convenable et propre. Ça me suffit. Les lits sont assez espacés, il y a une télévision et un minibar, qui occupe papa pendant que je me fais couler un bain.

— Je crois que je vais prendre un petit élégant, annonce-t-il.

— Un petit quoi ?

— Un petit cognac.

Je m'enfonce enfin dans l'eau chaude et apaisante, la mousse gonfle comme de la chantilly. Elle me chatouille le nez, déborde et tombe par terre, où elle disparaît lentement avec un léger crépitement. Je me laisse aller et ferme les yeux. Je sens de minuscules bulles éclater au contact de ma peau... On frappe à la porte.

Je ne réponds pas.

Le bruit reprend, un peu plus fort.

Je ne réponds toujours pas.

Bang ! Bang !

— Quoi ?

— Oh, pardon, j'ai cru que tu t'étais endormie, ma chérie.

— Je prends un bain.

— Je sais bien. Il faut faire attention avec les baignoires. Tu peux t'assoupir, glisser dans l'eau et te noyer. C'est ce qui est arrivé à une des cousines d'Amelia. Tu connais Amelia. Elle vient voir Joseph de temps en temps, dans ma rue. Mais elle passe moins souvent, à cause de l'accident du bain.

— Papa, c'est gentil de t'inquiéter, mais je vais bien.

— D'accord.

Silence.

— En fait, Gracie, je me demandais combien de temps tu allais passer là-dedans.

Je saisis le canard en plastique jaune posé sur le rebord de la baignoire et l'étrangle.

— Ma chérie ? demande-t-il d'une petite voix.

Je maintiens le canard sous l'eau pour es̶
de le noyer. Puis je le lâche, et il remonte ̶
surface, en me regardant avec les mêmes ye̶
idiots. Je respire profondément, expire lente
ment.

— Environ vingt minutes, papa. Ça ira ?

Silence.

Je ferme les yeux à nouveau.

— Euh, ma chérie, tu comprends, ça fait déjà vingt minutes que tu y es, et avec ma prostate...

Je n'en entends pas davantage, parce que je sors de la baignoire avec toute la grâce d'un piranha à l'heure du repas. Mes pieds crissent sur le sol, l'eau jaillit dans toutes les directions.

— Tout va bien là-dedans, Flipper ?

Papa éclate d'un rire tonitruant à sa propre plaisanterie.

Je jette une serviette autour de moi et ouvre la porte.

— Ah. Willy est lâché ! sourit-il.

Je m'incline et tends le bras vers les toilettes.

— Votre trône vous attend, monsieur.

Gêné, il s'engouffre dans la salle de bains et referme la porte. Elle se verrouille.

Trempée et frissonnante, je farfouille parmi les demi-bouteilles de vin rouge dans le minibar. J'en choisis une et examine l'étiquette. Aussitôt, une image me traverse l'esprit, si vivace que j'ai l'impression que mon corps a été transporté.

Un panier de pique-nique avec cette bouteille dedans, la même étiquette. Une nappe à carreaux rouges et blancs étalée sur l'herbe, une petite fille blonde qui tournoie, tournoie en tutu rose. Le vin tournoie, tournoie dans un verre. Son rire. Des chants d'oiseaux. Des rires d'enfants au loin, un chien qui aboie. Je suis allongée sur la nappe, pieds nus, pantalon roulé au-dessus des chevilles. Des chevilles poilues. Je sens le soleil chaud sur ma peau, la petite fille danse et tournoie sous le soleil. Parfois elle me masque la lumière crue, et parfois elle va tourbillonner plus loin pour laisser le flamboiement m'éblouir. Une main apparaît, tenant un verre de vin rouge. Je regarde son visage. Des cheveux roux, de légères taches de rousseur, un sourire adorateur. Qui m'est destiné.

— Justin, chantonne-t-elle. Ici la Terre !

La petite fille tournoie et rit, le vin tournoie, les longs cheveux roux s'éparpillent dans la douce brise...

Puis l'image disparaît. Me revoilà dans la chambre d'hôtel, debout devant le minibar, cheveux ruisselants sur la moquette. Papa me regarde avec curiosité, main en l'air comme s'il hésitait à me toucher.

— Joyce, chantonne-t-il, ici la Terre !

Je m'éclaircis la gorge.

— Tu as fini ?

Papa hoche la tête et me suit des yeux jusqu'à la salle de bains. Je m'arrête en chemin et me retourne.

— Au fait, j'ai réservé deux places pour un ballet ce soir, si tu as envie de venir. Il faudra partir dans une heure.

— D'accord, ma chérie.

Il hoche la tête doucement, et me dévisage avec dans les yeux une inquiétude que je connais bien. J'ai vu ce regard, enfant, je l'ai vu adulte, et un million de fois entre les deux. C'est comme si je venais d'enlever les roulettes de mon vélo pour la toute première fois, et qu'il courait à côté de moi, et me tenait, redoutant de me lâcher.

24

Nous progressons lentement vers Covent Garden. Papa respire lourdement et me tient le bras très fort. De ma main libre, je me tâte les poches, à la recherche de ses cachets.

— Papa, on prendra un taxi pour rentrer. Inutile de discuter.

Il s'arrête, le regard fixé droit devant lui. Il aspire de grandes goulées d'air.

— Ça va ? C'est ton cœur ? Tu veux qu'on s'assoie ? Qu'on fasse une pause ? Tu préfères rentrer à l'hôtel ?

— Tais-toi et retourne-toi, Gracie. Ce n'est pas mon cœur qui me coupe le souffle.

Je me retourne et le voilà, le Royal Opera House, ses colonnes illuminées pour le spectacle de ce soir, un tapis rouge sur le trottoir, le public qui entre.

— Il te faut saisir l'instant, ma chérie, dit papa en contemplant le panorama qui s'offre à lui. Ne pas foncer bille en tête comme un taureau qui voit rouge.

Nous avons réservé nos places si tard que nous sommes assis au troisième balcon, presque au sommet du formidable théâtre. Ce ne sont pas de très bonnes places, mais nous avons eu de la chance d'en obtenir. Notre vue sur la scène est restreinte, mais celle sur les loges d'en face est parfaite. Avec les jumelles posées près de mon siège, j'observe les spectateurs qui les occupent. Aucun signe de mon Américain. *Justin, ici la Terre ?* J'entends la voix de la femme dans ma tête et me demande si la théorie de Frankie, selon laquelle je verrais le monde à travers ses yeux, est fondée.

Papa est captivé par la vue.

— On a les meilleures places de toutes, ma chérie. Regarde.

Il se penche par-dessus la balustrade et sa casquette manque de tomber. Je lui saisis le bras et le tire en arrière. Il prend la photo de maman dans sa poche et l'installe sur la rambarde recouverte de velours.

— Les meilleures places de toutes, vraiment, répète-t-il, les larmes aux yeux.

La voix qui s'échappe des haut-parleurs presse les retardataires et, enfin, la cacophonie de l'orchestre se calme, les lumières se tamisent et le silence s'installe. La magie peut commencer.

Le chef d'orchestre donne quelques coups de baguette et les musiciens jouent les premières mesures du ballet de Tchaïkovski. En dehors des ricanements de papa quand le danseur étoile fait son entrée en collant, la représentation commence sans heurts et nous sommes tous deux captivés par l'histoire du *Lac des cygnes*. Je détourne les yeux du bal donné pour l'anniversaire du prince et observe les spectateurs des loges. Je vois leur visage illuminé, leurs yeux qui dansent avec les personnages sur scène. C'est comme une boîte à musique ouverte, déversant lumière et musique, ensorcelant tous ceux qui regardent. Je continue de les espionner avec mes jumelles, de gauche à droite, toute une rangée d'inconnus jusqu'à... Mes yeux s'écarquillent en se posant sur le visage familier, le visage de l'homme du salon de coiffure dont je sais maintenant, grâce à la biographie de Bea dans le programme, qu'il s'appelle M. Hitchcock. *Justin Hitchcock ?* Il fixe la scène, en transe, se penche si bas sur la rampe qu'on a l'impression qu'il va basculer.

Papa me donne un coup de coude.

— Si tu arrêtais de regarder tout autour et te concentrais sur la scène ? Il va la tuer.

Je me retourne vers la scène et tente de fixer mon regard sur le prince qui bondit, arc en main, mais j'en suis incapable. Une attraction magnétique oriente mes yeux sur la loge. Je tiens à savoir qui accompagne M. Hitchcock. Mon cœur bat si fort que je me rends compte seulement maintenant que le bruit ne vient pas de l'orchestre. Près de lui se trouve une femme aux longs cheveux roux, avec de légères taches de rousseur, celle qui tient l'appareil photo dans mes rêves. À côté d'elle, un monsieur à l'air doux, et derrière, serrés les uns contre les autres, un jeune homme qui tire sur sa cravate, une femme à l'épaisse crinière rousse et un gros homme tout rond. Je feuillette les dossiers de ma mémoire comme un album photos. Le gamin rondouillard dans le jardin et sur les balançoires ? Peut-être. Mais les deux autres, je ne les connais pas. Je redirige mon regard vers Justin Hitchcock et souris, son visage me semble bien plus passionnant que l'intrigue sur scène.

Soudain la musique change, la lumière reflétée sur son visage clignote et son expression se transforme. Je comprends immédiatement que Bea est apparue sur scène, et je me tourne pour regarder. Elle est là, dans le groupe de cygnes, gracieuse, en parfaite harmonie, toute de blanc vêtue, corset moulant s'achevant en un long tutu au bord irrégulier, comme des plumes. Ses longs cheveux blonds sont ramassés en chignon sous un diadème très simple. Je me remémore l'image que j'ai d'elle dans le parc, petite fille, tournoyant dans son tutu, et la fierté m'envahit. Comme elle est allée loin. Comme elle a grandi. Mes yeux s'emplissent de larmes.

— Oh Justin, regarde ! souffle Jennifer à côté de lui.

Il regarde. Il ne peut détacher les yeux de sa fille, une apparition en blanc qui danse en parfaite harmonie avec les autres cygnes, sans la moindre maladresse. Elle paraît avoir tellement grandi, tellement... comment est-ce possible ? Il lui semble qu'hier encore, elle tournoyait dans le parc en face de chez eux, en tutu rose, pour lui et Jennifer ; une petite fille en tutu, des rêves plein la tête, et maintenant...

Les larmes lui montent aux yeux et il se tourne vers Jennifer, pour partager un regard, partager cet instant, mais au même moment elle saisit la main de Lawrence. Il s'empresse de détourner la tête, reporte son attention sur sa fille. Une larme tombe et il cherche son mouchoir dans sa poche.

Un mouchoir s'élève vers mon visage et attrape ma larme avant qu'elle ne tombe de mon menton.

— Pourquoi est-ce que tu pleures ? demande papa à haute voix en me tapotant le menton avec brusquerie, tandis que le rideau se baisse pour l'entracte.

— Je suis si fière de Bea.

— Qui ça ?

— Oh... personne. C'est une si belle histoire, tu ne trouves pas ?

— Je trouve que ces garçons ont certainement des chaussettes dans leurs collants.

J'éclate de rire et m'essuie les yeux.

— Tu crois que maman aime le spectacle ?

Il sourit et examine la photo.

— Sûrement. Elle n'a pas tourné la tête une seule fois depuis le début. Contrairement à toi, qui m'as l'air d'avoir le feu où je pense. Si j'avais su que tu aimais autant regarder aux jumelles, je t'aurais emmenée observer les oiseaux depuis longtemps.

Il soupire, regarde autour de lui.

— Les copains du club du lundi ne voudront jamais me croire. Donal McCarthy, attention ! glousse-t-il.

— Elle te manque ?

— Ça fait dix ans, ma chérie.

Son indifférence me blesse. Je croise les bras et détourne la tête, fulminant en silence.

Papa se penche vers moi et me donne un coup de coude.

— Et chaque jour, elle me manque un peu plus que la veille.

— Oh.

Je m'en veux aussitôt de lui avoir souhaité cette peine.

— C'est comme dans un jardin, ma chérie. Tout grandit. Y compris l'amour. Alors comment peux-tu imaginer que le manque disparaisse ? Tout croît, y compris notre capacité à faire face. C'est comme ça qu'on arrive à continuer.

Je secoue la tête, effrayée des idées qu'il formule parfois. Philosophiques et autres. Et tout cela vient d'un homme qui m'a appelée sa « théière » (son enfant) depuis l'atterrissage de l'avion.

— Et moi qui croyais que tu aimais simplement regarder tes plantes, dis-je en souriant.

— Regarder les plantes, c'est bien plus que ce qu'on croit. Tu savais que, selon Thomas Berry, le jardinage est une participation active aux plus profonds mystères de l'Univers ? On peut y puiser des leçons.

— Par exemple ?

J'essaie de ne pas sourire.

— Même un jardin crée des liserons. Il les crée naturellement, de lui-même. Ils grimpent et étouffent les autres plantes, qui poussent dans son sol. Nous avons tous nos démons, notre bouton d'autodestruction. Comme les jardins. Si on ne regarde pas les plantes, on ne s'en aperçoit pas.

Il m'examine et je détourne les yeux. Je décide d'éclaircir ma gorge déjà claire.

Parfois, je préférerais qu'il se contente de se moquer des hommes en collant.

— Justin, on va au bar. Tu viens ? demande Doris.

— Non, refuse-t-il, boudeur comme un enfant, bras croisés.

— Pourquoi ?

Al s'insère à grand-peine dans le rang pour s'asseoir à côté de lui.

— Parce que je n'en ai pas envie.

Il saisit les jumelles de théâtre et joue avec.

— Mais tu vas rester tout seul.

— Et alors ?

— M. Hitchcock, vous voulez que j'aille vous chercher un verre ? propose Peter.

— M. Hitchcock était mon père, vous pouvez m'appeler Al.

Il lui décoche un coup de poing joueur dans l'épaule, mais le coup fait reculer le jeune homme de plusieurs pas.

— D'accord, Al, mais en fait, je parlais à Justin.

— Vous pouvez m'appeler M. Hitchcock.

Justin le dévisage comme si une odeur nauséabonde flottait dans la loge.

— On n'est pas obligés de rester avec Lawrence et Jennifer, tu sais.

Lawrence. Lawrence d'Abernie qui a un éléphantiasis du...

— Mais si, Al, ne sois pas ridicule, intervient Doris.

— Bon. Réponds à Pete, est-ce que tu veux qu'on te rapporte quelque chose ? soupire Al.

Oui. Mais Justin ne peut se résoudre à accepter, alors il secoue la tête, boudeur.

— D'accord. On revient dans un quart d'heure.

Al le gratifie d'une fraternelle tape dans le dos, puis ils le laissent tout seul dans la loge à ruminer sur Lawrence et Jennifer et Bea et Chicago et Londres et Dublin et maintenant Peter, et sur la manière dont sa vie s'est transformée.

Deux minutes plus tard, déjà lassé de s'apitoyer sur lui-même, il prend les jumelles et se met à espionner les quelques personnes en dessous de lui qui sont restées à leur place pour l'entracte. Il remarque un couple en pleine dispute, qui échange des remarques cinglantes. Un autre couple qui s'embrasse et s'empresse de gagner la sortie, manteaux à la main. Il espionne une mère qui allaite son enfant. Un groupe de femmes qui rient. Un couple qui ne se dit rien, ou n'a rien à se dire. Il préférerait la première hypothèse. Rien d'exaltant. Il dirige ses jumelles vers les loges en face de la sienne. Elles sont vides, tous ont choisi d'aller prendre leurs boissons précommandées au bar. Il se tord le cou pour regarder plus haut.

Comment est-ce qu'on peut voir de là-haut ?

Là, il aperçoit quelques personnes qui bavardent. Il balaie la rangée de loges vers la gauche. S'arrête. Se frotte les yeux. Ce doit être son imagination. Il braque à nouveau les jumelles et elle est là, pas de doute. Avec le vieil homme. Ils semblent figurer, cachés, dans chaque scène de son existence.

Elle aussi regarde avec ses jumelles. Elle observe la foule en dessous. Puis elle lève ses jumelles, les oriente lentement vers la droite et... Tous deux se figent, s'examinent à travers leurs jumelles. Lentement, il lève le bras. Lui fait signe.

Lentement, elle fait de même. Le vieil homme près d'elle met ses lunettes et regarde vers lui, yeux plissés, sans cesser d'ouvrir et fermer la bouche.

Justin lève la main pour lui faire signe d'attendre. *Ne bougez pas, je vous rejoins.* Il dresse l'index, comme s'il venait d'avoir une idée. *Une minute. Ne bougez pas, je suis là dans une minute,* tente-t-il de lui faire comprendre.

Elle lève le pouce et il sourit.

Il lâche les jumelles, se lève, repère la place de Joyce. La porte de sa loge s'ouvre et Lawrence entre.

— Justin, j'ai pensé qu'on pourrait peut-être discuter, dit-il poliment, en pianotant sur le dossier de la chaise qui les sépare.

— Non, Lawrence, pas maintenant, désolé.

Il tente de passer devant lui.

— Je promets de ne pas vous prendre trop de temps. Quelques minutes pendant que nous sommes seuls, pas plus. Pour alléger l'atmosphère, vous comprenez ?

Il ouvre le bouton de son blazer, lisse sa cravate et referme le bouton.

— Écoutez, mon vieux, j'apprécie, vraiment, mais là je suis très pressé.

Il tente de passer mais Lawrence lui barre la route

— Pressé ? s'étonne-t-il, sourcils haussés. L'entracte est presque fini et...

Il s'interrompt, comprend.

— Je vois. Bon. Je me suis dit que j'allais essayer. Si vous préférez ne pas avoir cette discussion pour le moment, c'est compréhensible.

— Non, ce n'est pas ça.

Justin regarde vers Joyce avec les jumelles, paniqué. Elle est toujours là.

— Mais je suis vraiment pressé, je dois rejoindre quelqu'un. Je dois y aller, Lawrence.

Jennifer, visage fermé, entre au moment où il finit sa phrase.

— Franchement, Justin, Lawrence essayait simplement de se comporter en gentleman, en adulte. Apparemment, tu as oublié comment on

288

fait. Je me demande bien pourquoi j'en suis surprise.

— Non, Jennifer, écoute...

Je t'appelais Jen avant. Toute cette raideur à présent, on est bien loin de ce jour mémorable au parc, quand nous étions si heureux, si amoureux.

— Je n'ai vraiment pas le temps maintenant. Tu ne comprends pas. Il faut que j'y aille.

— Tu ne peux pas. Le ballet va reprendre dans quelques minutes et ta fille sera sur scène. Ne me dis pas que tu vas la laisser tomber elle aussi, à cause de ta ridicule fierté de mâle.

Doris et Al entrent dans la loge. La stature de Al suffit à elle seule à emplir le petit espace et à lui bloquer la sortie. Il tient à la main un demi-litre de soda et un énorme paquet de chips.

— Dis-lui, Justin.

Doris croise les bras et pianote de ses longs faux ongles roses sur son coude.

— Qu'est-ce que je dois lui dire ? gémit Justin.

— Tu dois lui rappeler que dans votre famille, il y a des antécédents de maladies cardiaques, pour qu'il y réfléchisse à deux fois avant de manger et boire ces saloperies.

— Des maladies cardiaques ?

Justin porte les mains à sa tête tandis que, de l'autre côté, Jennifer continue son monologue d'une voix morne et incompréhensible.

— Ton père est mort d'une crise cardiaque, rappelle Doris avec impatience.

Justin se fige.

— Le médecin n'a pas dit que ça m'arriverait forcément à moi, proteste Al.

— Il a dit que le risque était important. Quand on a des antécédents familiaux.

Justin a l'impression que sa voix vient d'ailleurs.

— Non, vraiment, Al, je ne crois pas que tu doives t'inquiéter pour ça.

— Tu vois ? triomphe-t-il en se tournant vers Doris.

— Ce n'est pas ce qu'a dit le médecin, trésor. Nous devons être plus prudents à cause des antécédents familiaux.

— Non, nous n'avons pas d'anté...

Justin s'interrompt.

— Écoutez, je dois vraiment y aller maintenant.

Il tente d'avancer dans la loge bondée.

— Non, tu n'iras nulle part, s'interpose Jennifer. Tu n'iras nulle part avant de t'être excusé auprès de Lawrence.

— Ça va, Jen, intervient Lawrence, gêné.

C'est moi qui l'appelle Jen, pas toi !

— Non, ça ne va pas, chéri.

C'est moi son chéri, pas toi !

Les voix convergent vers lui de tous côtés. Bla, bla, bla. Il est incapable de distinguer les mots. Il a chaud, se sent poisseux de sueur. Il a le vertige.

Soudain, la lumière baisse et la musique commence. Il n'a d'autre choix que de s'asseoir, à côté d'une Jennifer furieuse, d'un Lawrence blessé, d'un Peter silencieux, d'une Doris inquiète et d'un Al affamé, qui décide de mâchouiller bruyamment ses chips dans son oreille.

Il soupire et lève les yeux vers Joyce.

Au secours !

Apparemment, la prise de bec a cessé dans la loge de M. Hitchcock, mais au moment où les lumières se tamisent, ils sont encore debout. Quand les lumières brillent à nouveau, tous sont assis, visage fermé, sauf le gros homme à l'arrière qui mange un énorme paquet de chips. J'ignore papa depuis quelques instants, préférant passer mon temps à tenter d'apprendre instantanément à lire sur les lèvres. Si j'ai bien compris, ils parlaient de George Clooney et de bananes grillées.

Au fond de moi, mon cœur bat comme un djembé, sa basse profonde et ses claquements m'envahissent toute la poitrine. Je le sens au fond de ma gorge, palpitant, et tout ça parce qu'il m'a vue, parce qu'il voulait me rejoindre. Je suis soulagée de voir que suivre mon instinct, si chancelant soit-il, paie. Il me faut quelques minutes pour parvenir à me concentrer sur autre chose que Justin, mais quand mes nerfs se calment un peu je reporte mon attention sur la scène où Bea me coupe le souffle. Je renifle comme une vieille tante étranglée de fierté. L'idée me vient, très forte, que les seules personnes qui partagent ces merveilleux souvenirs de bonheur dans le parc sont Bea, sa mère, son père... et moi.

— Papa, je peux te demander quelque chose ? lui dis-je à voix basse, penchée vers lui.

— Il va déclarer sa flamme à cette fille, mais ce n'est pas la bonne, maugrée-t-il, les yeux au ciel. Quel imbécile. L'autre fille était en blanc et celle-ci est en noir. Elles ne se ressemblent pas du tout.

— Elle aurait pu changer de robe pour le bal. Personne ne porte les mêmes vêtements tous les jours.

Il me regarde de haut en bas.

— Tu n'as quitté ta robe de chambre qu'une fois la semaine dernière. Enfin, qu'est-ce que tu as ?

— En fait, c'est... il s'est passé quelque chose et... bref...

— Accouche, pour l'amour du ciel, avant que j'en rate davantage.

Je renonce à chuchoter à son oreille et me tourne pour lui faire face.

— On m'a donné quelque chose : mieux, on a partagé avec moi quelque chose de très particulier. C'est totalement inexplicable, ça n'a aucun sens, c'est comme la Vierge de Knock, tu comprends ?

J'éclate d'un rire nerveux et reprends mon sérieux tout de suite en voyant son expression.

Non. Il n'est au courant de rien. Il est contrarié parce que j'ai pris comme exemple d'absurdité l'apparition de la Vierge Marie dans le comté de Mayo, à la fin du dix-neuvième siècle.

— Bon. C'était peut-être un mauvais exemple. Ce que je veux dire, c'est que ça va à l'encontre de toutes les lois que je connais. Mais je ne comprends pas pourquoi.

— Gracie, me reprend papa en levant le menton. Comme le reste de l'Irlande, Knock a grandement souffert au fil des siècles des invasions, des confiscations de terres et des famines. Notre Seigneur a envoyé Sa mère, Sainte Marie, pour visiter Ses enfants opprimés.

— Non.

Je me couvre le visage de mes mains.

— Je ne me demandais pas pourquoi Marie était apparue, mais pourquoi ce... cette chose m'arrive. Cette chose qu'on m'a donnée.

— Ah. Est-ce que quelqu'un en souffre ? Parce que sinon, et si on te l'a donnée, alors moi, j'arrêterais bien vite d'appeler ça une chose pour l'appeler un cadeau. Regarde-les danser. Il la prend pour l'autre. Mais il doit bien voir son visage. Ou alors, c'est comme pour Superman, quand il retire ses lunettes et devient brusquement complètement différent, alors que ça se voit comme le nez au milieu de la figure que c'est la même personne ?

Un cadeau. Je n'avais jamais envisagé la question sous cet angle. Je regarde les parents de Bea, rayonnants de fierté, et je pense à Bea avant l'entracte, flottant dans le groupe de cygnes. Je secoue la tête. Non. Personne n'en souffre.

— Alors, c'est parfait, conclut papa en haussant les épaules.

— Mais je ne comprends pas pourquoi, ni comment, et...

— Qu'est-ce qu'ils ont les gens, de nos jours ? me coupe-t-il d'une voix sifflante.

L'homme à côté de moi se tourne vers lui. Je murmure des excuses.

— De mon temps, les choses étaient comme elles étaient. On ne s'amusait pas à tout analyser cent fois. Il n'y avait pas ces cours universitaires et ces diplômes en pourquoi et comment et parce que. Parfois, ma chérie, il te faut simplement oublier ces mots et t'inscrire à une petite leçon qui s'appelle « merci ». Regarde cette histoire-là, ajoute-t-il en désignant la scène. Est-ce que tu entends quelqu'un se plaindre qu'une *femme* ait été changée en *cygne* ? Est-ce que tu as déjà entendu quelque chose d'aussi ridicule ?

Je secoue la tête en souriant.

— Est-ce que tu as rencontré quelqu'un, ces derniers temps, qui ait été changé en cygne ?

— Non.

— Et pourtant regarde. Cette bêtise est célèbre dans le monde entier depuis des siècles. Nous avons des non-croyants, des athées, des intellectuels, des cyniques, lui, ajoute-t-il en désignant du menton l'homme qui nous a fait baisser la voix. Tout un ramassis de ceci et de cela ce soir, mais tous ont envie de voir ce type en collant se caser avec cette fille-cygne, pour qu'elle puisse sortir de ce lac. Seul l'amour d'un homme qui n'a jamais aimé auparavant peut rompre le sortilège. Pourquoi ? On s'en fiche. Tu crois que la femme aux plumes va demander pourquoi ? Non. Elle va dire merci parce que, alors, elle pourra continuer sa vie et porter de jolies robes et faire des promenades, au lieu d'être obligée de picorer du pain détrempé dans un lac puant tous les jours pour le reste de sa vie.

Je reste muette, abasourdie.

— Et maintenant, silence, on est en train de tout rater. Regarde, voilà qu'elle veut se tuer, à présent. Quel mélodrame !

Il pose les coudes sur la rambarde et se penche. Plus que ses yeux, c'est son oreille gauche qui est tournée vers la scène, il écoute.

25

Pendant que le public applaudit, debout, Justin aperçoit le père de Joyce qui l'aide à enfiler un manteau rouge, celui qu'elle portait lors de leur collision dans Grafton Street. Elle se dirige vers la sortie la plus proche, son père sur les talons.

— Justin, s'indigne Jennifer en voyant son ex-mari orienter plus souvent ses jumelles vers le plafond que vers sa fille qui fait la révérence sur scène.

Il pose ses jumelles et applaudit bruyamment, en criant.

— Je vais au bar nous réserver de bonnes places, annonce-t-il en se dirigeant vers la porte.

— Elles sont déjà réservées, crie Jennifer pour se faire entendre par-dessus les applaudissements.

Il lève une main vers son oreille et secoue la tête.

— Je n'entends pas.

Il s'enfuit et s'engage en courant dans le couloir, essayant de trouver le chemin du troisième balcon. Le rideau a dû retomber pour la dernière fois, car les gens commencent à sortir des loges. Le couloir est envahi et Justin a du mal à avancer.

Il change de plan : il va courir vers la sortie et l'attendre là. Ainsi, il ne peut la manquer.

— Allons boire quelque chose, ma chérie, propose papa pendant que nous piétinons lentement dans la foule qui quitte le théâtre. J'ai vu un bar à cet étage.

Nous nous arrêtons pour consulter les panneaux.

— Il y a le bar de l'Amphithéâtre, par là, dis-je sans cesser de chercher Justin Hitchcock du regard.

Une ouvreuse annonce que le bar n'est accessible qu'à la troupe, aux techniciens et à leur famille.

— Parfait, nous aurons un peu de tranquillité, lui répond papa en soulevant sa casquette. Vous auriez dû voir ma petite-fille. C'est le plus beau jour de ma vie, déclare-t-il, la main sur le cœur.

L'ouvreuse sourit et nous laisse passer.

— Viens, papa.

Nous prenons nos verres et je l'entraîne à une table d'angle, tout au fond de la salle, loin de la foule grandissante.

— S'ils essaient de nous jeter dehors, Gracie, je n'abandonnerai pas ma bière. Je viens juste de m'asseoir.

Je me tords les mains de nervosité, perchée tout au bord de ma chaise, le cherchant des yeux. *Justin*. Son nom roule dans ma tête, joue sur ma langue comme un cochon satisfait sur un tas de fumier.

Les gens sortent du bar et enfin, il n'y reste plus que les familles, les techniciens et les artistes. Personne ne s'approche de nous pour nous chasser, c'est peut-être un des avantages d'être accompagnée d'un vieillard. La mère de Bea entre avec les deux inconnus de la loge, et le gros homme que je reconnais. Mais pas de M. Hitchcock. Mes yeux cherchent partout.

— La voilà, dis-je.

— Qui ça ?

— Une des danseuses. C'était un des cygnes.

— Comment tu le sais ? Elles se ressemblaient toutes. La preuve, il a déclaré son amour à la mauvaise femme. L'imbécile.

Je ne vois aucune trace de Justin et je commence à m'inquiéter à l'idée d'une nouvelle opportunité gâchée. Peut-être est-il parti tôt et ne viendra-t-il pas au bar. L'impatience me gagne.

— Je vais faire un tour, il y a quelqu'un que j'aimerais retrouver. Je t'en prie, ne bouge pas de cette chaise. Je reviens bientôt.

— Le seul geste que je ferai, c'est celui-ci, promet-il en prenant sa bière et en la portant à ses lèvres.

Il boit une gorgée de Guinness et ferme les yeux pour en savourer le goût, une moustache de mousse blanche autour des lèvres.

Je sors du bar en hâte et erre dans l'immense bâtiment, sans savoir par où commencer mes recherches. Je reste devant les toilettes pour hommes un moment, mais il n'en sort pas. Je vérifie la loge où il était assis, elle est vide.

Justin renonce à rester posté près de la sortie en voyant s'égrener les derniers spectateurs. Il doit l'avoir ratée, c'était stupide de penser qu'il n'y avait qu'une sortie. Il soupire, frustré. Il voudrait pouvoir retourner en arrière dans le temps jusqu'au jour du salon de coiffure, pour revivre le moment correctement, cette fois. Sa poche vibre, l'éveillant en sursaut de sa rêverie.

— Frérot, où est-ce que tu es ?

— Salut, Al. J'ai encore vu la femme.

— La femme de Sky News ?

— Oui !

— La femme viking ?

— Oui, oui, c'est elle.

— La femme de l'*Antiques*...

— Oui ! Bonté divine, il faut vraiment en repasser par tout ça ?

— Dis donc, tu ne t'es pas dit que ce pourrait être une dingue qui fait une fixation sur toi ?

— Si c'est elle qui fait une fixation, pourquoi est-ce que je suis toujours en train de lui courir après ?

— Ah. Bon, alors c'est peut-être toi le dingue, et tu ne le sais pas.

— Al..., fait Justin entre ses dents serrées.

— Enfin bref, dépêche-toi de nous rejoindre avant que Jennifer pique une crise. Encore.

— J'arrive, soupire Justin.

Il ferme son téléphone d'un coup sec et balaie une dernière fois la rue du regard. Dans la foule, quelque chose attire son regard. Un manteau rouge. Il sent une poussée d'adrénaline. Il se précipite au-dehors, en bousculant les spectateurs qui sortent lentement, sans quitter le manteau des yeux.

— Joyce ! Joyce, attendez !

Elle continue de marcher, elle n'entend pas.

Il se cogne, pousse, se fait insulter et repousser par les gens qu'il bouscule, et enfin, elle n'est plus qu'à quelques centimètres de lui.

— Joyce ! halète-t-il en lui saisissant le bras. Elle pivote, le visage distordu de surprise et de peur. C'est le visage d'une inconnue.

Elle le frappe sur la tête avec son sac à main.

— Aïe ! Oh, Seigneur !

Il s'excuse et repart lentement vers le théâtre, en essayant de reprendre son souffle. Il frotte son crâne douloureux, jure et marmotte, exaspéré. Il atteint la porte principale. Elle ne s'ouvre pas. Il essaie à nouveau doucement, puis la secoue. En vain. Il se met à pousser et tirer de toutes ses forces, en bourrant la porte de coups de pied.

— Hé ! Nous sommes fermés. L'opéra est fermé ! l'informe un employé depuis l'intérieur.

En revenant au bar, je vois avec soulagement que papa est toujours assis dans le coin où je l'ai laissé. Seulement, à présent, il n'est plus seul. Bea est assise près de lui, la tête penchée vers la sienne comme s'ils étaient en grande conversation. Paniquée, je me précipite vers eux.

— Salut !

Je m'approche, terrifiée à l'idée des diarrhées verbales qui ont déjà pu lui échapper.

— Ah, te voilà, ma chérie. Je croyais que tu m'avais abandonné. Cette brave petite est venue voir si j'allais bien, vu qu'on a encore essayé de me mettre à la porte.

— Je m'appelle Bea, dit-elle avec un sourire.

Je ne peux m'empêcher de remarquer comme elle a grandi. Comme elle sûre d'elle, confiante. J'ai presque envie de lui dire que la dernière fois que je l'ai vue, elle était « haute comme ça », mais je me retiens de déblatérer sur son extraordinaire métamorphose.

— Salut, Bea.

— On se connaît ?

Son front de porcelaine se plisse.

— Euh...

— C'est ma fille, Gracie, intervient papa, et pour une fois je ne le reprends pas.

— Ah. Gracie, fait Bea en secouant la tête. Non, je pensais à quelqu'un d'autre. Enchantée de vous rencontrer.

Nous nous serrons la main et je tiens la sienne un tout petit peu trop longtemps peut-être, captivée par le contact de sa peau, un contact réel, pas un simple souvenir. Je m'empresse de la lâcher.

— Vous avez été merveilleuse ce soir. J'étais très fière, dis-je d'un ton dégagé.

— Fière ? Ah, oui. Votre père m'a dit que vous aviez dessiné les costumes. Ils sont magnifiques. Je m'étonne de ne pas vous avoir rencontrée plus tôt, nous n'avons eu affaire qu'à Linda pour les retouches.

Ma bouche s'ouvre. Papa hausse les épaules d'un geste nerveux et boit une gorgée de ce qui paraît être sa deuxième Guinness. Un nouveau mensonge pour une nouvelle bière. Le prix de son âme.

— Oh, je ne les ai pas dessinés... j'ai juste... j'ai juste supervisé. Qu'est-ce qu'il vous a dit d'autre ?

Je m'assois, inquiète, et regarde autour de moi à la recherche de son père, espérant qu'il ne choisira pas cet instant pour entrer et me saluer au beau milieu de ce mensonge ridicule.

— Quand vous êtes arrivée, il me racontait comment il avait sauvé la vie d'un cygne, sourit-elle.

— À lui tout seul ! ajoutent-ils en chœur avant d'éclater de rire.

— Ha ha !

Mon rire forcé sonne faux.

— C'est vrai ?

— Ô, femme de peu de foi !

Papa lampe une gorgée de Guinness. Il a soixante-quinze ans et a déjà avalé un cognac et une Guinness, il ne va pas tarder à rouler sous la table. Dieu seul sait ce qu'il dira alors. Il nous faudra partir bientôt.

— Vous savez quoi, les filles ? C'est génial de sauver une vie. Vraiment, vraiment, dit papa, du haut de sa gloire. Tant qu'on ne l'a pas fait, on ne se rend pas compte.

— Mon héros de père, dis-je en souriant.

— On croirait entendre mon père à moi, rit Bea.

Je dresse l'oreille.

— Il est là ?

Elle regarde autour d'elle.

— Non, pas encore. Je ne sais pas où il est passé. Il doit se cacher de ma mère et de son nouveau petit ami, sans parler de mon petit ami à moi ! Mais c'est une autre histoire. En tout cas, il se prend pour Superman.

— Pourquoi ?

J'essaie de réfréner ma curiosité.

— Il y a un mois, il a donné son sang.

Elle sourit, tend les mains.

— Et voilà ! Il se prend pour un héros, il est persuadé d'avoir sauvé quelqu'un. En même temps, je ne sais pas, c'est peut-être vrai. Il ne parle que de ça. Il est allé dans une unité de collecte mobile à l'université où il donne des conférences – vous connaissez probablement, c'est à Dublin. Trinity College ? Enfin bref. Je n'y trouve rien à redire, mais il l'a fait seulement parce que la doctoresse lui plaisait et à cause de cette croyance chinoise, comment ça s'appelle ? Si vous sauvez la vie de quelqu'un, il vous est redevable à jamais, quelque chose comme ça ?

Papa hausse les épaules.

— Je ne parle pas chinois. Et je ne connais aucun Chinois. Mais elle, elle ne mange que des plats de là-bas.

Il me désigne du menton.

— Du riz avec des œufs, un truc comme ça.

Il plisse le nez.

Bea éclate de rire.

— En tout cas, il a décidé que s'il sauvait la vie à quelqu'un, il méritait que cette personne le remercie tous les jours jusqu'à sa mort.

— Le remercie comment ? demande papa en se penchant vers elle.

— En lui faisant livrer un panier de muffins, en s'occupant de son nettoyage à sec, en lui apportant son café et son journal à sa porte tous les matins, une voiture avec chauffeur, des billets au premier rang pour l'opéra...

Elle lève les yeux au ciel, puis fronce les sourcils.

— Je ne me souviens plus du reste, mais c'était ridicule. En tout cas, je lui ai dit qu'il ferait mieux de prendre un esclave s'il voulait ce genre de traitement, plutôt que de sauver la vie à quelqu'un.

Elle se met à rire et papa l'imite.

Ma bouche s'arrondit, mais aucun son n'en sort.

— Comprenez-moi bien. C'est vraiment un type attentionné, s'empresse-t-elle d'ajouter, se trompant sur mon silence. Et j'étais fière qu'il ait donné son sang alors qu'il a une peur bleue

302

des piqûres. Une phobie terrible, explique-t-elle à papa, qui hoche la tête, compréhensif. C'est lui, là.

Elle ouvre le médaillon qu'elle porte au cou et le don de la parole m'échappe à nouveau.

Un côté du médaillon porte une photo de Bea et sa mère, et l'autre, une photo d'elle petite fille avec son père, dans le parc, ce jour d'été si clairement imprimé dans ma mémoire. Je me rappelle ses sautillements excités, et le temps qu'il avait fallu pour la faire tenir tranquille. Je me rappelle le parfum de ses cheveux, alors qu'assise sur mes genoux elle poussait sa tête contre la mienne en criant « Cheeese ! » si fort qu'elle avait failli me percer les tympans. Je n'ai rien vécu de tout cela, bien entendu, mais je garde ce souvenir aussi précieusement que celui d'une journée de pêche avec mon père quand j'étais enfant, j'éprouve toutes les sensations de la journée aussi nettement que le goût de l'eau gazeuse que je suis en train de boire. Le froid de la glace, la douceur de l'eau. Tout cela est aussi réel pour moi que les moments passés dans le parc avec Bea.

— Je vais devoir mettre mes lunettes, déclare papa en se rapprochant pour prendre le médaillon en or entre ses vieux doigts. Où c'était ?

— Dans le parc près de chez nous. À Chicago. Là, avec mon père, j'avais cinq ans, mais j'adore cette photo. C'était vraiment une journée particulière, un de mes meilleurs souvenirs, ajoute-t-elle en contemplant l'image avec affection.

Je souris aussi à ce souvenir.

— Une photo ! crie quelqu'un dans le bar.

— Papa, allons-nous-en, dis-je pendant que Bea est distraite par le vacarme.

— D'accord, ma chérie. Dès que j'aurai fini ma pinte...

— Non ! Tout de suite !

— Photo de groupe, venez tous ! dit Bea en attrapant le bras de papa.

— Oh !

Papa semble ravi.

— Non, non, non, non, non !

J'essaie de sourire pour dissimuler ma panique. On doit vraiment y aller maintenant.

— Rien qu'une photo, Gracie, plaide-t-elle en souriant. Il nous faut une photo de la personne qui a dessiné ces magnifiques costumes !

— Non, je n'ai pas...

— Qui a supervisé, corrige Bea, contrite.

À l'autre bout du groupe, une femme me lance un regard horrifié en l'entendant. Papa éclate de rire. Je suis près de Bea, toute raide. Elle met un bras autour de moi et l'autre autour de sa mère.

— Tout le monde dit Tchaïkovski ! décrète papa.

— Tchaïkovski ! s'écrient-ils tous en chœur.

Je lève les yeux au ciel. Le flash nous illumine.

Justin entre dans la salle.

La foule s'éparpille.

J'agrippe papa et m'enfuis.

26

De retour dans notre chambre d'hôtel, c'est l'extinction des feux pour papa qui se met au lit dans son pyjama marron à arabesques, et pour moi qui enfile bien plus de vêtements que je n'en porte habituellement pour dormir.

La pièce est obscure, épaissie d'ombres et immobile en dehors de la lumière rouge clignotante de l'horloge au bas de la télévision. Allongée sur le dos, sans bouger, je tente de digérer les événements de la journée. De nouveau, des percussions zoulous m'envahissent le corps, et mon rythme cardiaque s'accélère. Je sens les pulsations rebondir contre les ressorts du matelas sous moi. Puis mon cou vibre si fort qu'il déclenche des tambours dans mes oreilles. J'ai l'impression que deux poings cognent contre ma cage thoracique pour sortir. Je regarde la porte de la chambre et m'attends à voir arriver une tribu africaine, m'apprête à me joindre aux battements cadencés des pieds, au bout de mon lit.

La raison de ces tambours de guerre internes ? Encore et encore, mon esprit ressasse ce que Bea a dévoilé il y a quelques heures à peine. Les mots sont tombés de sa bouche comme une cymbale dégringolant de sa batterie. Elle a roulé longtemps sur le sol et vient juste de se décider à s'abattre à grand fracas, réduisant au silence mon orchestre africain. La révélation que Justin a donné son sang à Dublin il y a un mois, au moment où je suis tombée dans l'escalier, changeant ma vie pour toujours, ne cesse de tourner dans mon esprit. Coïncidence ? Un oui franc et massif. Quelque chose de plus ? Une possibilité. Une possibilité remplie d'espoir.

Mais quand peut-on parler de simple coïncidence ? Doit-on parfois y voir davantage ? Et si oui, quand ? À un moment comme celui-ci ? Alors que je me sens perdue, désespérée, que je pleure un enfant qui n'est jamais né en pansant mes plaies après l'échec de mon mariage ? J'ai découvert qu'actuellement ce qui était limpide devient flou, ce qui autrefois était bizarre devient envisageable.

C'est pendant les périodes troublées telles que celle-ci qu'on y voit clair, bien que d'autres vous observent avec inquiétude et tentent de vous convaincre du contraire. Les esprits chargés ne le sont qu'à cause de toutes ces nouvelles pensées. Quand ceux qui ont traversé ces épreuves et en émergent adoptent soudain de nouvelles croyances, de tout leur cœur, les autres considèrent la chose avec cynisme. Pourquoi ? Parce que dans les périodes difficiles, on cherche des réponses avec plus de ténacité, et ce sont ces réponses qui aident à passer le cap.

Cette transfusion sanguine – est-elle la réponse ou simplement une des réponses que je cherche ? Il me semble que, d'habitude, ces dernières se présentent d'elles-mêmes. Elles ne se cachent pas sous les rochers, ne se dissimulent pas parmi les arbres en tenue de camouflage.

Les réponses sont là, devant nos yeux. Mais si l'on n'a pas de raisons de chercher, alors bien sûr, on ne les trouvera probablement jamais.

Ainsi donc, l'explication à l'apparition soudaine de ces souvenirs étrangers, la raison de cette connexion si profonde avec Justin... je la sens courir dans mes veines. Est-ce la réponse que mon cœur m'exhorte à comprendre ? Mon cœur qui fait des bonds, tel Skippy, pour tenter d'attirer mon attention, me signaler un problème. J'inspire lentement par le nez et expire, je ferme doucement les yeux et pose les mains sur ma poitrine, je sens le boum-boum, boum-boum qui se déchaîne en moi. Il est temps de ralentir. Temps de trouver des réponses.

Tenir le bizarre pour acquis, rien qu'un instant, comme on fait dans les moments difficiles : si j'ai bien reçu le sang de Justin pendant ma transfusion, alors mon cœur fait maintenant circuler son sang dans mon corps. Une partie du sang qui auparavant coulait dans ses veines, le maintenait en vie, court à présent dans les miennes, aide à me maintenir en vie. Une substance en provenance de son cœur, ce battement en lui, qui l'a fait tel qu'il est, est désormais en moi.

D'abord je frissonne à cette pensée, j'en ai la chair de poule, mais à la réflexion, je me blottis dans mon lit et m'étreins moi-même. Soudain, je ne me sens plus si seule, je suis heureuse de cette compagnie en moi. Est-ce la raison du lien que je sens entre nous ? En s'écoulant de ses canaux vers les miens, son sang m'a-t-il permis de me régler sur sa fréquence, de vivre ses souvenirs personnels et ses passions ?

Je soupire de lassitude, sachant que plus rien dans ma vie n'a de sens, et pas seulement depuis la chute dans les escaliers. Je tombais déjà depuis quelque temps à l'époque. Ce jour-là... fut le jour de mon atterrissage. Le premier jour du reste de ma vie, peut-être bien grâce à Justin.

La journée a été longue. L'incident à l'aéroport, l'*Antiques Roadshow*, puis enfin cette stupéfiante révélation au Royal Opera House. Un tsunami d'émotion qui en vingt-quatre heures est venu me submerger, m'a envoyée par le fond. Maintenant, je souris en me rappelant les précieux moments avec papa, depuis le thé pris dans sa cuisine jusqu'à notre mini-aventure à Londres. Je souris de toutes mes dents au plafond, et adresse un remerciement au-delà.

Dans le noir, j'entends une respiration hachée, sifflante.

— Papa ? Ça va ?

Le sifflement s'amplifie et mon corps se crispe.

— Papa ?

Puis le sifflement est suivi d'une toux. Puis d'un bruyant éclat de rire.

— Michael Aspel, bredouille-t-il. Seigneur Jésus, Gracie !

Je souris, soulagée. Son rire augmente, devient tellement plus grand que lui qu'il a peine à le supporter. Le son me fait glousser. Il rit encore plus fort en m'entendant, et moi de même. Nos rires s'alimentent l'un l'autre. Les ressorts de mon matelas grincent au rythme de mes soubresauts, ce qui augmente encore notre hilarité. Le porte-parapluies, en direct avec Michael Aspel, le groupe s'écriant « Tchaïkovski ! » devant l'objectif, chaque scène nous paraît plus comique que la précédente.

— J'ai mal aux côtes ! gémit-il.

Je me tourne sur le côté, mains sur le ventre.

Papa continue de rire, respiration sifflante, en tapant encore et encore sur la table de chevet entre nos lits. J'essaie de m'arrêter, la panique de mon ventre crispé est à la fois douloureuse et drôle. Je ne peux m'arrêter et les hoquets sifflants, aigus, de papa me font rire encore plus. Je ne crois pas l'avoir jamais entendu rire tant et de si bon cœur. À la pâle lumière de la fenêtre, je le vois agiter les jambes de joie.

— Oh mon Dieu... Je... Ne peux pas... M'arrêter.

Nous rions, explosons, rugissons, nous asseyons, nous rallongeons, nous tournons dans nos lits en essayant de reprendre haleine. Nous nous arrêtons brièvement mais le rire nous envahit à nouveau et nous rions, rions dans le noir, pour rien, pour tout.

Puis nous nous calmons et le silence revient. Papa pète et nous voilà repartis.

Des larmes chaudes coulent de mes yeux et roulent sur mes joues étirées, qui me font mal à force de rire. J'appuie dessus avec mes mains pour les soulager. La proximité entre bonheur et tristesse me frappe brusquement. Ils sont si entremêlés. La ligne est si mince, à peine un fil, et dans la brume des émotions elle tremble, brouille la frontière entre les opposés. Le mouvement est imperceptible, comme une toile d'araignée qui vibre sous une goutte de pluie. Dans cet instant de rire incontrôlable, douloureux pour mes joues et mon ventre, alors que mon corps roule dans le lit, ventre serré et muscles tendus, qu'il tressaute, taraudé par l'émotion, le voilà qui franchit la ligne, légèrement, vers la tristesse. Des larmes de tristesse jaillissent de mes yeux alors que mon ventre continue à tressauter et à me faire mal.

Je pense à Conor et moi. Un moment d'amour s'est transformé si vite en un moment de haine. Une phrase a suffi à nous dépouiller de tout. L'amour et la guerre se tiennent sur les mêmes fondations exactement. Mes heures les plus sombres, mes moments d'effroi, une fois affrontés, étaient devenus les plus courageux. C'est quand on se sent le plus faible qu'on finit par montrer le plus de force, quand on est au plus bas qu'on se sent soudain soulevé plus haut qu'on ne l'a jamais été. Ils sont voisins, ces opposés, et l'on peut être métamorphosé en un instant. Le désespoir peut être changé par le simple sourire d'un inconnu, la confiance en soi peut se muer en crainte à l'arrivée d'une présence perturbatrice. Le fils de Kate oscillait sur la poutre, et en un instant son excitation était devenue douleur. Tout est à la limite, tout déborde, le moindre frémissement, un tremblement fait tout basculer. Les émotions se ressemblent tant.

Papa cesse de rire si brusquement que je m'en inquiète et cherche l'interrupteur.

En un instant, l'obscurité se change en lumière.

Il me regarde comme s'il avait fait quelque chose de mal, mais avait peur de l'avouer. Il rejette ses couvertures et se précipite vers la salle de bains, saisit sa trousse de toilette au passage et renverse tout sur son chemin, en évitant mon regard. Je détourne la tête. On peut en un instant se sentir gêné avec quelqu'un dont la présence était réconfortante. En une seconde on se retrouve dans une impasse ; soudain, alors qu'on était persuadé de savoir exactement où l'on allait, tout change. Il faut moins d'une seconde pour comprendre. Un battement de cils.

Papa revient se coucher avec un bas de pyjama différent et une serviette coincée sous le bras. J'éteins la lumière, nous sommes tous deux calmés maintenant. La lumière se change si vite encore en obscurité. Je continue de fixer le plafond, je me sens à nouveau perdue alors qu'il y a quelques instants j'étais réconfortée. Mes réponses d'alors se changent, à nouveau, en questions.

— Papa, je n'arrive pas à dormir.

Ma voix paraît enfantine.

— Ferme les yeux et fixe l'obscurité, ma chérie, répond-il, ensommeillé. Sa voix aussi paraît avoir rajeuni de trente ans.

Quelques instants plus tard, ses ronflements sont clairement audibles. Éveillé... puis parti.

Un voile est suspendu entre les opposés, un simple chiffon transparent pour nous alerter ou nous réconforter. Vous détestez, maintenant, mais regardez à travers ce voile et vous verrez une possibilité d'amour, vous êtes triste maintenant mais regardez de l'autre côté, vous verrez le bonheur. Une maîtrise totale, le chaos absolu. Le changement se produit si vite, en un clignement de paupières.

27

— Bon. Je vous ai toutes rassemblées aujourd'hui parce que...

— Quelqu'un est mort.

— Non, Kate.

Je soupire.

— Parce qu'on dirait vraiment... Aïe, glapit-elle.

Je suppose que Frankie l'a agressée physiquement pour la punir de son manque de tact.

— Alors, la thérapie des autobus à impériale a marché ? demande Frankie.

Je suis assise devant le bureau, dans ma chambre d'hôtel, au téléphone avec les filles qui se serrent autour de l'appareil, chez Kate, haut-parleur activé. J'ai passé la matinée à visiter Londres avec papa, et à le photographier, emprunté, devant tout ce qui pouvait avoir une allure vaguement anglaise : autobus à impériale, boîtes aux lettres, policiers à cheval, pubs, Buckingham Palace, et un travesti qui ne nous a pas remarqués, parce que papa était tout excité d'en rencontrer un « vrai », qui n'avait rien à voir avec le prêtre de son village dans le Cavan, quand il était jeune, qui avait perdu la tête et s'était mis à arpenter les rues, vêtu d'une robe.

Allongé sur son lit, papa regarde une rediffusion d'une de ses émissions préférées, en buvant du cognac et en léchant la crème aigre et les oignons sur ses Pringles avant de déposer les chips détrempées dans la poubelle.

— Super ! crie-t-il à l'écran, en réponse à la phrase fétiche de l'animateur.

J'ai organisé une réunion téléphonique pour partager les dernières nouvelles, ou plutôt pour obtenir leur aide et demander du renfort pour ma santé mentale. J'aurais peut-être dû être plus prudente dans mes vœux, mais on peut toujours rêver.

— Ton gosse vient de me vomir dessus, râle Frankie. Tu te rends compte ?

— Ce n'est pas du vomi, c'est juste un peu de bave.

— Non, *ça* c'est de la bave…

Silence.

— Frankie, tu es dégoûtante.

— Bon, les filles, vous pourriez arrêter, pour une fois ?

— Désolée, Joyce, mais je ne peux pas continuer cette conversation avant que cette chose soit sortie. Elle rampe en mordant tout ce qu'elle trouve, elle escalade, elle bave. C'est perturbant. Christian ne pourrait pas la surveiller ?

J'essaie de ne pas rire.

— N'appelle pas mon enfant une chose. Et Christian est occupé.

— Il regarde un match de foot.

— Il n'aime pas être dérangé, surtout par toi. Jamais.

— Et alors, toi aussi tu es occupée. Comment je fais pour que cette chose me suive ?

Silence.

— Petit, petit, fait Frankie, mal à l'aise.

— Il s'appelle Sam. Tu es sa marraine, au cas où ça aussi tu l'aurais oublié.

— Non, je n'ai pas oublié ça. Seulement son nom.

Sa voix se crispe, comme si elle soulevait quelque chose de lourd.

— Ouf ! Qu'est-ce que tu lui donnes à manger ?

Sam couine comme un goret.

Frankie répond par un ricanement.

— Frankie, passe-le-moi, Christian va s'en occuper.

— OK, Joyce, commence Frankie en l'absence de Kate. J'ai fait des recherches sur les informations que tu m'as données hier et j'ai apporté quelques notes, ne quitte pas.

J'entends un bruit de pages feuilletées.

— De quoi vous parlez ? s'enquiert Kate en revenant.

— De Joyce qui a sauté dans la tête d'un Américain, et possède maintenant ses souvenirs, ses connaissances et son intelligence, répond Frankie.

— Quoi ? s'étrangle Kate.

— J'ai découvert qu'il s'appelait Justin Hitchcock, dis-je, tout excitée.

— Comment ? demande Kate.

— Son nom de famille était sur la biographie de sa fille dans le programme du ballet d'hier soir, et son prénom, je l'ai entendu en rêve.

Silence. Je lève les yeux au ciel en les imaginant échanger un regard entendu.

— Mais qu'est-ce que c'est que cette histoire ? demande Kate, déroutée.

— Fais une recherche sur Google, Kate, ordonne Frankie. Voyons s'il existe.

— Il existe, croyez-moi.

— Non, ma belle. Tu vois, dans ce genre d'histoires, on est censées penser que tu es folle, avant de te croire. Alors laisse-nous faire des recherches, et ensuite on verra.

Je pose le menton sur mes mains et attends.

— Pendant que Kate fait sa recherche, je me suis renseignée sur le partage de mémoire...

— Quoi ? interrompt Kate d'une voix stridente. Partage de mémoire ? Vous êtes toutes les deux devenues folles ?

— Non, moi seulement.

— En fait, bizarrement, il s'avère que tu n'es pas cliniquement démente. Sur ce plan-là, en tout cas. Je suis allée sur Internet faire des recherches. Il se trouve que tu n'es pas la seule à éprouver ces sensations.

Je me redresse, en alerte.

— J'ai trouvé des sites qui présentent des interviews de gens qui déclarent avoir ressenti les souvenirs d'une autre personne et qui ont aussi acquis ses compétences ou ses goûts.

— Vous me faites marcher, toutes les deux, déclare Kate. Je savais que c'était un piège. Je savais que ce n'était pas dans ton caractère de passer à l'improviste, Frankie.

— Non Kate, ce n'est pas un piège, lui dis-je.

— Donc, tu essaies de me dire en toute honnêteté que tu as acquis par magie les compétences de quelqu'un d'autre.

— Elle parle latin, français et italien, explique Frankie. Mais on ne dit pas que c'est de la magie. Ça, c'est ridicule.

— Et les goûts ? demande Kate, peu convaincue.

— Elle mange de la viande maintenant, répond Frankie d'un ton détaché.

— Mais qu'est-ce qui vous fait croire que ce sont les connaissances de quelqu'un d'autre ? Pourquoi est-ce qu'elle n'aurait pas pu tout simplement apprendre le latin, le français et l'italien par ses propres moyens, et décider seule qu'elle aimait la viande, comme une personne normale ? Brusquement, j'aime les olives et je déteste le fromage. Est-ce que ça veut dire que mon corps est possédé par un olivier ?

— Je crois que tu ne comprends pas. Qu'est-ce qui te fait croire que les oliviers n'aiment pas le fromage ?

Silence.

— Écoute, Kate, qu'un changement de régime soit une chose normale, d'accord. Mais là, Joyce s'est mise à parler trois langues du jour au lendemain sans les avoir apprises.

— Oh !

— Et je rêve de moments intimes de l'enfance de Justin Hitchcock.

— Et où est-ce que j'étais quand tout ça s'est produit ?

— Tu me faisais danser le hokey cokey en direct sur Sky News.

Je mets le téléphone sur haut-parleur et pendant les instants qui suivent, j'arpente la chambre patiemment en regardant l'heure sur l'horloge de la télévision, pendant que Kate et Frankie se tordent de rire à l'autre bout du fil.

La langue de papa s'arrête à mi-Pringles, il me suit des yeux.

— C'est quoi, ce bruit ? finit-il par demander.

— Kate et Frankie qui rient.

Il lève les yeux au ciel et continue de lécher ses Pringles, en reportant son attention sur la télévision.

Au bout de trois minutes, les rires cessent et je déconnecte le haut-parleur.

— Je disais donc, explique Frankie en reprenant son souffle, comme si rien ne s'était passé, que ce que tu vis est très normal – enfin, pas normal, mais il y a d'autres... euh...

— Dingues ? propose Kate.

— ... personnes qui ont raconté le même genre d'expériences. Mais ce sont des gens qui ont subi une greffe du cœur, ce qui n'a rien à voir avec ce que tu as vécu, alors la théorie s'effondre.

Boum-boum. Boum-boum. Dans ma gorge, encore.

— Attendez un peu, intervient Kate, il y a une personne, là, qui prétend avoir été enlevée par des extraterrestres.

— Arrête de lire mes notes, Kate, la rabroue Frankie. Je ne comptais pas lui parler de ça.

— Écoutez, dis-je, interrompant leur prise de bec. Il a donné son sang. Le mois où je suis allée à l'hôpital.

— Et alors ? demande Kate.

— Elle a reçu une transfusion, explique Frankie. Ce n'est pas si différent de la théorie de la greffe du cœur dont je parlais tout à l'heure.

Nous nous taisons toutes trois.

Kate brise le silence.

— D'accord. Mais je ne comprends toujours pas. Que quelqu'un m'explique.

— Eh bien, c'est pratiquement la même chose, non ? dis-je. Le sang vient du cœur.

— Il vient tout droit du cœur, soupire Kate d'une voix rêveuse.

— Tiens, alors maintenant, tu trouves ça romantique, les transfusions sanguines ? commente Frankie. Écoutez un peu ce que j'ai trouvé sur le Net. Après les témoignages de plusieurs greffés du cœur prétendant avoir subi des effets secondaires inattendus, Channel 4 a réalisé un documentaire basé sur l'hypothèse qu'en recevant un organe un patient puisse hériter de certains des souvenirs, goûts, désirs et habitudes du donneur. Le documentaire suit ces patients qui vont prendre contact avec les familles des donneurs pour essayer de comprendre la nouvelle vie en eux.

« Le documentaire remet en question le fonctionnement de la mémoire et fait intervenir des scientifiques qui ont entamé des recherches de pointe sur l'intelligence du cœur et la base biochimique de la mémoire dans nos cellules.

— Donc, s'ils pensent que le cœur possède plus d'intelligence qu'on ne le supposait, alors le sang qui vient du cœur d'une personne pourrait contenir cette intelligence. Si bien qu'en transfusant ce sang, on transfuse aussi ses souvenirs ? demande Kate. Et son amour de la viande et des langues, ajoute-t-elle, un peu sarcastique.

Nul n'aurait envie de répondre par l'affirmative à cette question. Sauf moi, qui ai eu toute la nuit pour me faire à cette idée.

— Est-ce qu'il y a un épisode de *Star Trek* là-dessus ? demande Frankie. Parce que sinon, ils auraient dû en tourner un.

— C'est facile ! s'écrie Kate. Tu peux découvrir qui est ton donneur !

— Impossible.

Comme d'habitude, Frankie douche son enthousiasme.

— Les informations de ce genre sont confidentielles. Et puis, ce n'est pas comme si elle avait reçu tout son sang. Il n'a pas pu donner plus d'un demi-litre en une fois. Ensuite, le sang est séparé en globules blancs, globules rouges, plasma et plaquettes. En admettant que Joyce ait reçu son sang, elle n'a pu en recevoir qu'une partie. Il aurait même pu être mélangé avec celui de quelqu'un d'autre.

— Son sang continue de couler dans mon corps, dis-je. Peu importe quelle quantité j'en ai reçu. Et je me rappelle que je me suis sentie vraiment bizarre dès que j'ai ouvert les yeux, à l'hôpital.

Un silence suit cette affirmation ridicule. Nous réfléchissons toutes trois au fait que cette sensation n'avait rien à voir avec la transfusion mais tout avec l'ineffable tragédie de perdre mon enfant.

— J'ai une réponse sur Google pour Justin Hitchcock, annonce Kate dans le silence.

Mon rythme cardiaque s'accélère. Dis-moi que je n'ai pas tout imaginé, qu'il existe, qu'il n'est pas le fruit de mon cerveau dérangé. Que les plans que j'ai déjà échafaudés ne vont pas terrifier un inconnu pris au hasard.

— Bon, Justin Hitchcock était chapelier dans le Massachusetts. Moui. Bon, au moins, il est américain. Tu t'y connais en chapeaux, Joyce ?

Je me concentre.

— Bérets, bobs, feutres, calottes, canotiers, casquettes.

Papa cesse à nouveau de lécher ses Pringles et me regarde.

— Panamas.

— Panamas, dis-je à mon tour aux filles.

— Casquettes de base-ball, ajoute Kate.

— Hauts-de-forme, reprend papa, et je passe l'information.

— Stetson, propose Frankie, apparemment perdue dans ses pensées. Attendez, qu'est-ce qu'on fait ? Tout le monde peut énumérer des chapeaux.

— Tu as raison, ça ne rime à rien, dis-je. Continue.

— Justin Hitchcock a déménagé à Deerfield en 1774, où il est entré dans l'armée comme joueur de fifre lors de la révolution... je devrais arrêter de lire tout ça. Plus de deux cents ans. Les hommes plus âgés sont rassurants, d'accord, mais là...

— Attends, intervient Frankie, refusant de me décourager. Il y a un autre Justin Hitchcock ensuite. Services sanitaires de New York...

— Non, dis-je, agacée. Je sais déjà qu'il existe. Tout ça est ridicule. Ajoute « Trinity College » à ta recherche. Il y a dirigé un séminaire.

Tap, tap, tap.

— Non, rien pour Trinity College.

— Tu es certaine que tu as parlé avec sa fille ? demande Kate.

— Oui, dis-je entre mes dents serrées.

— Et quelqu'un t'a vue parler avec cette fille ? s'enquiert-elle avec onctuosité.

Je l'ignore.

— J'ajoute art, architecture, français, latin et italien, annonce Frankie en continuant de pianoter. Ah ! Je te tiens, Justin Hitchcock. Conférencier occasionnel à Trinity College, Dublin. Faculté des arts et lettres, département art et architecture. Baccalauréat, Chicago. Maîtrise, Chicago. Doctorat, université de la Sorbonne. S'intéresse plus particulièrement à l'histoire de la sculpture, la période baroque et la Renaissance italienne. Peinture européenne du dix-septième au dix-neuvième siècle. Activités annexes : Fondateur et directeur de rédaction de la revue *Art and Architectural Review*. Il est coauteur de *L'Âge d'or de la peinture hollandaise : Vermeer, Metsu et Terborch*, auteur de *La Peinture sur cuivre entre 1575 et 1775*. Il a écrit plus de cinquante articles pour des livres, des revues, des dictionnaires et des conférences.

— Donc, il existe, s'extasie Kate comme si elle venait de trouver le Saint Graal.

— Essaie son nom avec la National Gallery à Londres, dis-je avec plus d'assurance.

— Pourquoi ?

— Une intuition.

— Toi et tes intuitions.

Kate continue de lire.

— Il est conservateur du département de l'art européen à la National Gallery de Londres. Oh mon Dieu, Joyce, il travaille à Londres, tu devrais aller le voir.

— Tout doux, Kate. Elle risque de lui faire peur et de se retrouver dans une cellule capitonnée. Ce n'est peut-être même pas son donneur, objecte Frankie. Et même si c'est lui, ça n'explique pas tout.

— C'est lui, dis-je avec assurance. Et si c'est mon donneur, ça signifie quelque chose pour moi.

— Il faut trouver un moyen de le découvrir, déclare Kate.

— C'est lui.

— Alors, qu'est-ce que tu vas faire ? demande Kate.

Je souris légèrement et regarde à nouveau l'horloge.

— Qu'est-ce qui te fait croire que je n'ai pas déjà fait quelque chose ?

Téléphone collé à l'oreille, Justin tente de faire les cent pas dans son petit bureau à la National Gallery en étirant le fil du téléphone au maximum à chaque fois, ce qui ne fait que trois pas et demi dans un sens, cinq pas dans l'autre.

— Non, Simon, non. J'ai dit Le *portrait* hollandais. L'époque de Rembrandt et Frans Hals. J'ai écrit un livre sur la question, alors je sais de quoi je parle.

La moitié d'un livre sur lequel tu as arrêté de travailler il y a deux ans, menteur.

— L'exposition comprendra soixante œuvres, toutes peintes entre 1600 et 1680.

On frappe à la porte.

— Une minute, crie-t-il.

La porte s'ouvre quand même et sa collègue Roberta entre. Elle est jeune, moins de quarante ans, mais elle a le dos voûté et le menton enfoncé dans la poitrine comme si elle avait plusieurs décennies supplémentaires. Ses yeux, baissés la plupart du temps, volent jusqu'aux siens de temps en temps, avant de retomber. Elle s'excuse pour tout, comme toujours, elle dit sans cesse « désolée » au monde entier, comme si sa seule présence constituait une offense. Elle tente de louvoyer dans le parcours d'obstacles qu'est devenu le bureau de Justin pour atteindre sa table de travail. Selon son habitude, elle se déplace aussi silencieusement et invisiblement qu'elle peut, ce que Justin trouverait admirable si ce n'était pas si triste.

— Désolée, Justin, murmure-t-elle, un petit panier à la main. Je ne savais pas que vous étiez au téléphone. Désolée. C'était à l'accueil pour vous. Je le pose là. Désolée.

Elle bat en retraite sur la pointe des pieds, et referme la porte sans bruit derrière elle. Un tourbillon silencieux qui tournoie si gracieusement et lentement qu'il semble à peine se déplacer, et ne déracine rien sur son passage.

Il lui adresse un simple signe de tête puis tente de se concentrer à nouveau sur sa conversation, la reprenant où il l'a laissée.

— Ça ira du petit portrait individuel destiné au domicile du commanditaire, jusqu'aux portraits de groupe à grande échelle des membres des institutions charitables et des organismes d'État.

Il cesse de marcher et examine le petit panier avec suspicion, il a l'impression que quelque chose va lui sauter dessus.

— Oui, Simon, dans l'aile Sainsbury. Si vous avez besoin d'autre chose, veuillez me contacter ici, au bureau.

Il expédie son collègue et raccroche. Sa main reste sur le combiné, il se demande s'il doit appeler la sécurité. Le panier paraît doux et étranger, dans son bureau sans air, comme un nouveau-né dans un couffin, laissé sur l'escalier sordide d'un orphelinat. Sous l'anse en osier, le contenu est recouvert d'une étoffe à carreaux. En s'en tenant aussi loin que possible, il la soulève lentement, prêt à bondir en arrière à tout moment.

Une petite douzaine de muffins le contemplent.

Cœur battant, il parcourt du regard son minuscule bureau. Il sait bien qu'il est seul, mais son malaise en recevant ce cadeau surprise lui donne l'impression d'une présence inquiétante. Il fouille le panier à la recherche d'une carte et trouve une petite enveloppe blanche scotchée à l'extérieur. D'une main qu'il remarque tremblante, il l'arrache assez maladroitement. Elle n'est pas collée et il en tire une carte. Au centre, écrit très lisiblement à la main, ce simple mot :

Merci

28

Justin traverse à grandes enjambées la National Gallery. Une partie de lui respecte l'interdiction de courir dans les salles, tandis qu'une autre partie l'enfreint, court sur trois foulées, marche sur trois pas, se remet à courir, puis ralentit à nouveau. Dr Jekyll et Mr Hyde se battent en lui.

Il repère Roberta dans le hall, qui se dirige sur la pointe des pieds, comme une ombre, vers la bibliothèque où elle travaille depuis cinq ans.

— Roberta !

Mr Hyde est lâché, Justin enfreint la règle interdisant de crier dans les salles, sa voix se réverbère sur les murs et les plafonds hauts, assez forte pour assourdir tous les personnages des portraits, pour faner les tournesols de Van Gogh et briser le miroir dans le portrait des époux Arnolfini.

Assez forte aussi pour que Roberta s'arrête net et se retourne lentement, yeux écarquillés de terreur comme un cerf pris dans le faisceau des phares. Elle rougit en voyant la demi-douzaine de visiteurs, le regard braqué vers elle. De là où il se tient, Justin la voit déglutir, et regrette aussitôt d'avoir transgressé son code de conduite, d'avoir attiré l'attention sur elle qui se voudrait invisible. Il cesse de courir et tente de marcher sans bruit sur les parquets, de glisser comme elle, dans un effort pour faire oublier le vacarme qu'il a créé. Elle reste immobile, raide comme une planche, aussi près du mur que possible, comme une élégante plante grimpante, accrochée aux murs et palissades, cherchant l'ombre, inconsciente de sa beauté. Justin se demande si son attitude est une conséquence de sa carrière, ou si l'idée de devenir bibliothécaire à la National Gallery l'a séduite parce que le poste correspondait à sa nature. Il pencherait plutôt pour la seconde solution.

— Oui, murmure-t-elle.

— Désolé d'avoir crié, s'excuse-t-il aussi bas qu'il peut.

Le visage de Roberta s'adoucit et ses épaules se décrispent légèrement.

— Où avez-vous trouvé ce panier ? demande-t-il en le lui montrant.

— À la réception. Je revenais de ma pause quand Charlie m'a prié de vous le remettre. Quelque chose ne va pas ?

— Charlie.

Il fouille sa mémoire.

— Il est à l'entrée Paul Getty ?

Elle fait oui de la tête.

— D'accord. Merci, Roberta. Je m'excuse d'avoir crié.

Il se précipite vers l'aile est, Dr Jekyll et Mr Hyde s'affrontent à nouveau dans une combinaison remarquablement confuse de course et de marche, le panier se balançant au bout de son bras.

— La journée est finie, petit Chaperon Rouge ? raille une voix rauque derrière lui.

Justin se rend compte qu'il est en train de sautiller avec son panier, s'arrête net et pivote sur lui-même pour faire face à Charlie, un des agents de sécurité, qui mesure plus d'un mètre quatre-vingts.

— Oh, mère-grand, comme vous êtes laide !

— Qu'est-ce que vous voulez ?

— Je me demandais qui vous avait donné ce panier.

— Un livreur de chez...

Charlie passe derrière son petit bureau et fouille dans ses papiers. Il en sort un bloc-notes.

— ... Harrods, lit-il. Pourquoi, ils ne sont pas bons, ces muffins ?

Il se passe la langue sur les dents et s'éclaircit la gorge.

Justin plisse les yeux.

— Comment savez-vous que ce sont des muffins ?

Charlie évite son regard.

— Il fallait bien que je vérifie, pas vrai ? On est à la National Gallery. On ne peut pas me demander d'accepter un paquet sans savoir ce qu'il contient.

Justin observe Charlie, qui a rosi. Il remarque des miettes dans les plis aux coins de sa bouche et de légères traces sur son uniforme. Il soulève l'étoffe à carreaux du panier et compte. Onze muffins.

— Vous ne trouvez pas ça bizarre, d'envoyer à quelqu'un onze muffins ?

— Bizarre ?

Les yeux du garde l'évitent, ses épaules s'agitent.

— J'sais pas, mec. J'ai jamais envoyé de muffins à personne.

— Ça ne serait pas plus logique d'envoyer *douze* muffins ?

Haussement d'épaules. Agitation des doigts. Il étudie tous ceux qui pénètrent dans le musée bien plus attentivement que d'ordinaire. Son attitude indique à Justin qu'en ce qui le concerne la conversation est terminée.

Justin sort son téléphone portable en débouchant sur Trafalgar Square.

— Allô ?

— Bea, c'est papa.

— Je ne te parle pas.

— Pourquoi ?

— Peter m'a répété ce que tu lui as dit hier soir au ballet.

— Qu'est-ce que j'ai dit ?

— Tu l'as interrogé toute la soirée sur ses *intentions*.

— Je suis ton père, c'est mon travail.

— Non. Ce que tu as fait, c'est le travail de la Gestapo, fulmine-t-elle. Je jure de ne plus te parler avant que tu te sois excusé auprès de lui.

— M'excuser ? répète-t-il en riant. De quoi ? Je lui ai posé quelques questions sur son passé, histoire de comprendre son programme.

— Son programme ? Il n'a pas de programme !

— Je lui ai posé des questions, et alors ? Bea, il n'est pas assez bien pour toi.

— Non, il n'est pas assez bien pour *toi*. Je me fiche de ce que tu penses de lui. C'est moi qui suis censée être heureuse.

— Il gagne sa vie en ramassant des fraises.

— Il est consultant en technologies de l'information !

— Alors, qui c'est qui ramasse les fraises ?

328

Il y a bien quelqu'un qui ramasse les fraises.

— Enfin, ma chérie, tu sais bien ce que je pense des consultants. S'ils sont si merveilleux dans leur domaine, pourquoi ils ne font pas les choses directement, au lieu de gagner leur argent en expliquant aux autres comment s'y prendre ?

— Tu es conservateur, conférencier, critique. Si tu es si malin, pourquoi est-ce que tu ne vas pas construire un monument ou peindre un tableau toi-même ? crie-t-elle. Au lieu d'étaler ton savoir ?

Hum.

— Ma chérie, tu vas trop loin.

— Non, c'est toi qui vas trop loin ! Tu vas présenter tes excuses à Peter, sinon je ne répondrai plus à tes coups de fil et tu devras te débrouiller tout seul avec tes petits drames !

— Attends, attends. Juste une question.

— Papa, je...

— Est-ce-que-c'est-toi-qui-m'as-envoyé-un-panier-de-muffins-à-la-cannelle ? se dépêche-t-il de demander.

— Quoi ? Non !

— Non ?

— Pas de muffins, pas de conversations, pas de rien...

— Inutile d'en venir aux doubles négations, ma chérie !

— Je n'aurai plus de contact avec toi avant que tu aies présenté des excuses.

— D'accord, soupire-t-il. Je m'excuse.

— Pas à moi. À Peter.

— D'accord, mais est-ce que ça signifie que tu n'iras pas chercher mon linge au pressing en rentrant demain ? Tu sais où est la boutique, c'est celle qui est à côté du métro...

Le téléphone émet un clic. Il le regarde, interloqué.

Ma propre fille me raccroche au nez ? Je savais bien que ce Peter n'apporterait que des ennuis.

Il pense à nouveau aux muffins et compose un autre numéro. Il s'éclaircit la gorge.

— Allô ?

— Jennifer, c'est Justin.

— Tiens, Justin.

Sa voix est froide.

Autrefois, elle était chaude. Comme le miel. Non, comme du caramel fondu. Elle rebondissait d'octave en octave quand elle entendait son nom, comme les airs de piano dans la serre qui l'éveillaient le dimanche matin. Mais maintenant ?

Il écoute le silence à l'autre bout du fil.

Glacial.

— J'appelais juste pour savoir si tu m'as envoyé un panier de muffins.

À peine a-t-il fini sa phrase qu'il mesure l'absurdité de cet appel. De toute évidence, elle ne lui a rien envoyé. Pourquoi l'aurait-elle fait ?

— Je te demande pardon ?

— J'ai reçu un panier de muffins au bureau aujourd'hui, avec une carte de remerciements, mais sans nom d'expéditeur. Je me demandais si c'était toi.

— Pourquoi devrais-je te remercier, Justin ?

Sa voix est amusée maintenant. Non, railleuse.

C'est une question simple, mais la connaissant comme il la connaît, elle a des implications bien au-delà des mots, alors il bondit et mord à l'hameçon. Le crochet s'enfonce dans sa lèvre et le Justin amer est de retour, celui auquel il s'était habitué pendant la destruction de leur...

enfin, pendant leur destruction. Elle l'a provoqué.

— Oh, je ne sais pas. Vingt ans de mariage, peut-être. Une fille. Une vie agréable. Un toit sur ta tête.

Il sait bien que c'est stupide. Qu'avant lui, après lui et même sans lui, elle a toujours eu et aura toujours un toit sur la tête, et bien plus. Mais les mots se déversent, il ne peut ni ne veut les retenir, parce qu'il a raison et qu'elle a tort, et la colère jaillit avec chaque mot, comme un jockey qui cravache son cheval à l'approche de la ligne d'arrivée.

— Des voyages dans le monde entier.

Tchac, tchac, plus vite !

— Des vêtements, des vêtements et encore des vêtements.

Tchac, tchac, plus vite !

— Une nouvelle cuisine dont nous n'avions pas besoin. Une serre, bonté divine !

Et il continue, comme un homme du dix-neuvième siècle qui aurait habitué sa femme à une vie confortable qu'elle n'aurait pu avoir sans lui, alors qu'elle gagnait fort bien sa vie en jouant dans un orchestre qui se produisait partout dans le monde. Il l'avait accompagnée dans plusieurs de ses voyages.

Au début de leur vie conjugale, ils avaient été obligés de vivre avec la mère de Justin. Ils étaient jeunes et avaient un bébé à élever, raison de leur mariage précipité. Tandis que Justin continuait à aller à la fac le jour, tenait un bar le soir et travaillait dans un musée le samedi et le dimanche, Jennifer gagnait de l'argent en jouant dans un restaurant chic de Chicago. Le week-end, elle rentrait au petit matin, dos douloureux et majeur perclus de tendinite. Mais ferré par cette simple question, il avait tout oublié. Elle s'attendait à cette tirade, et lui, il rabâche, il mâchouille bêtement l'hameçon dans sa bouche. Enfin, à court de souvenirs de ce qu'ils avaient fait ensemble pendant les vingt dernières années et à court d'énergie, il se tait.

Jennifer ne dit rien.

— Jennifer ?

— Oui, Justin.

Glaciale.

Justin soupire, épuisé.

— Alors, c'était toi ?

— Ce devait être une de tes autres femmes, parce que ce n'était certainement pas moi.

Clic. Elle a coupé.

La rage bouillonne en lui. Ses autres femmes. *Ses autres femmes !* Une aventure quand il avait vingt ans, un maladroit pelotage dans le noir avec Mary-Beth Dursoa, à l'université, avant même son mariage avec Jennifer, et elle le traite comme s'il était Don Juan. Il avait même accroché une gravure dans leur chambre, *Un satyre pleurant une nymphe* de Piero di Cosimo, que Jennifer avait toujours détestée mais dont il espérait qu'elle lui enverrait des messages subliminaux. L'image représente une jeune fille à demi vêtue qui, au premier coup d'œil, paraît endormie mais qui, quand on regarde mieux, a la gorge ensanglantée. Un satyre la pleure. Selon l'interprétation de Justin, la nymphe, soupçonnant son mari d'infidélité, l'a suivi dans les bois. Il ne rejoint pas une autre femme, comme elle le pensait, mais chasse, et la tue par accident, attribuant les bruissements qu'il entend dans les fourrés à un animal. Parfois, durant les plus noirs moments qu'il a traversés avec Jennifer, alors que leur haine bouillonnait dans leurs plus cruelles disputes, gorge endolorie, yeux piquants de larmes, cœur brisé par le chagrin, cerveau anéanti par trop d'analyse, Justin examinait la gravure et enviait le satyre.

Furieux, il descend les marches de la terrasse nord, s'assoit près d'une fontaine, pose le panier à ses pieds et mord dans un muffin. Il l'engloutit si vite qu'il en sent à peine le goût. Des miettes tombent à ses pieds, attirant une nuée de pigeons aux yeux décidés. Il s'apprête à prendre un autre muffin mais se retrouve submergé par des pigeons à l'enthousiasme débordant qui viennent picorer le contenu du panier, avec avidité. Pic, pic, pic. Des dizaines d'autres viennent les rejoindre, atterrissant près de lui comme des avions de combat. Craignant l'envoi de missiles par ceux qui volent au-dessus de sa tête, il ramasse son panier et les éloigne à grands gestes, avec toute la virilité d'un gamin de onze ans.

Il entre chez lui à pas légers, laissant la porte ouverte, et est aussitôt accueilli par Doris, nuancier en main.

— Bon. J'ai fait un premier tri, commence-t-elle en lui mettant sous le nez des dizaines de couleurs.

Ses longs ongles au vernis léopard portent chacun un brillant. Elle arbore une combinaison à motif peau de serpent, et ses pieds oscillent dangereusement dans des bottines lacées à talons aiguilles. Ses cheveux, comme d'habitude, sont une masse rousse, ses yeux félins, prolongés d'un trait d'eye-liner qui part vers le haut. Ses lèvres, qu'elle a peintes d'une couleur assortie à ses cheveux, évoquent pour Justin le clown Ronald McDonald. Agacé, il les regarde d'un air sévère s'ouvrir et se fermer.

Il perçoit des mots au hasard :

— Folie de groseille, Forêt celtique, Brume anglaise et Perle des landes. Des tons calmes, qui seraient parfaits dans cette pièce, ou alors Champignon sauvage, Lueur nomade ou Épices des sultans. Bonbon cappuccino est un de mes préférés, mais je ne crois pas qu'il irait avec ce rideau, qu'est-ce que tu en penses ?

Elle agite un échantillon de tissu devant ses yeux, qui lui chatouille le nez. L'intensité de la démangeaison laisse présager la dispute sur le point d'éclater. Justin ne répond pas mais respire à fond et compte mentalement jusqu'à dix. Comme le résultat est nul, et qu'elle continue son énumération de couleurs, il poursuit jusqu'à vingt.

— Ohé, Justin ! appelle-t-elle en lui claquant des doigts sous le nez. Ohé !

— Tu devrais peut-être le laisser un peu tranquille, Doris, il a l'air fatigué, intervient Al en examinant son frère avec appréhension.

— Mais...

— Amène ton cul de sultane épicée par ici, taquine-t-il.

Elle s'exclame, puis reprend :

— D'accord. Une dernière chose. Bea adorera Dentelle d'ivoire pour sa chambre. Et Pete aussi. Ce sera si romantique pour...

— Assez ! s'époumone Justin, refusant l'association du nom de sa fille et du mot « romantique » dans la même phrase.

Doris sursaute et se tait aussitôt. Elle porte la main à sa poitrine. Al cesse de boire, bouteille figée juste sous les lèvres. Sa respiration lourde, tout près du goulot, fait un bruit de flûte de pan. En dehors de cela, le silence est total.

— Doris.

Justin inspire à fond et tente de parler aussi calmement que possible.

— Assez, je t'en prie. Assez de ces nuits cappuccino...

— Bonbon cappuccino, corrige-t-elle avant de se taire à nouveau.

— Si tu veux. Ceci est une maison victorienne, du dix-neuvième siècle, pas un appartement témoin dans un lotissement.

Il tente de réprimer son émotion, son sentiment d'outrage pour le bâtiment.

— Si tu avais parlé de Chocolat cappuccino...

— Bonbon, murmure-t-elle.

— Si tu veux !... à quelqu'un de cette époque, tu aurais été aussitôt brûlée sur le bûcher !

Elle pousse un cri strident, offensée.

— Cette maison a besoin de raffinement, de recherches historiques. Elle a besoin de meubles et de couleurs d'époque, pas de teintes qui ont l'air de sortir tout droit du déjeuner de Al.

— Hé ! s'insurge ce dernier.

— Je crois, reprend gentiment Justin après avoir inspiré profondément, qu'il vaudrait mieux que je prenne quelqu'un d'autre. C'est peut-être trop difficile pour toi, mais j'apprécie ton aide, sincèrement. Je t'en prie, dis-moi que tu comprends.

Elle hoche lentement la tête et il soupire de soulagement.

Soudain, elle laisse éclater sa rage et le nuancier vole dans la pièce.

— Petit connard prétentieux !

— Doris !

Al bondit de son fauteuil, ou du moins, essaie vaillamment.

Elle marche sur lui, agressive, en pointant ses ongles brillants comme une arme. Justin s'empresse de reculer.

— Écoute, petit con. J'ai passé les deux dernières semaines à me renseigner sur cette cave dans le genre de bibliothèque dont tu ne soupçonnes même pas l'existence. J'ai pénétré dans des donjons sombres et branlants où les gens sentent les vieilles... choses.

Ses narines se dilatent, sa voix se fait plus profonde, menaçante.

— J'ai acheté tous les catalogues de peintures historiques sur lesquelles j'ai pu mettre la main, j'ai marié les couleurs selon les règles en vigueur à la fin du dix-neuvième siècle. J'ai serré la main à des gens dont tu ne voudrais même pas entendre parler. J'ai visité des quartiers de Londres dont *je* ne voudrais même pas entendre parler. J'ai consulté des livres infestés d'acariens géants. J'ai mélangé les peintures modernes pour m'approcher autant que possible des teintes de ta période historique. Je suis allée dans des dépôts-vente, des brocantes et des magasins d'antiquités, où j'ai trouvé des meubles dans des états si répugnants que j'ai failli appeler les services sanitaires. J'ai vu des choses ramper sur des tables de salle à manger, je me suis assise dans des fauteuils si branlants que je sentais la peste noire qui a tué la dernière personne à s'y être assise. J'ai poncé tant de bois que j'ai des échardes dans des endroits que tu n'as aucune envie de voir. Alors...

Elle lui donne des coups de ses ongles acérés dans la poitrine pour souligner chaque mot, jusqu'à l'acculer contre le mur.

— Ne. Me. Dis. Pas. Que c'est trop difficile pour moi.

Elle s'éclaircit la gorge et se redresse. La colère dans sa voix cède la place à un trémolo à fendre l'âme :

— Mais malgré ce que tu as dit, je vais finir ce projet. Je continuerai sans me laisser décourager. Je continuerai malgré toi, pour ton frère, qui pourrait être mort le mois prochain, et tu ne t'en soucies même pas.

— Mort ?

Les yeux de Justin s'écarquillent.

Là-dessus, elle tourne les talons et part en trombe vers sa chambre.

Elle repasse la tête à la porte.

— Au fait, pour ta gouverne, j'aurais claqué la porte très fort pour te montrer à quel point je suis en colère, mais pour l'instant elle est dans le jardin derrière, pour être poncée et préparée, avant que je la peigne... Dentelle d'ivoire, crache-t-elle.

Puis elle disparaît à nouveau, sans claquement de porte.

Je me dandine nerveusement d'un pied sur l'autre devant la porte ouverte de l'appartement de Justin. Dois-je sonner maintenant ? Me contenter de crier son nom en entrant ? Appellerait-il la police et me ferait-il arrêter pour intrusion ? Oh, c'était une mauvaise décision. Frankie et Kate m'ont persuadée de venir ici, de me présenter à lui. Elles m'ont tant remontée que j'ai sauté dans le premier taxi sur ma route jusqu'à Trafalgar Square, pour l'intercepter à la National Gallery avant qu'il parte. J'étais si près de lui pendant qu'il téléphonait, je l'ai entendu appeler des gens pour les interroger à propos du panier. Je me sentais étrangement bien, simplement en le regardant à son insu, incapable de détacher les yeux de lui, profitant de la joie secrète de le voir tel qu'il est plutôt que de regarder sa vie d'après ses propres souvenirs.

Sa colère contre son interlocuteur – sûrement son ex-femme, la femme aux cheveux roux – m'a convaincue que ce n'était pas le bon moment pour l'aborder, alors je l'ai suivi. Mais pas pour l'espionner. J'ai pris mon temps, tout en essayant de rassembler assez de courage pour lui parler. Devrais-je mentionner la transfusion ou non ? Me croirait-il folle ou serait-il disposé à m'écouter et même, mieux, à me croire ?

Mais dans le métro, le moment était encore mal choisi. La rame était bondée, les gens se poussaient, se bousculaient, évitaient de se regarder dans les yeux. Se présenter ou parler des recherches scientifiques sur la possible intelligence du sang était impensable. Et donc, après avoir fait les cent pas dans sa rue, avec l'impression d'être une collégienne énamourée et en même temps une dingue en pleine fixation, je me retrouve devant sa porte, avec un plan. Mais ledit plan se trouve à nouveau compromis quand Justin et son frère entament une conversation que je ne devrais pas entendre, sur un secret de famille que je connais déjà.

J'écarte mon doigt de la sonnette, m'éloigne des fenêtres, et attends mon heure.

29

Paniqué, Justin regarde son frère, et cherche quelque chose pour s'asseoir. Il tire vers lui un gros pot de peinture et s'y installe, sans remarquer le cercle de blanc humide qui entoure le couvercle.

— Al, de quoi est-ce qu'elle parlait ? Quand elle disait que tu allais mourir le mois prochain ?

— Non, non, proteste Al en éclatant de rire. Elle a dit que je *risquais* de mourir. Ce n'est pas pareil. Hé ! tu t'en es bien tiré, frérot. Tu as de la chance. Je crois que le Valium lui fait du bien. Santé !

Il lève sa bouteille et avale le reste de son contenu.

— Attends, attends. De quoi tu parles ? Tu m'as caché quelque chose ? Que t'a dit le médecin ?

— Le médecin m'a dit exactement ce que je te répète depuis quinze jours. Si un parent proche a souffert jeune d'une maladie coronarienne, c'est-à-dire, pour un homme, avant cinquante-cinq ans, alors on a davantage de risques d'en avoir une aussi.

— Tu as de la tension ?

— Un peu.

— Du cholestérol ?

— Beaucoup.

— Donc, il te suffit de changer ton style de vie. Ça ne veut pas dire que tu vas être terrassé comme... comme...

— Papa ?

— Non.

— Les maladies coronariennes sont la première cause de mortalité chez les Américains, hommes et femmes. Toutes les trente-trois secondes, un Américain souffre d'un incident cardiaque quelconque et presque toutes les minutes, quelqu'un en meurt.

Il contemple la pendule de leur arrière-grand-mère, à demi recouverte d'une bâche. L'aiguille des minutes avance. Al pose les mains sur son cœur et se met à gémir. Très vite, ses plaintes se changent en rire.

— Qui t'a raconté ces salades ? demande Justin, les yeux au ciel.

— Les dépliants dans la salle d'attente du médecin.

— Al, tu n'auras pas de crise cardiaque.

— J'aurai quarante ans la semaine prochaine.

— Oui, je sais.

Justin lui décoche un coup de poing joueur dans le genou.

— C'est à ça qu'il faut penser, on va faire une grande fête.

— C'est l'âge qu'avait papa quand il est mort.

Il baisse les yeux et arrache l'étiquette de sa bière.

— C'est ça qui t'inquiète ? demande Justin d'une voix plus douce. Bon sang, Al, c'est ça ?

Pourquoi est-ce que tu ne m'en as pas parlé plus tôt ?

— J'avais l'intention de passer un peu de temps avec toi avant... tu sais. Au cas où...

Ses yeux se voilent et il détourne la tête.

Dis-lui la vérité.

— Al, il y a quelque chose que tu devrais savoir.

La voix de Justin tremble, il s'éclaircit la gorge pour tenter de la contrôler. *Tu ne l'as jamais dit à personne.*

— Papa subissait beaucoup de pression à son travail. Il avait de grandes difficultés, financières et autres, dont il ne parlait à personne, même pas à maman.

— Je sais, Justin, je sais.

— Tu le sais ?

— Oui, j'ai compris. Il n'est pas tombé raide mort sans raisons. Il était malade de stress. Et moi, non. Je sais bien. Mais depuis que je suis gosse, je sens cette menace, j'ai l'impression que ça va m'arriver à moi aussi. Du plus loin que je me souvienne, j'ai toujours eu cette idée en tête et maintenant, avec mon anniversaire la semaine prochaine... Et puis je ne suis pas dans une forme olympique. J'ai eu beaucoup de travail ces derniers temps et je ne me suis pas occupé de moi. Je n'ai jamais su le faire comme toi, tu sais ?

— Tu n'as pas besoin de te justifier.

— Tu te rappelles la journée qu'on a passée avec lui sur la pelouse ? Avec l'arrosage automatique ? Quelques heures avant que maman le trouve... Enfin, tu te rappelles comme on s'est amusés, tous ensemble ?

— C'était un beau moment, sourit Justin en retenant ses larmes.

— Tu te rappelles ? demande Al en éclatant de rire.

— Comme si c'était hier.

— Papa avait pris le tuyau pour nous arroser. Il avait l'air de si bonne humeur.

Al plisse le front, hésite un peu, puis sourit à nouveau.

— Il avait apporté un énorme bouquet à maman. Tu te souviens, elle s'était mis une grosse fleur dans les cheveux ?

— Un tournesol.

— Et il faisait drôlement chaud. Tu te rappelles comme il faisait chaud ?

— Oui.

— Papa avait roulé son pantalon jusqu'aux genoux, il avait retiré ses chaussures et ses chaussettes. La pelouse était toute mouillée, il avait les pieds couverts d'herbe, et il nous courait après.

Il sourit, l'air lointain.

— C'est la dernière fois que je l'ai vu.

Pas moi.

La mémoire de Justin lui renvoie, par flashes, l'image de son père fermant la porte du séjour. Justin avait couru à l'intérieur pour aller aux toilettes ; à force de jouer avec l'eau, il ne pouvait plus retenir son envie. Il croyait que tout le reste de la famille continuait à jouer dehors. Il entendait sa mère qui pourchassait Al en le taquinant, et Al, âgé de cinq ans, qui hurlait de rire. Mais au moment de redescendre, il vit son père sortir de la cuisine et traverser l'entrée. Voulant lui sauter dessus pour lui faire peur, il se baissa derrière la rampe et le surveilla entre les barreaux.

Mais alors il vit ce qu'il tenait à la main. La bouteille qui était toujours enfermée dans le placard de la cuisine et qu'on ne sortait que dans les grandes occasions, quand la famille de son père venait leur rendre visite d'Irlande. Quand ils buvaient de son contenu, tous changeaient, ils se mettaient à chanter des chansons que Justin n'avait jamais entendues mais dont son père connaissait toutes les paroles, ils riaient, racontaient des histoires, et parfois ils pleuraient. Il se demanda ce que faisait cette bouteille dans les mains de son père. Avait-il envie de chanter et de rire, de raconter des histoires ? Avait-il envie de pleurer ?

Puis Justin aperçut aussi le flacon dans sa main. Il savait qu'il s'agissait de cachets, parce que l'emballage était semblable à celui des médicaments que prenaient ses parents quand ils étaient malades. Il espéra que son père n'était pas malade, espéra qu'il n'avait pas envie de pleurer. Il le regarda fermer la porte derrière lui, cachets et bouteille d'alcool en main. Il aurait dû comprendre alors ce que son père s'apprêtait à faire, mais il ne le comprit pas. Depuis, il repasse ce moment dans sa tête, encore et encore, tente de se forcer à appeler, à l'arrêter. Mais le Justin de neuf ans ne l'entend pas. Il reste accroupi dans l'escalier, attendant que son père sorte pour lui sauter dessus et lui faire peur.

Le temps passa, il comprit que quelque chose clochait, mais il ne savait pas d'où venait cette impression et il ne voulait pas gâcher sa surprise en vérifiant comment allait son père. Des minutes s'écoulèrent, qui lui parurent des heures. Rien ne filtrait de la porte, que du silence. Justin déglutit et se leva. Il entendait Al hurler de rire dehors. Il l'entendait toujours rire en entrant dans la pièce et en voyant les pieds verts, par terre. Il se rappelle si bien ces pieds. Il se rappelle s'être approché et avoir vu son père allongé, comme un géant, fixant le plafond d'un regard sans vie.

Il ne dit rien. Ne cria pas, ne le toucha pas, ne l'embrassa pas, ne tenta pas de l'aider parce que, bien qu'il ne comprît pas grand-chose à l'époque, il savait qu'il était trop tard pour l'aider. Il se contenta de sortir lentement, à reculons, de fermer la porte derrière lui, et de courir vers la pelouse rejoindre sa mère et son petit frère.

Ils eurent cinq minutes. Cinq minutes où tout fut exactement comme avant. Il avait neuf ans, par une belle journée ensoleillée, il avait une mère, un père et un frère, il était heureux, maman était heureuse et les voisins lui souriaient normalement, comme à tous les autres enfants. Tous les plats qu'ils mangeaient étaient préparés par sa mère, et quand il se conduisait mal à l'école les professeurs le grondaient, comme il se devait. Cinq minutes supplémentaires où tout fut comme avant, jusqu'à ce que sa mère entre dans la maison, et alors tout devint complètement différent, tout changea. Cinq minutes plus tard, il n'était plus un enfant de neuf ans avec une mère, un père et un frère. Il n'était plus heureux, et sa mère non plus ; les voisins lui souriaient avec tant de tristesse qu'il aurait préféré qu'ils ne prennent pas cette peine. Tout ce qu'ils mangeaient provenait de récipients apportés par les voisines, qui elles aussi avaient toujours l'air triste, et quand il faisait des bêtises à l'école les professeurs se contentaient de le regarder avec cette même expression. Tout le monde avait la même expression. Les cinq minutes supplémentaires n'avaient pas été assez longues.

Maman leur dit que papa avait eu une crise cardiaque. C'est ce qu'elle raconta à toute la famille et à tous ceux qui venaient avec un repas préparé ou une tarte.

Justin ne put jamais se résoudre à dire la vérité à ses proches, en partie parce qu'il avait envie de croire au mensonge, et en partie parce qu'il lui semblait que sa mère commençait à y croire, elle aussi. Alors il garda la vérité pour lui. Il n'en avait même pas parlé à Jennifer : le dire à haute voix l'aurait rendu vrai, et il ne voulait pas reconnaître que son père était mort ainsi. Et maintenant que leur mère a disparu, il est la seule personne à connaître la vérité. L'histoire de la mort de leur père, fabriquée pour les aider, flotte maintenant comme un nuage noir au-dessus d'Al, et pèse dans la vie de Justin.

Il veut dire la vérité à Al maintenant, vraiment. Mais quel réconfort pourrait-il en tirer ? Sûrement, connaître la vérité serait bien pire, et il lui faudrait expliquer pourquoi et comment il la lui a cachée toutes ces années... en même temps, il n'aurait plus à supporter ce fardeau tout seul. Peut-être qu'il en serait soulagé lui aussi. La vérité pourrait apaiser les craintes d'Al concernant son cœur, et ils pourraient y faire face ensemble.

— Al, j'ai quelque chose à te dire, commence Justin.

La sonnette retentit brusquement. Une sonnerie aiguë et coupante qui les arrache tous deux à leurs pensées, brisant le silence comme un coup de marteau à travers une vitre. Toutes leurs pensées volent en éclats et s'éparpillent sur le sol.

— Est-ce que quelqu'un va répondre ? appelle Doris.

Justin va à la porte, un gros cercle de peinture sur le postérieur. La porte est déjà entrouverte et il la tire davantage. Devant lui, accroché à la rampe, l'attend son linge nettoyé à sec. Ses costumes, chemises et pulls, recouverts de plastique. Il n'y a personne. Il sort et monte les marches en courant pour voir qui a laissé ses affaires là, mais la pelouse devant l'immeuble est déserte, en dehors de la benne.

— Qui c'est ? demande Doris.

— Personne, répond Justin, perplexe.

Il décroche son linge de la rampe et le porte à l'intérieur.

— Tu essaies de me faire croire que ce costume bon marché a sonné lui-même ? demande-t-elle, encore fâchée.

— Je ne sais pas. C'est bizarre. Bea devait passer le prendre demain. Je n'ai pas demandé de livraison au pressing.

— C'est peut-être un service spécial réservé aux bons clients, parce que, apparemment, ils ont nettoyé toute ta garde-robe.

Elle contemple avec dégoût les vêtements qu'il a choisis.

— Oui, et je parie que le service spécial s'accompagne d'une grosse facture, grogne-t-il. J'ai eu une petite prise de bec avec Bea tout à l'heure. Elle a peut-être organisé ça pour s'excuser.

346

— Ce que tu es têtu ! s'exclame Doris, les yeux au ciel. Tu n'as pas pensé une seconde que c'était à toi de t'excuser ?

Justin plisse les yeux.

— Tu as parlé à Bea ?

— Hé, regardez, il y a une enveloppe de ce côté, remarque Al, étouffant dans l'œuf une nouvelle dispute.

— Ta facture, s'amuse Doris.

Justin sent son estomac se nouer à la vue de l'enveloppe familière. Il jette les vêtements propres sur une bâche et déchire l'enveloppe.

— Attention, ils viennent d'être repassés !

Doris les suspend au chambranle de la porte.

Il ouvre l'enveloppe et déglutit avec difficulté en lisant le message.

— Qu'est-ce que ça dit ? demande Al.

— Ce doit être une menace de mort, regarde son visage, dit Doris, tout excitée. Ou une demande d'aumône. Certaines sont vraiment drôles. Qu'est-ce qui leur arrive et combien ils veulent ? glousse-t-elle.

Justin sort la carte qu'il a reçue accrochée à un panier de muffins et l'approche de l'autre pour que les deux messages forment une phrase complète. En lisant, il sent un frisson lui parcourir tout le corps.

Merci... De m'avoir sauvé la vie

30

Je m'aplatis au fond de la benne, hors d'haleine, cœur battant à la vitesse des ailes d'un colibri. Je sens une intense excitation m'envahir le ventre, comme une enfant qui joue à cache-cache, comme un chien qui essaie de se débarrasser de ses puces. Ne me trouve pas, Justin, je t'en prie, ne me trouve pas aplatie au fond de la benne dans ton jardin, couverte de plâtre et de poussière. J'entends ses pas s'éloigner, redescendre les marches vers son appartement en sous-sol, et la porte se fermer.

Qu'est-ce que je suis devenue ? Une froussarde. J'ai sonné à la porte pour empêcher Justin de révéler la vérité à Al sur leur père puis, effrayée à l'idée de jouer à Dieu devant deux étrangers, je me suis enfuie, j'ai bondi et atterri au fond d'une benne. Belle métaphore. Je ne sais pas si je serai un jour capable de lui parler. Je ne sais pas comment je trouverai les mots pour expliquer ce que je ressens. Le monde n'a pas de patience : les histoires de ce genre sont réservées aux pages des journaux à sensation ou de certains magazines féminins. On illustrerait l'article avec une photo de moi, dans la cuisine de mon père, regardant l'appareil d'un œil triste.

Sans maquillage. Non, Justin ne me croirait jamais si je lui racontais... mais les actes parlent plus fort que les mots.

Allongée sur le dos, je contemple le ciel. Allongés sur le ventre, les nuages me rendent mon regard. Ils survolent avec curiosité la femme dans la benne, appellent les traînards derrière eux pour qu'ils viennent voir. Les nuages s'attroupent, curieux de découvrir ce qui fait grommeler les autres. Puis eux aussi passent, me laissant face au bleu avec de temps en temps une volute blanche. J'entends presque ma mère éclater de rire, je l'imagine donnant des coups de coude à ses amis pour qu'ils regardent sa fille. Je l'imagine en train de m'observer, cachée derrière un nuage, trop penchée, comme papa au balcon du Royal Opera House.

Je chasse la poussière, la peinture et le bois de mes vêtements et me hisse hors de la benne. J'essaie de me rappeler les mots de Bea racontant ce qu'attendait son père de la personne qu'il a sauvée.

— Justin, calme-toi, tu me files les jetons.

Doris, assise sur l'escabeau, regarde Justin faire les cent pas dans la pièce.

— Je ne peux pas me calmer. Tu ne comprends pas ce que ça veut dire ?

Il lui tend les deux cartes.

Les yeux de Doris s'écarquillent.

— Tu as sauvé quelqu'un ?

— Oui.

Il hausse les épaules et cesse de marcher.

— Ce n'est pas une affaire d'État, j'ai fait ce que j'avais à faire, voilà tout...

— Il a donné son sang, l'interrompt Al.

— Tu as donné ton sang, toi ?

— C'est comme ça qu'il a rencontré Vampirella, tu te souviens ? rappelle Al à sa femme. En Irlande, si on te dit viens dans mon camion, tu as intérêt à te méfier.

— Elle s'appelle Sarah, pas Vampirella.

— Donc, tu as donné ton sang pour avoir un rancard, résume Doris en croisant les bras. Il n'y a rien que tu puisses faire pour le bien de l'humanité, tout est toujours pour toi-même ?

— Hé ! J'ai un cœur !

— Allégé d'un demi-litre.

— Je donne beaucoup de mon temps à des organismes – universités, musées – qui ont besoin de mes compétences. Je n'y suis pas obligé, mais je le fais pour eux.

— Ouais. Et je parie que tu te fais payer au mot. C'est pour ça que tu dis « Oh que ça fait mal ! » plutôt que « merde » quand tu te cognes un orteil.

Al et Doris s'écroulent de rire en se bourrant de coups de poing.

Justin respire à fond.

— Revenons à nos moutons. Qui m'envoie ces cartes et fait mes commissions ?

Il se remet à faire les cent pas en se rongeant les ongles.

— Peut-être que c'est Bea et qu'elle trouve ça drôle. Elle est la seule personne à qui j'ai dit que je pensais mériter des remerciements pour avoir sauvé une vie.

Pourvu que ce ne soit pas Bea.

— Ce que tu peux être égoïste ! s'exclame Al en riant.

— Non.

Doris secoue la tête, ses longues boucles d'oreilles battent contre ses joues à chaque mouvement, tandis que ses cheveux, coiffés en arrière et laqués, restent aussi immobiles qu'un casque.

— Bea ne veut plus entendre parler de toi tant que tu ne t'es pas excusé. Il n'y a pas de mots pour décrire la haine qu'elle te porte en ce moment.

— Dieu merci, conclut Justin en continuant de marcher. Mais elle a dû en parler à quelqu'un, sinon rien de tout ça n'arriverait. Doris, demande à Bea à qui elle en a parlé.

— Hum ! fait Doris, menton levé et tête détournée. Tu m'as dit des choses plutôt méchantes tout à l'heure. Je ne sais pas si je peux t'aider.

Justin tombe à genoux et s'approche d'elle.

— S'il te plaît, Doris, je t'en prie. Je regrette tellement ce que je t'ai dit. Je n'avais aucune idée du temps et des efforts que tu mettais dans cette rénovation. Je t'ai sous-estimée. Sans toi, je boirais encore dans un verre à dents et je mangerais dans une gamelle pour chat.

— Justement, je voulais t'en parler, intervient Al. Tu n'as même pas de chat.

— Alors, je suis une bonne décoratrice d'intérieur ? demande Doris, menton levé.

— Une excellente décoratrice.

— Vraiment ?

— Meilleure que... Palladio.

Les yeux de Doris regardent à gauche, puis à droite.

— Est-ce qu'il est meilleur que Ty Pennington[1] ?

---

1. Coordinateur et vedette de l'émission de télé-réalité américaine *Les Maçons du cœur*, il dirige une équipe de designers qui conçoit des maisons pour des familles dans le besoin. Les travaux sont ensuite effectués bénévolement par une entreprise locale. (*N.d.T.*)

— C'est un architecte italien du seizième siècle, généralement considéré comme la personne la plus influente dans toute l'histoire de l'architecture occidentale.

— Bon. D'accord. Tu es pardonné.

Elle lui tend la main.

— Donne-moi ton téléphone, j'appelle Bea.

Quelques instants plus tard, ils sont tous assis autour de la nouvelle table de la cuisine, et écoutent Doris parler à Bea.

— Bon, Bea en a parlé à Pete, et à la chef costumière du *Lac des cygnes*. Et son père.

— La chef costumière ? Vous avez encore le programme ?

Doris disparaît dans sa chambre et revient avec le programme du ballet. Elle feuillette la brochure.

— Non, fait Justin en lisant sa biographie. Je l'ai rencontrée ce soir-là, ce n'est pas elle. Mais son père était là ? Je ne l'ai pas vu.

Al hausse les épaules.

— Ces gens n'ont rien à voir dans cette histoire. Je n'ai sûrement sauvé ni elle ni son père. La personne doit être irlandaise ou avoir été hospitalisée en Irlande.

— Peut-être que son père est irlandais. Ou qu'il a fait un voyage en Irlande.

— Passe-moi ce programme, je vais appeler le théâtre.

— Justin, tu ne peux pas l'appeler comme ça.

Doris tente de se saisir du programme, mais Justin l'esquive.

— Qu'est-ce que tu vas lui dire ?

— J'ai juste besoin de savoir si son père est irlandais ou s'il a fait un voyage en Irlande au cours du mois écoulé. J'improviserai au fur et à mesure.

Al et Doris échangent un regard inquiet pendant qu'il sort de la cuisine pour téléphoner.

— C'est toi qui as fait ça ? demande Doris.

— Sûrement pas !

Al secoue la tête, faisant trembloter ses mentons.

Cinq minutes plus tard, Justin revient.

— Elle se rappelle m'avoir vu hier soir et ce n'est ni elle ni son père. Alors, ou Bea en a parlé à quelqu'un d'autre ou... c'est Peter qui me mène en bateau. Je vais choper ce môme et...

— Grandis un peu, Justin, ce n'est pas lui, coupe Doris d'un ton sévère. Cherche ailleurs. Appelle le pressing. Appelle le type qui a livré les muffins.

— C'est déjà fait. Ils ont été payés par carte de crédit et ne peuvent pas donner d'informations sur le client.

— Ta vie n'est qu'un grand mystère. Entre la dénommée Joyce et ces livraisons mystérieuses, tu devrais engager un détective privé, conclut Doris. Ah ! J'ai failli oublier.

Elle plonge la main dans sa poche et lui tend un bout de papier.

— En parlant de détective privé, j'ai trouvé ça pour toi. Je l'ai depuis quelques jours mais je n'ai rien dit parce que je ne voulais pas que tu partes bille en tête et que tu te couvres de ridicule. Mais puisque tu le feras de toute façon... Voilà.

Elle lui donne le bout de papier. Les coordonnées de Joyce y sont notées.

— J'ai appelé les renseignements internationaux et je leur ai donné le numéro de cette Joyce qui a téléphoné chez Bea la semaine dernière. Ils m'ont donné l'adresse correspondante. Je crois que tu ferais mieux de trouver cette femme, Justin. Oublie l'autre personne. Son comportement me paraît vraiment bizarre. Qui sait qui t'envoie ces messages ? Concentre-toi sur la femme. Ce dont tu as besoin, c'est d'une relation agréable et saine.

Il lit à peine les informations avant de mettre le papier dans sa poche, sans y accorder le moindre intérêt, l'esprit ailleurs.

— Tu n'arrêtes pas de passer de femme en femme, remarque Doris en l'observant.

— Hé, si ça se trouve, c'est cette Joyce qui envoie les messages, propose Al.

Justin et Doris se tournent vers lui, puis lèvent les yeux au ciel.

— Ne dis pas de bêtises, Al, le décourage Justin. Je l'ai rencontrée dans un salon de coiffure. De toute façon, qui dit que c'est une femme qui envoie les messages ?

— C'est évident, répond Al. On t'a envoyé un panier de muffins.

Il plisse le nez.

— Il n'y a qu'une femme pour avoir cette idée. Ou un homo. Et qui que ce soit, il ou elle – ou peut-être les deux à la fois – connaît la calligraphie, ce qui renforce encore ma théorie. Femme, homo ou transexuel.

— C'est moi qui ai eu l'idée du panier de muffins, se rebiffe Justin. Et moi aussi, je fais de la calligraphie !

— Ouais, c'est bien ce que je disais. Femme, homo ou transexuel.

Exaspéré, Justin lève les bras au ciel et se laisse retomber sur sa chaise.

— Vous ne m'aidez pas beaucoup, tous les deux.

— Hé ! Je sais qui pourrait t'aider, dit Al en se redressant.

— Qui ça ? demande Justin d'un ton las.

— Vampirella.

— Je lui ai déjà demandé de m'aider. Tout ce que j'ai pu voir, ce sont les caractéristiques de mon sang dans la base de données. Rien sur la personne qui l'a reçu. Elle refuse de me dire où il est allé et de toute façon elle ne veut plus m'adresser la parole.

— Parce que tu t'es enfui pour courir après un autobus viking.

— Entre autres.

— Tu sais vraiment t'y prendre avec les femmes.

— Au moins, il y a une personne qui trouve que j'ai fait quelque chose de bien.

Il contemple les deux cartes qu'il a posées au milieu de la table.

Qui es-tu ?

— Tu n'es pas obligé de lui poser la question tout à trac. Tu pourrais peut-être fureter dans son bureau, propose Al, tout excité.

— Non, ce serait inconvenant, objecte Justin, avec peu de conviction. Je risque d'avoir des problèmes. Je pourrais lui causer des ennuis à elle et, en plus, je l'ai vraiment mal traitée.

— Alors ce qui serait gentil, susurre Doris, ce serait de passer à son bureau pour lui présenter tes excuses. En ami.

Un sourire rusé s'insinue sur leurs trois visages.

— Mais est-ce que tu peux prendre une journée de congé la semaine prochaine pour aller à

Dublin ? demande Doris, interrompant leurs mauvaises pensées.

— J'ai déjà accepté une invitation de la National Gallery de Dublin pour donner une conférence sur la *Femme écrivant une lettre*, de Terborch, se réjouit Justin.

— Il représente quoi, ce tableau ? s'enquiert Al.

— Une femme qui écrit une lettre, Sherlock, ricane Doris.

— Aucun intérêt.

Al plisse le nez. Puis lui et sa femme se taisent et regardent Justin qui lit ses cartes, encore et encore, dans l'espoir d'y déceler un code.

— Homme lisant une carte, déclare Al, assez pompeusement. Commentez.

Lui et Doris se remettent à pouffer en voyant Justin sortir de la pièce.

— Hé ! Où est-ce que tu vas ?

— Homme réservant un billet d'avion, répond-il avec un clin d'œil.

31

À sept heures et quart le lendemain matin, au moment de partir travailler, Justin reste planté devant la porte, main sur la poignée. Doris sort de la chambre en pantoufles et robe de chambre.

— Justin ? Où est Al ? Je me suis réveillée et il n'était pas dans le lit. Mais qu'est-ce que tu fais, petit homme bizarre ?

Justin lève un doigt devant ses lèvres pour la faire taire et désigne la porte du menton.

— Ton inconnu est là ? chuchote-t-elle, tout excitée.

Elle se débarrasse de ses pantoufles et le rejoint devant la porte à pas de loup, comme un personnage de dessins animés.

Il fait oui de la tête.

Ils appuient l'oreille contre la porte et les yeux de Doris s'écarquillent.

— Je l'entends ! articule-t-elle en silence.

— Bon, à trois, murmure-t-il.

Ils comptent en silence, *un, deux...* Il tire la porte de toutes ses forces.

— Ah ! Je te tiens ! s'écrie-t-il, dans une posture d'attaque, en pointant le doigt avec bien plus d'agressivité qu'il ne voulait.

— Aaaah ! crie le facteur, terrifié.

Il laisse tomber ses enveloppes, lance un paquet vers Justin et en tient un autre devant son visage, en protection.

Doris pousse un hurlement.

Justin reçoit le paquet dans l'entrejambe. Il se plie en deux, tombe à genoux, vire au pourpre et essaie désespérément de trouver un peu d'air.

Tous se tiennent la poitrine, haletants.

Le facteur reste en position de défense, genoux fléchis, tête protégée par le paquet.

— Justin ! s'exclame Doris en ramassant une enveloppe pour lui en frapper le bras. Imbécile ! C'est le facteur.

— Oui, hoquette-t-il, je le vois bien.

Il se reprend.

— Tout va bien, monsieur. Vous pouvez poser votre paquet. Je suis désolé de vous avoir effrayé.

Le facteur baisse lentement le paquet, les yeux emplis de crainte et de perplexité.

— Qu'est-ce que c'était que ça ?

— Je vous ai pris pour quelqu'un d'autre. Je suis désolé. J'attendais... autre chose. Il n'y a que ça pour moi ? s'enquiert-il en regardant les enveloppes par terre.

Son bras gauche recommence à le démanger. Comme s'il avait été piqué par un moustique. Il se gratte doucement au début, puis se tapote l'intérieur du coude pour chasser les picotements. La démangeaison augmente et il s'enfonce les ongles dans la peau, gratte encore et encore. Des gouttes de sueur perlent sur son front.

Le facteur secoue la tête et commence à reculer.

— Personne ne vous a rien donné pour moi ?

Justin se remet debout et s'approche, sans se rendre compte qu'il paraît menaçant.

— Non, je vous ai dit que non.

Le facteur monte les marches en courant.

Justin le regarde partir, dérouté.

— Laisse-le tranquille, tu as failli lui faire avoir une crise cardiaque, dit Doris en continuant de ramasser les enveloppes. Si tu as cette réaction devant ton inconnu, tu vas le faire fuir, lui aussi. Si jamais tu le rencontres, je te conseille de revoir ta tactique.

Justin remonte la manche de sa chemise et examine son bras, s'attendant à y voir des enflures rouges ou une plaque de boutons, mais sa peau est intacte, en dehors des griffures qu'il s'est infligées lui-même.

— Tu te drogues ? s'inquiète Doris, yeux plissés.

— Non !

Elle repart vers la cuisine avec un grognement.

— Al ?

Sa voix se réverbère dans la pièce.

— Où es-tu ?

— Au secours ! À l'aide !

Ils distinguent la voix d'Al, lointaine, étouffée, comme s'il avait la bouche remplie de chaussettes.

— Mon bébé ! s'écrie Doris.

Elle ouvre le réfrigérateur, regarde à l'intérieur et revient dans le séjour en secouant la tête, pour signifier à Justin que, finalement, son mari n'est pas dedans.

Justin lève les yeux au ciel.

— Doris, il est dehors.

— Alors pour l'amour de Dieu, ne reste pas planté là, va l'aider !

Il ouvre la porte et voit Al, avachi par terre en bas des marches. Un des bandeaux orange de Doris barre son front moite, à la Rambo, son tee-shirt est trempé de sueur, son visage ruisselle, ses jambes gainées d'élasthanne sont pliées sous lui, il est resté dans la position où il est tombé.

Doris bouscule Justin pour passer et se précipite vers Al. Elle tombe à genoux.

— Bébé, ça va ? Tu es tombé dans l'escalier ?

— Non, fait-il faiblement, les mentons sur la poitrine.

— Non ça ne va pas, ou non tu n'es pas tombé dans l'escalier ?

— Le premier, articule-t-il, épuisé. Non, le second. Attends, qu'est-ce que tu as dit en premier ?

Elle crie comme s'il était sourd :

— En premier, c'était, ça va ? Et en second, tu es tombé dans l'escalier ?

— Non, répond-il, renversant la tête en arrière pour l'appuyer contre le mur.

— Non quoi ? Tu veux que j'appelle une ambulance ? Tu as besoin d'un médecin ?

— Non.

— Non quoi, bébé ? Allons, ne t'endors pas. Tu n'as pas intérêt à partir.

Elle le gifle.

— Tu dois rester conscient.

Appuyé contre le chambranle, bras croisés, Justin les regarde. Il sait que son frère va bien, qu'il manque simplement d'exercice. Il va dans la cuisine lui chercher un verre d'eau.

— Mon cœur...

Quand Justin revient, Al est en pleine panique. Des mains, il se comprime la poitrine, lutte pour respirer, dresse la tête pour avaler des goulées d'air, comme un poisson rouge qui vient chercher sa nourriture à la surface du bocal.

— Tu as une crise cardiaque ? hurle Doris.

— Non, soupire Justin, il...

— Arrête, Al ! interrompt Doris d'une voix stridente. Tu n'as pas intérêt à faire une crise cardiaque, tu m'entends ?

Elle ramasse un journal par terre et se met à en frapper le bras de son mari pour rythmer ses paroles.

— N'y. Pense. Même. Pas. Al. Hitchcock.

— Aïe, proteste-t-il en se frottant le bras, ça fait mal.

— Hé ! s'écrie Justin. Donne-moi ce journal, Doris !

— Non !

— Où est-ce que tu l'as trouvé ?

Il tente de s'en emparer, mais Doris le tient hors de sa portée.

— Il était là, à côté d'Al. C'est le livreur de journaux qui l'a apporté.

— Il n'y a pas de livreurs de journaux ici.

— Alors, il doit être à Al.

— Il y a un café à emporter avec, réussit à dire Al, qui a enfin repris son souffle.

— Un quoi ? hurle Doris, si fort qu'une fenêtre, plus haut dans l'immeuble, se referme bruyamment, ce qui ne la décourage aucunement. Tu as acheté un café ?

Elle se remet à le frapper avec le journal.

— Pas étonnant que tu sois en train de mourir !

— Hé ! fait-il en croisant les bras devant lui pour se protéger. Il n'est pas à moi. Il était devant la porte, avec le journal, quand je suis arrivé.

— Il est à moi.

Justin arrache le journal à Doris et saisit le café posé par terre.

— Il n'y a pas de carte, remarque Doris, yeux plissés de suspicion, en dévisageant tour à tour les deux frères. En essayant de défendre Al maintenant, tu risques de le tuer à long terme, tu sais.

— Alors, je le défendrai peut-être plus souvent, marmotte Justin en secouant le journal, dans l'espoir qu'une carte en tombe. Il examine le gobelet, à la recherche d'un message. Rien. Pourtant, il est sûr que café et journal lui sont destinés et que la personne qui les a déposés ne peut pas être partie depuis longtemps. Il regarde plus attentivement la première page. Au-dessus du gros titre, dans le coin de la page, il remarque l'instruction : p. 42.

Il l'ouvre fébrilement, et se débat avec les pages trop grandes jusqu'à ce qu'il parvienne au bon endroit. Il se retrouve à la rubrique des petites annonces. Il étudie les publicités et vœux d'anniversaire. Il s'apprête à refermer le journal et à se joindre à Doris pour reprocher à Al sa dépendance à la caféine, quand il trouve enfin son message :

RECEVEUR ÉTERNELLEMENT RECONNAISSANT SOUHAITE REMERCIER JUSTIN HITCHCOCK, DONNEUR ET HÉROS, DE LUI AVOIR SAUVÉ LA VIE. MERCI.

Il renverse la tête en arrière et éclate de rire. Doris et Al le contemplent avec étonnement.

— Al, dit Justin en s'agenouillant devant son frère, j'ai besoin de ton aide maintenant.

Son ton est pressant, sa voix monte et descend sous l'effet de l'excitation.

— Est-ce que tu as vu quelqu'un en revenant de ton jogging ?

— Non.

La tête d'Al oscille d'un côté à l'autre.

— Je n'arrive pas à réfléchir.

— Réfléchis, ordonne Doris en lui assénant une légère gifle.

— Ce n'est pas vraiment nécessaire, Doris.

— C'est comme ça qu'on fait, dans les films, quand on a besoin d'une information. Allez, bébé, dis-lui.

Elle lui donne encore un coup, plus léger.

— Je ne sais pas, gémit Al.

— Tu me rends malade, lui grogne-t-elle à l'oreille.

— Vraiment, Doris, ce n'est pas très productif.

— Très bien, dit-elle en croisant les bras. Mais dans *Les Experts : Miami*, ça marche.

— Quand je suis arrivé à la maison, je ne pouvais plus respirer, et encore moins voir. Je ne me souviens de personne. Désolé, frérot. Si vous saviez comme j'ai eu peur. Tous ces points noirs devant mes yeux, je n'y voyais plus rien. J'avais la tête qui tournait et...

— D'accord.

Justin saute sur ses pieds et monte l'escalier jusqu'à la pelouse. Il la traverse en courant et regarde dans la rue, des deux côtés. Elle est plus animée maintenant, à sept heures et demie. Les gens sortent de chez eux pour se rendre au travail, la circulation et le bruit s'intensifient.

— Merci ! s'égosille Justin.

Sa voix rompt la quiétude du voisinage. Quelques personnes tournent la tête vers lui, mais la plupart continuent de regarder par terre, car en ce lundi matin en ville, au moment où ce cas de folie supplémentaire se déclare, une légère bruine typique de Londres en octobre se met à tomber.

— J'ai hâte de le lire !

Il agite le journal en l'air, crie dans les deux directions pour pouvoir être entendu de n'importe quel angle.

Que dit-on à quelqu'un dont on a sauvé la vie ? Dis quelque chose de profond. Dis quelque chose de drôle. Dis quelque chose de philosophique.

— Je suis content que vous soyez en vie !

— Euh, merci.

Une femme passe devant lui à pas pressés, tête basse.

— Euh... Je ne serai pas là demain... Au cas où vous auriez prévu de revenir.

Il agite son café en l'air, des gouttelettes s'échappent du trou dans le couvercle et lui brûlent la main. Quel que soit son mystérieux livreur, il est passé il y a peu.

— Euh... Je prends le premier avion pour Dublin demain matin. Vous êtes de là-bas ? crie-t-il dans le vent.

La brise détache encore quelques feuilles aux arbres. Elles atterrissent en plein élan et filent en raclant le sol jusqu'à ce qu'elles puissent s'arrêter sans danger.

— En tout cas, merci encore !

Il agite le journal et se retourne vers l'immeuble.

Doris et Al se tiennent en haut des marches, bras croisés, visage empreint d'inquiétude. Al a repris son souffle et un peu d'emprise sur lui-même, mais il s'appuie encore à la rampe.

Justin se fourre le journal sous le bras, se redresse, et tente de prendre un air aussi respectable que possible. Il met la main dans sa poche et se dirige vers la maison. Sentant un morceau de papier, il le sort et le parcourt avant de le froisser et de le jeter dans la benne. Il a sauvé une vie, comme il le pensait. Il doit se concentrer sur le plus important. Il regagne l'appartement, avec toute la dignité qu'il peut rassembler.

Du fond de la benne, tapie sous des rouleaux de moquette élimée et puante, des carrelages cassés, des pots de peinture et des plaques de plâtre, je reste allongée dans la vieille baignoire et écoute les voix s'éloigner, jusqu'à ce que la porte de l'appartement se referme enfin.

Une boule de papier a atterri à côté et, en tendant le bras pour l'attraper, je me cogne l'épaule contre un tabouret à deux pieds, qui m'est tombé dessus quand je me suis précipitée dans la benne. J'ouvre le papier et le lisse. Mon cœur reprend son rythme de rumba quand j'y vois mon prénom, l'adresse de papa et son numéro de téléphone.

32

— Où tu étais, Gracie ? Qu'est-ce qui t'est arrivé ?

— Joyce.

C'est ma seule réponse en m'engouffrant dans la chambre d'hôtel, hors d'haleine, couverte de peinture et de poussière.

— Pas le temps de t'expliquer.

Je cours en tous sens, jette mes affaires dans ma valise, choisis des vêtements pour me changer et passe en trombe devant papa, assis sur son lit, pour gagner la salle de bains.

— J'ai essayé de t'appeler sur ton téléphone de poche, me dit papa.

— Ah bon ? Je n'ai pas entendu la sonnerie.

J'enfile mon jean en sautillant sur un pied, tout en me brossant les dents.

J'entends sa voix, un marmonnement, mais pas de mots.

— Je ne t'entends pas, je me lave les dents !

Il se tait pendant que je finis. À mon retour, il reprend comme si les cinq minutes de silence n'avaient pas eu lieu.

— C'est parce que quand j'ai appelé, je l'ai entendu sonner ici, dans la chambre. Il était sur ton oreiller. Comme les chocolats que laissent les dames de l'hôtel.

— Oh ! D'accord.

Je saute par-dessus ses jambes pour atteindre la coiffeuse et me remaquiller.

— Je m'inquiétais pour toi, dit-il doucement.

— Tu n'aurais pas dû.

Je sautille avec une seule chaussure, tout en cherchant l'autre partout.

— Alors j'ai appelé la réception pour voir s'ils savaient où tu étais.

— Ah ?

Je renonce à trouver ma chaussure et me concentre pour mettre mes boucles d'oreilles. Mes doigts tremblent sous l'effet de l'adrénaline causée par l'affaire Justin, et deviennent trop maladroits pour la tâche à accomplir. Le fermoir d'une des boucles tombe par terre. Je me mets à quatre pattes pour le retrouver.

— Et ensuite, j'ai parcouru la rue dans les deux sens, j'ai vérifié dans toutes les boutiques que tu aimes, en demandant aux commerçants s'ils t'avaient vue.

— Tu as fait ça ? dis-je, distraite.

Je sens les poils de la moquette m'irriter les genoux.

— Oui.

Je trouve le fermoir de ma boucle d'oreille derrière la coiffeuse.

— Aaah ! Je l'ai ! Où est passée mon autre chaussure ?

— Et en chemin, continue papa tandis que je retiens mon exaspération, j'ai rencontré un agent et je lui ai dit que j'étais très inquiet. Il m'a raccompagné à l'hôtel et m'a conseillé de t'attendre mais d'appeler ce numéro si tu n'étais pas revenue au bout de vingt-quatre heures.

— C'est gentil.

J'ouvre la penderie, toujours à la recherche de ma chaussure. Elle contient encore les vêtements de papa.

— Papa ! Tu as oublié ton deuxième costume. Et ton beau pull-over.

Je le regarde, pour la première fois depuis mon arrivée. Je le trouve vraiment très pâle. Il paraît si vieux dans cette chambre moderne, sans âme. Assis sur son lit, avec sa valise faite, ou à moitié faite, posée debout par terre. Dans une main, il tient la photo de maman, et dans l'autre la carte que lui a donnée le policier. Ses doigts tremblent, ses yeux sont rouges et irrités. Je commence à paniquer.

— Papa, ça va ?

— Je m'inquiétais, répète-t-il de cette toute petite voix que j'ai pratiquement ignorée depuis mon arrivée.

Il déglutit avec difficulté.

— Je ne savais pas où tu étais.

— Je suis allée voir un ami, dis-je doucement en m'asseyant à côté de lui.

— Ah ! Bien. Mais un ami, ici, s'inquiétait.

Il me fait un petit sourire. Un faible sourire, et sa fragilité me secoue. Il a l'air d'un vieillard. Sa bravade, sa jovialité ont disparu. Son sourire s'efface vite et ses mains tremblantes, d'habitude solides comme le roc, enfoncent la photo de maman et la carte du policier dans la poche de son manteau.

Je regarde sa valise.

— Tu l'as faite toi-même ?

— J'ai essayé. Je croyais que j'avais tout pris.

Gêné, il détourne les yeux de la penderie ouverte.

— Bon. Voyons ce qu'il y a dedans.

Je suis stupéfaite de m'entendre lui parler comme à un enfant.

— On a encore le temps ? demande-t-il.

Sa voix est si faible, j'ai l'impression de devoir parler tout bas pour ne pas le briser.

— Oui.

Mes yeux s'emplissent de larmes et les mots sortent plus violemment que je n'aurais voulu.

— On a tout notre temps.

Je détourne la tête, retiens mes larmes en posant sa valise sur le lit, et essaie de me reprendre. Le quotidien, le matériel, l'ordinaire, voilà ce qui fait tourner le moteur. L'ordinaire est si extraordinaire, c'est l'outil que nous employons tous pour continuer, une marque de santé mentale.

En ouvrant la valise, je sens ma maîtrise m'abandonner à nouveau mais je continue de parler, j'ai l'air d'une mère de famille des années soixante dans un feuilleton télévisé, répétant sans cesse les mantras hypnotiques qui assurent que tout va bien dans le meilleur des mondes. Je m'exclame et claque de la langue en inventoriant sa valise, un vrai chaos. Je ne devrais pas m'en étonner, puisque papa n'a jamais fait une valise de toute sa vie. Je suppose que ce qui me bouleverse, c'est l'idée qu'à soixante-quinze ans, après dix ans sans sa femme, il ne sache pas le faire, ou alors que ma disparition de quelques heures l'en ait empêché. Quelque chose d'aussi simple, mon père grand-comme-un-chêne, solide-comme-un-roc, ne peut l'accomplir. Il reste assis au bord du lit, en triturant sa casquette dans ses mains tordues, semées de taches de vin comme la robe d'une girafe, doigts tremblants en l'air comme sur le chevalet d'un violon pour contrôler le vibrato dans ma tête.

Les vêtements ont tenté de se plier mais en vain, ils se sont ramassés en petites boules sans ordre, comme empaquetés par un enfant. Je trouve ma chaussure dans des serviettes de bain. Je la sors et l'enfile sans rien dire, comme si c'était la chose la plus normale du monde. Les serviettes retournent à leur place. Je repars de zéro. Ses sous-vêtements sales, ses pyjamas, sa trousse de toilette. Je me retourne pour prendre les vêtements dans la penderie et respire à fond.

— Nous avons tout notre temps, papa.

Mais cette fois, c'est pour moi que je le dis.

Sur le chemin de l'aéroport, papa consulte sans cesse sa montre et s'agite sur son siège. Chaque fois que le métro s'arrête à une station, il pousse la banquette devant lui avec impatience, comme pour faire avancer la rame.

— Tu as un rendez-vous ?

— Le club du lundi.

Il me regarde d'un air inquiet. Il n'a jamais manqué une réunion, même pas quand j'étais à l'hôpital.

— Mais on est dimanche.

— Je n'ai pas envie de rater l'avion, voilà tout. On risquerait de rester bloqués ici.

— Oh, je crois qu'on y arrivera.

Je fais de mon mieux pour dissimuler mon sourire.

— Et il y a plus d'un vol par jour, tu sais.

— Bon.

Il paraît soulagé, et même impressionné.

— J'arriverai peut-être même à temps pour la messe de ce soir. Oh, les copains ne voudront pas me croire, ajoute-t-il, tout excité. Donal va tomber raide mort en voyant qu'on m'écoute moi plutôt que lui, pour une fois.

Il s'appuie au dossier de son siège et regarde par la vitre l'obscurité des tunnels qui défile. Il a le regard fixe, il ne voit pas son reflet mais quelque chose d'autre, quelqu'un d'autre, très loin, il y a très longtemps. Pendant qu'il est dans un autre monde, ou alors ce monde-ci, mais à une autre époque, je sors mon mobile et entreprends d'organiser la suite.

— Frankie, c'est moi. Justin Hitchcock prend le premier avion pour Dublin demain matin et j'ai besoin de savoir tout de suite ce qu'il va y faire.

— Et comment je suis censée m'y prendre, docteur Conway ?

— Je croyais que tu avais tes méthodes.

— C'est vrai. Mais je pensais que c'était toi, la voyante.

— Je ne suis pas voyante et je n'ai pas la moindre idée de l'endroit où il peut aller.

— Tes pouvoirs diminuent ?

— Je n'ai aucun pouvoir.

— Si tu veux. Laisse-moi une heure, je te rappelle.

Deux heures plus tard, au moment où papa et moi nous apprêtons à embarquer, Frankie me rappelle.

— Il doit être à la National Gallery demain matin à dix heures. Il donne une conférence sur une peinture qui s'appelle *Femme écrivant une lettre*. Ça m'a l'air passionnant.

— Oh oui ! C'est un des plus beaux tableaux de Terborch. À mon avis.

Silence.

— C'était de l'ironie, c'est ça ? Bon. Ton oncle Thomas a toujours sa compagnie ?

Je souris, ravie de mon idée, et papa me dévisage avec curiosité.

— Qu'est-ce que tu prépares ? me demande-t-il, soupçonneux, dès que je raccroche.

— Je m'amuse un peu.

— Tu ne devrais pas reprendre le travail ? Ça fait des semaines maintenant. Conor a appelé sur ton téléphone de poche pendant que tu n'étais pas là, ce matin. J'ai oublié de te le dire. Il est au Japon, mais je l'entendais très bien, commente-t-il, impressionné soit par Conor, soit par le réseau téléphonique, je ne saurais dire. Il veut savoir pourquoi il n'y a pas encore de panneau « À vendre » dans le jardin. Il dit que tu étais censée t'en occuper.

Il semble inquiet, comme si j'avais enfreint une règle vieille comme le monde et que la maison risquait d'exploser sans un panneau « À vendre » planté dans le sol.

— Je n'ai pas oublié.

L'appel de Conor me déstabilise.

— Je vais la vendre moi-même. J'ai ma première visite demain.

Il paraît dubitatif et il a raison, parce que je mens comme une arracheuse de dents, mais il me suffit de chercher dans mon répertoire et d'appeler ceux de mes clients qui cherchent ce genre de produit. Je pense déjà à quelques personnes.

— Ton agence le sait ?

— Oui.

Je souris, crispée.

— Ils peuvent prendre les photos et installer le panneau en quelques heures. J'ai des relations dans le monde de l'immobilier.

Il lève les yeux au ciel.

Nous boudons tous deux, sans nous regarder, et pour ne pas avoir l'impression de mentir, pendant que nous avançons lentement dans la file d'embarquement, j'envoie des textos à des clients à qui j'ai déjà fait visiter des maisons avant mon congé, pour voir s'ils sont intéressés. Puis je demande à mon loyal photographe de prendre les clichés de la maison. Au moment de m'asseoir dans l'avion, j'ai déjà organisé les photos et le panneau pour le jour même, et une visite pour demain. Tous deux sont instituteurs à l'école du quartier, ils viendront visiter la maison pendant leur pause déjeuner. Leur message se termine par l'inévitable « J'ai été vraiment navrée d'apprendre la nouvelle. Je pense à vous. À demain. Affectueusement, Linda. »

J'efface le message.

Papa regarde mon pouce appuyer à toute vitesse sur les touches du téléphone.

— Tu écris un livre ?

Je l'ignore.

— Tu vas avoir de l'arthrite dans le pouce et ce n'est pas drôle, je peux te le dire.

J'appuie sur « envoi » et éteins le téléphone.

— Tu disais bien la vérité, pour la maison ? demande-t-il.

— Oui, dis-je avec assurance, maintenant que j'ai tout arrangé.

— Parce que, je n'étais pas au courant. Je ne savais pas quoi lui dire.

Un point pour moi.

— Ça va, papa. Tu n'as pas à te sentir impliqué.

— Je le suis.

Un point pour lui.

— Tu ne l'aurais pas été si tu n'avais pas répondu sur *mon* téléphone.

Deux à un.

— Tu as disparu toute la matinée. Qu'est-ce que j'étais censé faire ? Laisser sonner ?

Deux à deux.

— Il s'inquiète pour toi, tu sais. Il pense que tu devrais aller voir quelqu'un. Un professionnel.

Ça ne compte pas.

— Tiens donc !

Je croise les bras. J'ai envie de l'appeler immédiatement et de rabâcher tout ce que je déteste chez lui et qui m'a toujours énervée. Sa manie de se couper les ongles des pieds au lit, de se moucher le matin à faire trembler la maison, son incapacité à laisser les gens finir leurs phrases, son stupide tour de magie avec une pièce auquel j'ai toujours fait semblant de rire, y compris la première fois, son inaptitude à accepter une conversation sérieuse sur nos problèmes, son habitude de fuir pendant nos disputes... Papa interrompt ma séance de torture silencieuse de Conor.

— Il m'a raconté que tu l'avais appelé au milieu de la nuit en bredouillant du latin.

— Ah bon ? dis-je, sentant la colère monter en moi. Qu'est-ce que tu as répondu ?

Il regarde par le hublot pendant que l'avion accélère sur la piste.

— Que pour une Viking, ton italien était très bon aussi.

Je vois ses joues s'étirer et j'éclate de rire, tête en arrière.

Match nul.

Soudain il me saisit la main.

— Merci pour tout ça, ma chérie. Je me suis bien amusé.

Il serre ma main et se replonge dans la contemplation des prés verts le long de la piste, qui défilent à toute vitesse.

Tandis qu'il me tient la main, j'appuie la tête sur son épaule et ferme les yeux.

33

Mardi matin, Justin traverse à grands pas le hall des arrivées à l'aéroport de Dublin, téléphone collé à l'oreille, écoutant pour la énième fois la voix de Bea sur sa boîte vocale. Il soupire, yeux au ciel, en attendant le bip, exaspéré par le comportement puéril de sa fille.

— Allô, chérie, c'est moi. Papa. Encore. Écoute, je sais que tu es fâchée contre moi, et qu'à ton âge on prend tout affreusement à cœur, mais si tu écoutais ce que j'ai à te dire, je parie que tu serais d'accord avec moi et que tu m'en remercierais quand tu seras devenue vieille et chenue. Je veux ce qu'il y a de mieux pour toi, et je ne raccrocherai pas avant de t'avoir convaincue...

Il raccroche.

Derrière la barrière dans le hall des arrivées, un homme d'un mètre quatre-vingts en costume sombre tient une grosse pancarte blanche avec le nom de famille de Justin en capitales. En dessous se trouve le mot magique : Merci.

Ce mot a attiré son attention sur des affiches, des journaux, des publicités à la radio et à la télévision toute la journée, tous les jours depuis l'arrivée de la première carte. Chaque fois que ce mot passe les lèvres de passants, il se retourne et les suit, comme hypnotisé, comme s'il recélait un message crypté spécialement pour lui. Ce mot flotte dans l'air comme le parfum de l'herbe fraîchement coupée un jour d'été, il porte en lui un sentiment, un endroit, une saison, un bonheur, une célébration du changement. Il en est transporté, comme lorsqu'on entend les premières mesures d'une chanson familière de sa jeunesse, et que la nostalgie, comme une marée, vous attrape sur le sable, vous emporte, vous submerge au moment où vous vous y attendez le moins, souvent où vous le voulez le moins.

Ce mot est dans sa tête en permanence. *Merci, merci, merci.* Plus il l'entend, plus il relit les deux brefs messages, plus il lui devient étranger, comme s'il voyait cette suite de lettres particulière pour la première fois de sa vie – comme des notes de musique simples et familières qui, réarrangées, se métamorphosent en chef-d'œuvre.

Cette transformation du quotidien en magique, cette perception grandissante que ce qu'il perçoit n'existe pas, lui rappelle l'époque où, enfant, il passait de longs moments silencieux à se dévisager dans une glace. Perché sur un tabouret pour être à bonne hauteur, plus il scrutait son image, plus elle se changeait en un visage qui lui était totalement étranger. Ce n'était pas le visage que son esprit l'avait obstinément persuadé qu'il possédait, mais le vrai lui : les yeux plus écartés qu'il ne le croyait, une paupière plus basse que l'autre, une narine aussi, un tout petit peu plus basse que l'autre, une des commissures de ses lèvres incurvée vers le bas, comme si l'on avait tracé au milieu de son visage une ligne qui tirait tout vers le sud, tel un couteau dans un gâteau au chocolat pâteux. La surface, lisse auparavant, coulait, pendait. Indécelable au premier coup d'œil. Seule une analyse attentive, avant de se brosser les dents le soir, lui révélait qu'il portait le visage d'un étranger.

Il s'éloigne d'un pas de ce mot, en fait le tour plusieurs fois, l'examine sous différents angles. Tout comme une toile dans un musée, le mot lui-même dicte la hauteur à laquelle il doit être exposé, et la position d'où il doit être contemplé. Il vient de trouver le bon angle. Maintenant, il discerne à la fois son poids et le message qu'il apporte, comme un pigeon, comme une huître avec sa perle, une abeille gardant loyalement sa reine et son miel, munie de son dard. Le mot semble décidé, il possède la force de la beauté et des armes. « Merci » n'est plus une simple marque de politesse répétée mille fois par jour. « Merci » a maintenant un sens.

Il ne pense plus du tout à Bea. Il referme son téléphone et s'approche de l'homme à la pancarte.

— Bonjour.

— Monsieur Hitchcock ?

Les sourcils de cet homme sont si épais et si sombres que Justin a du mal à voir ses yeux.

— Oui, dit-il d'un ton soupçonneux. Cette voiture est pour *Justin* Hitchcock ?

L'homme consulte un papier dans sa poche.

— Oui, monsieur. C'est toujours vous ?

— M-oui, fait-il, méditatif. C'est moi.

— Vous n'avez pas l'air très sûr, remarque le chauffeur en baissant sa pancarte. Où allez-vous ce matin ?

— Vous n'êtes pas censé être au courant ?

— Si. Mais la dernière fois que j'ai laissé quelqu'un d'aussi indécis que vous monter dans ma voiture, j'ai déposé un activiste des droits des animaux en pleine réunion de l'association irlandaise de vénerie. Le président de l'association n'a pas apprécié. Il s'est retrouvé coincé à l'aéroport sans voiture, pendant que le fou furieux que j'avais pris balançait de la peinture rouge dans la salle de réunion. Disons qu'en termes de pourboire, ça a été ce que la meute appellerait rentrer à vide.

— Moi, je ne crois pas que la meute appellerait ça quoi que ce soit, plaisante Justin. Sauf peut-être...

Il lève le menton pour hurler, tout joyeux.

— ... Ouah-ouah.

Le chauffeur le dévisage.

Justin rougit.

— Bon. Je vais à la National Gallery. Je ne suis pas un activiste anti-art, fait-il après un silence. Je vais parler de peinture, et non utiliser les gens comme toiles pour me calmer les nerfs. Encore que, si mon ex-femme est dans la salle, je me précipiterai volontiers sur elle avec un pinceau.

Il éclate de rire, et le chauffeur réagit en le dévisageant à nouveau.

— Je ne savais pas qu'on allait venir me chercher, jacasse Justin, sur les talons du chauffeur qui sort de l'aéroport pour déboucher sous le ciel gris d'octobre. Personne au musée ne m'en a informé, ajoute-t-il pour jauger sa réaction en se pressant sous les gouttes qui descendent en chute libre, puis ouvrent leur parachute au dernier moment en arrivant au-dessus de sa tête et de ses épaules.

— Je n'ai été prévenu de cette mission qu'hier soir, tard. J'étais supposé me rendre à l'enterrement de la tante de ma femme aujourd'hui.

Il fouille dans ses poches, à la recherche du ticket de parking, et le valide dans la machine.

— Oh, je suis désolé.

Justin cesse de frotter les gouttes qui ont raté leur atterrissage et se sont écrasées sur sa veste de velours côtelé marron, pour regarder le chauffeur d'un air grave, avec respect.

— Moi aussi j'étais désolé. Je déteste les enterrements.

Quelle drôle de réponse !

— Vous n'êtes sûrement pas le seul.

Le chauffeur s'arrête et se retourne vers Justin avec un air parfaitement sérieux.

— J'ai toujours envie de rire. Ça vous est déjà arrivé ?

Justin ne sait s'il doit le prendre au sérieux ou non, et le chauffeur ne laisse pas échapper le plus petit sourire. Justin revoit l'enterrement de son père, retourne à ses neuf ans. Les deux familles blotties l'une contre l'autre au cimetière. Tous les participants vêtus de noir des pieds à la tête, comme des scarabées autour du trou sale et béant où l'on allait faire descendre le cercueil. La famille de son père était venue d'Irlande, et avait apporté la pluie avec elle, phénomène rare durant les étés caniculaires de Chicago. Tous se protégeaient sous des parapluies. Lui se tenait tout près de sa tante Esmelda, qui tenait son parapluie d'une main et de l'autre lui serrait très fort l'épaule. Al et sa mère, à côté, s'abritaient sous un autre parapluie. Al avait apporté une voiture de pompiers, avec laquelle il jouait pendant que le prêtre discourait sur la vie de leur père. Justin en était irrité. En fait, ce jour-là, tout et tous l'irritaient.

Il avait revêtu son plus beau costume pour accueillir sa tante Esmelda ce matin-là, comme sa mère le lui avait demandé de sa nouvelle voix, si basse qu'il devait approcher son oreille de ses lèvres pour l'entendre. Comme chaque fois qu'ils se retrouvaient après leurs longues périodes de séparation, sa tante s'était vantée de ses dons de voyance.

— Je sais exactement de quoi tu as envie, petit soldat, déclara-t-elle avec son fort accent de Cork, si difficile à comprendre pour Justin.

Il ne savait jamais si elle chantait ou lui parlait. Elle avait fouillé dans son sac à main géant et en avait sorti un soldat au sourire en plastique et au salut en plastique, avait ôté le prix sur le paquet, et le nom du soldat par la même occasion, avant de le lui tendre. Justin avait examiné le Colonel Sans-nom, qui le saluait d'une main et tenait un pistolet en plastique de l'autre, et s'en était méfié instantanément. Le pistolet s'était perdu dans le lourd amas de manteaux noirs dès l'ouverture du paquet. Comme d'habitude, les pouvoirs psychiques de tante Esmelda s'étaient réglés sur le mauvais petit garçon, car Justin ne voulait pas de soldat en plastique, ce jour-là encore moins qu'un autre, et il ne pouvait s'empêcher d'imaginer un autre petit garçon, à l'autre bout de la ville, qui espérait ce soldat pour son anniversaire et recevait à la place le père de Justin, traîné jusque-là par les cheveux. Mais il accepta son gentil cadeau avec un sourire aussi large et sincère que celui du Colonel Sans-nom. Plus tard, alors qu'il se tenait debout devant le trou, peut-être que pour une fois tante Esmelda lut vraiment dans ses pensées, car sa main se serra sur son épaule maigre et ses ongles s'enfoncèrent dans sa chair comme pour l'empêcher de sauter. Et Justin avait bien envisagé de sauter dans ce trou sombre et humide.

Il tenta de se représenter ce monde d'en bas. S'il pouvait échapper à la main puissante de sa tante de Cork et bondir dans le trou avant que quiconque puisse l'attraper, peut-être que quand le sol serait refermé sur eux, comme un tapis d'herbe qu'on rabat, ils pourraient être ensemble. Il se demanda s'ils pourraient avoir leur propre petit monde confortable sous la terre. Il pourrait avoir son père pour lui tout seul, au lieu de devoir le partager avec maman et Al. Alors ils pourraient jouer et rire ensemble, là où il faisait sombre. Peut-être que papa n'aimait tout simplement pas la lumière, peut-être qu'il voulait que la lumière s'en aille, qu'elle ne l'oblige plus à plisser les yeux, qu'elle ne brûle plus sa peau claire, faisant ressortir ses taches de rousseur, ce qui arrivait toujours quand le soleil se montrait. Quand ce chaud soleil était dans le ciel, il gênait son papa, qui devait rester à l'ombre pendant que lui, maman et Al jouaient dehors. Maman brunissait de plus en plus, alors que lui pâlissait et devenait plus irritable. Il voulait peut-être simplement une trêve dans l'été, pour que cessent les démangeaisons et l'énervement de la lumière.

Quand on descendit le cercueil, sa mère poussa un hurlement qui fit pleurer Al. Justin savait que son frère ne pleurait pas parce que leur père lui manquait, mais parce que la réaction de sa mère l'avait effrayé. Toute la congrégation eut le cœur brisé à la vue de ce petit garçon abandonné, en larmes. Même le frère de leur père, Seamus, qui semblait toujours prêt à éclater de rire, avait la lèvre qui tremblait, et une veine qui lui saillait dans le cou comme celle d'un haltérophile, ce qui fit penser à Justin qu'il y avait quelqu'un d'autre à l'intérieur de son oncle Seamus, qui brûlait de sortir.

On ne devrait jamais commencer à pleurer. Parce que quand on commence... Justin avait envie de leur crier d'arrêter leurs bêtises : Al ne pleurait pas à cause de son père. Il avait envie de leur dire qu'Al ne comprenait pas bien ce qui se passait. Toute la journée, il s'était concentré sur son camion de pompiers, en levant de temps à autre vers Justin un visage si interrogatif qu'il devait se détourner.

Des hommes en costume avaient apporté là le cercueil de son père. Des hommes qui n'étaient pas ses oncles, ni des amis de son père. Ils ne pleuraient pas comme les autres, mais ils ne souriaient pas non plus. Ils ne semblaient pas s'ennuyer, mais ils ne semblaient pas non plus s'intéresser à ce qui se passait. On aurait dit qu'ils avaient déjà assisté une centaine de fois aux funérailles de son père, et ne s'émouvaient guère qu'il soit encore mort, mais ne s'indignaient pas non plus d'avoir à creuser un nouveau trou, de le transporter et l'enterrer à nouveau. Il regarda les hommes qui ne souriaient pas jeter des poignées de terre sur le cercueil, qui tambourinèrent contre le bois. Il se demanda si le bruit réveillerait son père de son sommeil estival. Il ne pleura pas comme tous les autres parce que, il en était sûr, son père avait finalement échappé à la lumière. Il n'aurait plus à rester tout seul à l'ombre.

Justin se rend compte que le chauffeur le dévisage avec attention. Son visage se rapproche, comme s'il attendait la réponse à une question très intime sur une éruption de boutons pour savoir si Justin en avait déjà eu, lui aussi.

— Non, répond doucement Justin, en s'éclaircissant la gorge et en accommodant son regard à un monde plus vieux de trente-cinq ans.

Voyage de l'esprit dans le temps. Puissant.

— On y est.

Le chauffeur appuie sur le bouton de sa clef et les lumières d'une Mercedes classe S clignotent.

La bouche de Justin s'ouvre.

— Vous savez qui a arrangé ça ?

— Aucune idée, répond le chauffeur en lui ouvrant la portière. Je me contente d'obéir aux ordres de mon patron. Encore que je n'aie pas l'habitude d'écrire « merci » sur la pancarte. Ça veut dire quelque chose pour vous ?

— Oui mais… c'est compliqué. Pourriez-vous demander à votre patron qui paie ?

Justin s'installe sur la banquette arrière et pose sa mallette à côté de lui, par terre.

— Je peux toujours essayer.

— Ce serait super.

Là, je te tiendrais !

Justin se détend sur le revêtement de cuir, étend les jambes et ferme les yeux, réprimant son sourire à grand-peine.

— Au fait, je m'appelle Thomas, se présente le chauffeur. Je suis à votre disposition toute la journée, alors quel que soit le lieu où vous désirez aller, il vous suffit de demander.

— Toute la journée ?

Justin manque s'étrangler sur sa bouteille gratuite d'eau fraîche, qui l'attendait dans l'accoudoir. Il a sauvé la vie d'une personne riche. Super ! Il aurait dû parler à Bea d'autre chose que de muffins et de journal quotidien. Une villa dans le sud de la France. Quel idiot de ne pas avoir réfléchi plus vite.

— Ce ne serait pas votre entreprise qui a organisé ça pour vous ? s'enquiert Thomas.

— Sûrement pas.

— Peut-être que vous avez une marraine riche sans le savoir, suggère Thomas, visage de marbre.

— Peut-être. Et si on vérifiait ce que cette citrouille a dans le ventre ? propose Justin en riant.

— Avec ces bouchons, on ne peut pas la tester, répond Thomas en freinant pour s'insinuer dans la circulation dublinoise que le temps gris et pluvieux empire.

Justin appuie sur le bouton qui commande le chauffage des sièges et se laisse aller en sentant son dos et ses fesses tiédir. Il ôte ses chaussures d'une secousse, incline son siège et se détend en contemplant les visages ensommeillés des malheureux dans les bus qui regardent par les vitres embuées.

— Après le musée, ça vous ennuierait de me déposer dans D'Ollier Street ? Je dois voir quelqu'un à la clinique du sang.

— Pas de problèmes, patron.

La bourrasque automnale souffle et grogne en essayant d'arracher les dernières feuilles des arbres environnants. Elles se cramponnent, telles les bonnes d'enfants dans *Mary Poppins* à leurs réverbères. Comme bien des gens cet automne, les feuilles ne sont pas encore prêtes à lâcher prise. Elles s'accrochent de toutes leurs forces au passé ; elles n'ont pu contrôler leur changement de couleur mais sont bien décidées à se défendre bec et ongles avant d'abandonner l'endroit qui a été leur foyer pendant deux saisons. Je regarde une feuille céder et danser dans les airs avant de tomber par terre. Je la ramasse et la fais tourner lentement, en la tenant par la tige. Je n'aime pas beaucoup l'automne. Je n'aime pas beaucoup voir des choses si fortes s'étioler, perdre leur combat contre la nature, la puissance supérieure qu'elles ne peuvent contrôler.

— La voiture arrive, dis-je à Kate.

Nous nous tenons en face de la National Gallery, derrière les voitures garées, abritées par les arbres qui dépassent des grilles de Merrion Square.

— Tu as payé *ça* ? s'étonne Kate. Tu es vraiment folle.

— Comme si je ne le savais pas. En fait, j'ai payé demi-tarif. C'est l'oncle de Frankie qui conduit. Il dirige la compagnie. Fais semblant de ne pas le connaître s'il regarde vers nous.

— Je ne le connais pas.

— Parfait. Très convaincant.

— Joyce, je n'ai jamais vu ce type de ma vie.

— Génial. Vraiment.

— Combien de temps ça va durer, Joyce ? L'épisode à Londres, c'était drôle mais en réalité, tout ce qu'on sait, c'est qu'il a donné son sang.

— À moi.

— Nous n'en savons rien.

— Moi, je le sais.

— Tu ne peux pas le savoir.

— Si. C'est bien ça qui est drôle.

Dubitative, elle me dévisage avec tant de pitié que mon sang bouillonne.

— Kate, hier j'ai mangé du carpaccio au fenouil pour le dîner. Et j'ai passé la soirée à écouter l'*Ultimate Collection* de Pavarotti, en chantant pratiquement toutes les paroles avec lui.

— Je ne comprends toujours pas pourquoi tu crois que c'est ce Justin Hitchcock le responsable. Tu te rappelles ce film, *Phénomène* ? John Travolta devient un génie du jour au lendemain.

— Il a une tumeur au cerveau qui accroît ses facultés d'apprentissage.

La Mercedes se range devant le musée. Le chauffeur descend pour ouvrir la portière à Justin et il sort, mallette à la main, avec un sourire d'une oreille à l'autre. Je suis heureuse de constater que la provision pour la prochaine mensualité de la maison a été bien employée. Je m'inquiéterai de l'échéance et de tout le reste le moment venu.

Il a toujours l'aura que j'avais sentie le jour où je l'avais vu pour la première fois, au salon de coiffure – une présence qui propulse mon estomac sur l'échelle menant au plongeoir de la finale des Jeux olympiques. Il regarde le musée, le parc, et ses mâchoires bien dessinées sourient, d'un sourire qui me fait bondir une fois, deux fois, trois fois, avant de tenter le plus difficile des plongeons, le renversé périlleux carpé, et de finir par un plat sur le ventre, entrée dans l'eau peu raffinée qui prouve que je ne suis pas un paquet de nerfs endurci. Le plongeon, bien que terrifiant, était plutôt agréable et je suis prête à gravir cette échelle à nouveau.

Les feuilles autour de moi bruissent à l'arrivée d'une nouvelle brise et, c'est peut-être un effet de mon imagination, mais j'ai l'impression qu'elle m'apporte les effluves de son après-rasage, le même parfum qu'au salon de coiffure. J'ai une brève image de lui saisissant un paquet enveloppé de papier vert émeraude, qui étincelle sous les lumières d'un sapin de Noël et des bougies environnantes. Il est entouré d'un gros nœud rouge et mes mains deviennent un instant les siennes pendant qu'il le défait lentement, décolle le Scotch avec précaution, en prenant soin de ne pas le déchirer. Sa tendresse pour ce paquet enveloppé avec amour me frappe, jusqu'à ce que ses pensées deviennent les miennes et que je découvre son projet d'emporter le papier et de s'en servir pour les cadeaux non emballés qui attendent dans sa voiture. Dans le paquet, il y a un flacon et un nécessaire de rasage. Un cadeau de Bea pour Noël.

— Il est mignon, murmure Kate. Je soutiens ta campagne de harcèlement à cent pour cent, Joyce.

— Ce n'est pas du harcèlement, dis-je d'une voix sifflante. Et j'en ferais autant s'il était laid.

— Est-ce que je peux aller écouter sa conférence ?

— Non !

— Pourquoi ? Il ne m'a jamais vue, il ne peut pas me reconnaître. Je t'en prie, Joyce. Ma meilleure amie se croit liée à un étranger. Je pourrais au moins aller l'écouter pour voir de quoi il a l'air.

— Et Sam ?

— Tu veux bien t'en occuper un moment ?

Je me fige. Elle s'empresse de faire marche arrière.

— Oh, oublie ça. Je vais l'emmener avec moi. Je resterai au fond et je sortirai s'il dérange.

— Non, non, c'est d'accord. Je peux m'en occuper.

Je déglutis et me colle un sourire sur le visage.

— Tu es sûre ?

Elle paraît en douter.

— Je ne resterai pas pour toute la conférence. Je veux juste voir de quoi il a l'air.

— Je m'en sortirai très bien. Vas-y.

Je la pousse doucement en avant.

— Amuse-toi. On s'en sortira très bien, pas vrai ?

En guise de réponse, Sam enfourne son pied, chaussette comprise, dans sa bouche.

— Je n'en ai pas pour longtemps, je te le promets.

Kate se penche sur la poussette, embrasse son fils et s'empresse de traverser la rue pour entrer dans le musée.

— Et voilà.

Je regarde nerveusement autour de moi.

— Nous voilà seul à seul, Sean.

Il me fixe de ses grands yeux bleus et les miens s'emplissent instantanément de larmes.

Je regarde autour de moi pour m'assurer que personne ne m'a entendue. Je voulais dire Sam.

Justin monte sur l'estrade dans la salle de conférences en sous-sol. La foule de visages lui rend son regard ; il est dans son élément. Une retardataire, jeune, entre en s'excusant et s'assoit rapidement.

— Mesdames et messieurs, bonjour, et merci d'être venus jusqu'ici par ce temps pluvieux. Je vais vous parler de la *Femme écrivant une lettre*, de Terborch, un artiste baroque flamand du dix-septième siècle qui a grandement participé à la popularité du thème épistolaire. Cette toile – enfin, parmi d'autres –, ce genre de scène figure parmi mes préférés, surtout à notre époque où la lettre manuscrite est en voie d'extinction.

Il se tait.

En voie d'extinction, mais pas complètement éteinte, puisque quelqu'un m'envoie des messages.

Il descend de l'estrade, avance vers l'assistance et l'examine, visage empreint de suspicion. Ses yeux se plissent. Il inspecte les rangées, sachant qu'une des personnes présentes pourrait être son correspondant mystère.

Quelqu'un tousse, le ramenant à la réalité. Il est de nouveau parmi eux. Un peu perturbé, il reprend là où il s'était arrêté.

— À notre époque où la lettre manuscrite est en voie d'extinction, cette toile nous rappelle comment les grands maîtres de l'âge d'or ont représenté la subtile palette des émotions humaines à travers un aspect apparemment anodin de la vie quotidienne. Terborch n'est pas le seul artiste qui se soit intéressé à ce thème. Je ne peux avancer davantage sur ce sujet sans rendre hommage à Vermeer, Metsu et De Hooch, qui tous ont peint des personnages en train de lire, d'écrire, de recevoir ou d'adresser des lettres, comme je le mentionne dans mon livre *L'Âge d'or de la peinture hollandaise : Vermeer, Metsu et Terborch*. Dans les toiles de Terborch l'écriture devient le pivot à partir duquel se nouent des drames psychologiques complexes, et elles comptent parmi les premières œuvres à lier des amoureux grâce au thème de la lettre.

Au début de son discours, il a observé la retardataire et ensuite une autre jeune femme derrière elle, en se demandant si elles détectaient un sens plus profond dans ses paroles. Il manque éclater de rire en découvrant qu'il est persuadé, premièrement, que la personne dont il a sauvé la vie est dans la salle, deuxièmement, que c'est une jeune femme, et troisièmement, qu'elle est jolie. Ce qui l'amène à se demander ce qu'il attend exactement de l'intrigue actuelle.

Je dirige la poussette de Sam vers Merrion Square, et nous nous retrouvons transportés instantanément dans un autre monde, ombragé d'arbres adultes, environné de couleurs. Les ocres, rouges et jaunes du feuillage automnal jonchent le sol et, à chaque coup de vent, sautillent autour de nous comme des rouges-gorges curieux. Je choisis un banc au bord du chemin peu fréquenté et tourne la poussette de Sam face à moi. Dans les arbres au bord du sentier, la préparation des repas bat son plein.

J'observe Sam un moment, il se tord le cou pour regarder les dernières feuilles qui refusent d'abandonner leur branche, loin au-dessus de lui. Il pointe un minuscule doigt vers le ciel et émet des sons.

— Arbre, dis-je.

Il sourit, et je reconnais immédiatement sa mère.

Cette observation me donne comme un coup de pied au ventre. Il me faut un moment pour reprendre mon souffle.

— Sam, pendant qu'on est là, je voudrais vraiment qu'on discute.

Son sourire s'élargit.

— Je dois m'excuser.

Je m'éclaircis la gorge.

— Je ne t'ai pas accordé beaucoup d'attention ces temps-ci, hein ? Parce que...

Je m'interromps au passage d'un promeneur et attends qu'il s'éloigne pour reprendre.

— Tu comprends..., dis-je en baissant la voix, je ne supportais pas de te regarder...

Son sourire s'élargit.

— Viens là.

Je me penche, retire la couverture et appuie sur le bouton pour détacher la sangle de sécurité.

— Viens me voir.

Je le soulève et l'assois sur mes genoux. Je serre contre moi son corps chaud. Je hume le parfum sucré de son crâne, ses cheveux mousseux, soyeux comme du velours, son corps potelé, si doux dans mes bras. J'ai envie de le serrer plus fort.

— Ça me brisait le cœur de te regarder, de te câliner comme avant, parce que chaque fois que je te voyais, je me rappelais ce que j'avais perdu.

Il me regarde et émet des bulles en guise de réponse.

— Mais comment est-ce que j'ai pu avoir peur de te regarder ? dis-je en lui embrassant le nez. Je n'aurais pas dû reporter ça sur toi, mais c'est si difficile.

Les larmes montent et je les laisse couler.

— J'aurais voulu avoir un petit garçon ou une petite fille, pour qu'en voyant son sourire les gens se disent, oh, regarde, c'est le portrait craché de sa maman, ou alors, peut-être, il aurait eu mon nez, ou mes yeux, parce que c'est ce que les gens me disent. Ils me disent que je ressemble à ma mère. Et ça me fait très plaisir, Sam, vraiment, parce qu'elle me manque et que je veux me souvenir d'elle chaque jour. Mais te regarder, c'était différent. Je ne voulais pas me rappeler chaque jour que j'avais perdu mon bébé.

— Ba-ba, fait-il.

Je renifle.

— Ba-ba est parti, Sam. Sean si c'était un garçon, Grace si c'était une fille.

Je m'essuie le nez.

Peu intéressé par mes larmes, Sam détourne les yeux vers un oiseau. Il pointe à nouveau son doigt potelé.

— Oiseau, dis-je à travers mes larmes.

— Ba-ba, répond-il.

Je souris et m'essuie les yeux quand les larmes reviennent en force.

— Mais il n'y a ni Sean ni Grace maintenant.

Je le serre plus fort et laisse couler mes larmes, en sachant que Sam ne pourra me dénoncer à personne.

L'oiseau sautille un peu, puis s'envole.

— Ba-ba pati, fait Sam en tendant les mains, paumes au-dessus.

Je regarde l'oiseau voler au loin, encore visible, comme un grain de poussière sur le ciel bleu pâle. Mon cœur s'arrête.

— Ba-ba pati, dis-je à mon tour.

— Que voyons-nous dans ce tableau ? demande Justin.

Le silence s'installe, tous regardent l'écran.

— Bon. Commençons par le plus évident. Une jeune femme assise devant une table dans un intérieur calme. Elle écrit une lettre. Nous voyons une plume progresser sur une feuille de papier. Nous ne savons pas ce qu'elle écrit mais son sourire plein de douceur laisse supposer qu'elle s'adresse à un être cher, ou peut-être un amant. Sa tête penchée en avant souligne la courbe élégante de sa nuque...

Pendant que Sam, de retour dans sa poussette, dessine des cercles au pastel bleu ou, plus vraisemblablement, mitraille le papier de points en envoyant des shrapnels de couleur dans toute la poussette, je sors mes propres papiers et stylo de mon sac. Je prends en main mon stylo de calligraphie et m'imagine entendre les paroles de Justin, de l'autre côté de la rue. Je n'ai pas besoin de voir la *Femme écrivant une lettre* car elle est peinte dans mon esprit, après les années d'études intensives de Justin à l'université, et ensuite ses recherches pour son livre. Je commence.

Quand j'avais dix-sept ans, lors de ma phase gothique, cheveux teints en noir, visage blanc et lèvres rouges malmenées par un piercing, maman nous avait inscrites toutes les deux à un cours de calligraphie dans l'école primaire du quartier, dans l'espoir que cette activité nous permettrait d'établir un lien mère/fille. Chaque mercredi à dix-neuf heures.

Maman avait lu dans un livre à tendance New Age avec lequel papa n'était pas d'accord que si l'on partage des activités avec ses enfants, ils s'ouvrent plus facilement, d'eux-mêmes, et parlent de leur vie, plutôt que d'y être forcés lors des face-à-face formels, style interrogatoire, auxquels papa était plus habitué.

Les cours furent un succès et, malgré mes grognements et gémissements durant la phase d'apprentissage de cette technique rébarbative, je m'ouvris et me mis à tout lui dire. Enfin, presque tout. Le reste, elle en eut l'intuition. J'en tirai un amour plus profond, un respect et une compréhension pour elle en tant que personne, femme, et non simplement mère. J'en tirai également une certaine compétence en calligraphie.

Ainsi, poser la plume sur le papier, et retrouver le rythme des mouvements vifs du poignet qu'on nous avait inculqué, me transporte dans le temps jusqu'à ces cours, dans ces salles où j'apprenais avec ma mère.

J'entends sa voix, je respire son parfum et je repasse nos conversations, parfois difficiles parce que, à dix-sept ans, on a tendance à esquiver les sujets personnels. Mais nous parlions à notre façon, trouvions le moyen d'en venir au fait malgré tout. C'était l'activité idéale à choisir pour moi, à cet âge, elle-même n'en avait pas conscience. La calligraphie possède un rythme et plonge ses racines dans le style gothique. On la trace dans la vigueur de l'instant et elle a de la classe. Un style d'écriture uniforme, mais unique. Une leçon qui m'apprit que la conformité pourrait ne pas être tout à fait ce que je croyais, car il y a bien des moyens de s'exprimer dans un monde limité, sans franchir les bornes.

Soudain je lève les yeux.

— Trompe-l'œil, dis-je tout haut, en souriant.

Sam lève les yeux de son massacre au pastel et m'observe avec intérêt.

— Qu'est-ce que ça veut dire ? demande Kate.

— Le trompe-l'œil est une technique artistique qui fait appel à une image extrêmement réaliste pour créer l'illusion optique que l'objet peint existe réellement, explique Justin à la salle. Il regarde tous les visages dans le public.

Où es-tu ?

34

— Alors, comment ça s'est passé ? demande Thomas quand Justin remonte en voiture après sa conférence.

— Je vous ai vu au fond de la salle. Qu'est-ce que vous en pensez ?

— Eh bien, je ne connais pas grand-chose à l'art, mais ce qui est sûr, c'est que vous savez vous y prendre pour faire tout un discours sur une fille qui écrit une lettre.

Justin sourit et prend une nouvelle bouteille d'eau. Il n'a pas soif mais elle est là, et elle est gratuite.

— Vous cherchiez quelqu'un ? s'enquiert Thomas.

— Qu'est-ce que vous voulez dire ?

— Dans le public. J'ai remarqué plusieurs fois que vous regardiez les gens. Une femme, je parie ! lance-t-il en souriant.

Justin sourit aussi et secoue la tête.

— Je n'en sais rien. Vous me prendriez pour un fou si je vous racontais.

— Alors, qu'est-ce que tu en penses ?

Kate et moi nous promenons dans Merrion Square, et elle me raconte la conférence de Justin.

— Ce que j'en pense ? répète-t-elle en marchant lentement derrière la poussette de Sam. Je pense que ça n'a aucune importance s'il a mangé du carpaccio au fenouil hier parce que, de toute façon, il a l'air adorable. Je pense que, quelles que soient tes raisons d'être liée à lui ou attirée par lui, elles n'ont aucune importance. Tu devrais arrêter cette course-poursuite et te présenter, tout simplement.

— Je ne peux pas faire ça.

— Pourquoi pas ? Il avait l'air intéressé quand il courait après ton bus et quand il t'a vue au ballet. Qu'est-ce qui a changé ?

— Il ne veut plus entendre parler de moi.

— Qu'est-ce que tu en sais ?

— Je le sais.

— Comment ? Et ne me dis pas que c'est un truc que tu as lu dans les feuilles de thé.

— Maintenant, je bois du café.

— Tu détestes le café.

— Lui non, apparemment.

Elle fait de son mieux pour ne pas paraître négative, mais détourne les yeux.

— Il est trop occupé à chercher la femme à qui il a sauvé la vie, il ne s'intéresse plus à moi. Il avait mes coordonnées, Kate, et il n'a pas appelé. Pas une seule fois. En fait, il est allé jusqu'à les jeter dans une benne. Et ne me demande pas comment je le sais.

— Te connaissant, tu étais probablement au fond de la benne.

Je reste muette.

Kate soupire :

— Tu vas continuer ce petit jeu longtemps ?

— Pas très.

— Et ton travail ? Et Conor ?

— Conor et moi, c'est fini. Il n'y a rien de plus à en dire. Quatre ans de séparation, et nous serons divorcés. Quant à mon travail, je leur ai dit que je revenais la semaine prochaine – mon agenda est déjà plein de rendez-vous – et pour la maison... merde !

Je relève ma manche pour consulter ma montre.

— Je dois rentrer, je fais visiter la maison dans une heure.

Un baiser rapide et je me mets à courir vers l'arrêt de bus.

— C'est là.

Justin regarde par la vitre, vers les fenêtres du deuxième étage, qui abrite la clinique du sang.

— Vous donnez votre sang ? demande Thomas.

— Pas question. Je vais voir quelqu'un. Je ne devrais pas en avoir pour longtemps. Si vous voyez des voitures de police arriver, faites démarrer le moteur.

Il sourit, mais sans beaucoup de conviction.

À la réception, il demande timidement à voir Sarah, et on lui dit de s'installer dans la salle d'attente. Autour de lui, des hommes et des femmes, en costumes et tailleurs, venus pendant leur pause déjeuner, attendent d'être appelés pour leur don de sang en lisant des journaux.

Il s'approche subrepticement de la femme assise à côté de lui, qui feuillette un magazine. Il se penche vers son épaule et la fait sursauter en chuchotant :

— Vous êtes bien sûre de vouloir faire ça ?

Tous dans la pièce abaissent leur journal ou magazine pour le dévisager. Il tousse, détourne les yeux, fait comme si c'était quelqu'un d'autre qui avait parlé. Sur les murs autour de lui sont collées des affiches encourageant au don de sang, ou remerciant les donneurs, avec des images d'enfants sauvés de la leucémie ou autre maladie. Il attend depuis déjà une demi-heure et vérifie sa montre toutes les minutes, sachant qu'il a un avion à prendre. Quand la dernière personne sort, le laissant seul dans la pièce, Sarah apparaît à la porte.

— Justin.

Elle n'est pas glaciale, ni dure, ni furieuse. Calme. Blessée. C'est pire. Il préférerait qu'elle soit en colère.

— Sarah.

Il se lève, se débat maladroitement dans une demi-étreinte, un baiser sur la joue qui en devient deux, un douteux troisième qui avorte et devient presque un baiser sur les lèvres. Elle s'écarte pour mettre fin à ces effusions grotesques.

— Je ne peux pas rester longtemps. Je dois aller à l'aéroport prendre un avion. Mais je voulais passer et te voir face à face. On peut parler quelques minutes ?

— Bien sûr.

Elle entre dans la salle d'attente et s'assoit, bras croisés.

— Oh ! Tu n'as pas un bureau, quelque chose ?

— Ici, c'est calme et agréable.

— Où est ton bureau ?

Ses yeux se plissent, pleins de suspicion. Il abandonne le sujet et s'assoit près d'elle.

— En réalité, je suis venu m'excuser de mon attitude à notre dernier rendez-vous. Enfin, à chacun de nos rendez-vous et chaque moment qui a suivi. Je suis vraiment désolé.

Elle hoche la tête, attend qu'il poursuive.

Merde ! C'est tout ce que j'avais préparé. Réfléchis ! Tu es désolé et...

— Je ne voulais pas te blesser. Ce jour-là, j'ai été très perturbé par ces espèces de Vikings fous. En fait, on pourrait dire que je suis perturbé par des Vikings fous tous les jours depuis un ou deux mois, et, euh...

Réfléchis !

— Je pourrais aller aux toilettes ? Si ça ne t'ennuie pas. S'il te plaît.

Elle paraît un peu surprise mais lui indique le chemin.

Devant la maison, ornée depuis peu d'une pancarte « À vendre » fixée à la façade, Linda et son mari Joe pressent leur nez contre la vitre et s'extasient sur le séjour. Un sentiment protecteur m'envahit. Puis disparaît comme il est venu. Une maison n'est qu'une maison. Celle-ci, en tout cas.

— Joyce, c'est vous ?

Linda abaisse lentement ses lunettes de soleil.

Je leur adresse un grand sourire tremblant, prends le trousseau de clefs dans ma poche, d'où j'ai déjà retiré mes clefs de voiture et la coccinelle en peluche qui était autrefois sur le trousseau de ma mère. Même les clefs ont perdu leur âme, leur espièglerie : il ne leur reste plus que leur fonction.

— Vos cheveux, ça vous change tellement !

— Salut Linda, salut Joe.

Je leur tends la main.

Linda a d'autres plans et me serre longuement dans ses bras.

— Oh, je suis tellement navrée ! Ma pauvre, s'écrie-t-elle en m'écrasant contre elle.

Ce serait peut-être gentil si nous avions partagé davantage que trois visites de maisons il y a plus d'un mois, et déjà à l'époque elle avait posé les mains sur mon ventre presque plat en apprenant que j'étais enceinte. Soudain, mon corps appartenait à tout le monde, ce que j'avais trouvé franchement assommant pendant le seul mois où j'avais pu parler de ma grossesse.

Elle baisse la voix et murmure en regardant mes cheveux :

— C'est à l'hôpital qu'ils vous ont fait ça ?

— Euh, non. Ils m'ont fait ça dans un salon de coiffure, dis-je d'une voix guillerette.

Ma Dame des Traumatismes entre en scène pour sauver la situation. Je tourne la clef dans la serrure et m'efface pour les laisser entrer.

Linda pousse une exclamation ravie. Son mari sourit et lui prend la main. Une image me traverse l'esprit, de Conor et moi dix ans plus tôt, venus visiter les lieux, dont venait de partir une vieille dame qui y avait vécu seule pendant les vingt années précédentes. Je pénètre dans la maison derrière Conor et mon moi d'il y a dix ans, et soudain ils sont réels, et je deviens le fantôme. Je me rappelle ce que nous avons vu, j'écoute notre conversation, je rejoue la scène.

La maison puait. Les sols étaient recouverts de vieilles moquettes, les planchers grinçaient, les fenêtres étaient pourries et le papier peint si ancien qu'il venait de se démoder pour la troisième fois. C'était un endroit répugnant, un véritable gouffre financier, mais nous en étions tombés amoureux dès le seuil, à l'endroit précis où se tiennent maintenant Linda et Joe.

Nous avions tout devant nous à l'époque, quand Conor était le Conor que j'aimais, et moi, l'ancienne moi, un couple parfaitement assorti. Puis Conor est devenu celui qu'il est maintenant, et je suis devenue la Joyce qu'il n'aime plus. À mesure que les lieux embellissaient, notre relation enlaidissait. Lors de notre première nuit dans la maison, nous aurions pu dormir sur un tapis infesté de poils de chat, et être heureux, mais ensuite nous avons tenté de réparer tout ce qui clochait dans notre mariage par l'achat d'un nouveau canapé, la réparation des portes, le remplacement des fenêtres qui laissaient passer les courants d'air. Si seulement nous avions consacré autant de temps et de concentration à nous-mêmes ; amélioration de soi plutôt que de l'habitat. Aucun de nous n'a songé à supprimer les courants d'air dans notre relation. Ils sifflaient dans les fentes de plus en plus larges et aucun de nous n'y prêtait attention, jusqu'à ce que nous nous réveillions un matin, les pieds gelés.

— Je vais vous faire visiter le bas, mais...

Je regarde la porte de la chambre d'enfant. Elle ne palpite plus comme la première fois que j'étais revenue. Ce n'est qu'une porte, silencieuse et immobile. Qui fait ce que font les portes. Rien.

— Je vous laisserai vous promener en haut seuls.

— Les propriétaires y habitent encore ? demande Linda.

— Non, non, ils sont partis depuis longtemps, dis-je en regardant autour de moi.

En se dirigeant vers les toilettes, Justin lit les noms sur les portes, à la recherche du bureau de Sarah. Il ne sait par où commencer mais peut-être que s'il trouve le dossier concernant la collecte à Trinity College au début de l'automne, il se rapprochera de la solution.

Il voit son nom sur la porte, y tape doucement. Comme personne ne répond, il entre et referme derrière lui avec précaution. Il balaie la pièce du regard, les piles de dossiers sur les étagères. Il se précipite vers les meubles de classement et commence à y fourrager hâtivement. Quelques instants plus tard, la poignée de la porte tourne. Il laisse tomber le dossier qu'il tient, se retourne et se fige. Sarah le regarde, choquée.

— Justin ?

— Sarah ?

— Qu'est-ce que tu fais dans mon bureau ?

Tu es un homme instruit. Trouve quelque chose d'intelligent.

— Je me suis perdu.

Elle croise les bras.

— Si tu me disais enfin la vérité ?

— Je revenais des toilettes et j'ai vu ton nom sur la porte, alors j'ai eu envie d'entrer, pour voir à quoi ressemble ton bureau. Tu comprends, je suis persuadé qu'un bureau, c'est très révélateur sur une personne et je me suis dit que si nous avions un avenir...

— Nous n'avons aucun avenir.

— Ah. Je comprends. Mais si nous avions dû avoir...

— Non.

Il regarde autour de lui et remarque une photo de Sarah entourant de ses bras une petite fille blonde et un homme. Ils posent, heureux, sur une plage.

Sarah suit son regard.

— C'est ma fille, Molly.

Elle pince les lèvres, furieuse contre elle-même d'avoir ouvert la bouche.

— Tu as une fille ?

Il tend la main vers le cadre, interrompt son geste avant de le toucher et, des yeux, lui demande la permission.

Elle hoche la tête, ses lèvres se détendent. Il prend la photo.

— Elle est magnifique.

— Oui.

— Quel âge a-t-elle ?

— Six ans.

— Je ne savais pas que tu avais une fille.

— Il y a des tas de choses que tu ne sais pas sur moi. Tu n'es jamais resté assez longtemps à nos rendez-vous pour parler de quoi que ce soit d'autre que de toi.

Justin se ratatine, le cœur lourd.

— Sarah, je suis terriblement désolé.

— C'est ce que tu as dit, avec tant de sincérité, juste avant d'entrer pour fouiner dans mon bureau.

— Je ne fouinais pas...

Le regard de Sarah suffit à l'empêcher d'énoncer un nouveau mensonge. Elle lui prend la photo des mains, doucement. Il n'y a rien chez elle de dur ou d'agressif. Elle est déçue. Ce n'est pas la première fois qu'un imbécile comme Justin la laisse tomber.

— L'homme sur la photo ?

Elle paraît triste en la contemplant, puis la replace sur la table.

— J'aurais été ravie de t'en parler, avant, dit-elle d'une voix douce. En fait, je me rappelle distinctement avoir essayé au moins deux fois.

— Je suis désolé, répète-t-il, se sentant si petit qu'il ne peut pratiquement plus voir le dessus de la table. Je t'écoute maintenant.

— Je suis certaine de t'avoir entendu dire que tu avais un avion à prendre.

— Exact.

Il se dirige vers la porte.

— Je suis sincèrement, vraiment, désolé. Je suis affreusement embarrassé et déçu de moi-même.

Et il se rend compte qu'il le pense, du fond de son cœur.

— Je traverse une période bizarre.

— Trouve quelqu'un qui ne soit pas dans ce cas. Nous nous débattons tous dans nos problèmes, Justin. Mais s'il te plaît, ne m'entraîne pas dans les tiens.

— Bien.

Il hoche la tête et lui adresse un nouveau sourire d'excuse avant de sortir de son bureau, se ruer dans l'escalier et vers la voiture, avec l'impression de mesurer cinquante centimètres.

35

— Qu'est-ce que c'est que ça ?

— Je ne sais pas.

— Essaie de frotter.

— Non, vas-y, toi.

— Tu as déjà vu ça ?

— Moui, peut-être.

— Comment ça, peut-être ? Ou tu l'as vu, ou tu ne l'as pas vu.

— Ne coupe pas les cheveux en quatre.

— J'essaie juste de comprendre. Tu crois que ça partira ?

— Je n'en sais rien. Demandons à Joyce.

J'entends Linda et Joe chuchoter dans l'entrée. Je les ai laissés se débrouiller et suis partie me réfugier dans la cuisine, où je bois du café noir en contemplant, par la fenêtre, le rosier de ma mère dans le jardin de derrière, et les fantômes de Joyce et Conor en train de prendre un bain de soleil dans l'herbe durant un été très chaud, avec la radio à fond.

— Joyce, vous pourriez venir un moment ?

— Bien sûr.

Je pose ma tasse, passe devant le fantôme de Conor en train de préparer des lasagnes, sa spécialité, devant le fantôme de Joyce assise en pyjama dans son fauteuil favori, mangeant un Mars, et arrive dans l'entrée. À quatre pattes, ils examinent la tache en bas de l'escalier. Ma tache.

— Je crois que c'est du vin, dit Joe en me regardant. Est-ce que les propriétaires ont dit quelque chose sur cette tache ?

— Euh...

Mes jambes flageolent un peu et l'espace d'un instant j'ai l'impression qu'elles vont se dérober sous moi. Je me penche en prenant appui sur la rampe et fais mine de regarder de plus près. Je ferme les yeux.

— Elle a déjà été nettoyée plusieurs fois, à ma connaissance. Vous voudriez garder la moquette ?

Linda réfléchit en faisant la moue. Elle inspecte la maison de haut en bas, considère, nez en l'air, la décoration que j'ai choisie.

— Non, je ne crois pas. Je pense qu'un parquet ferait très bien. Qu'est-ce que tu en penses ? demande-t-elle à Joe.

— Oui. Un joli chêne clair, fait-il en hochant la tête.

— Oui. Non, je ne crois pas que nous garderons la moquette.

Elle lève le nez à nouveau.

Je ne leur ai pas délibérément caché l'identité des propriétaires – cela ne servirait à rien puisqu'ils verront de toute façon notre nom sur le contrat. Je pensais qu'il savaient que la maison était la mienne, et en les voyant ergoter sur la décoration, l'agencement des pièces, les bruits et odeurs bizarres qu'ils ne connaissent pas mais que je ne remarque plus, je me suis dit qu'il n'était pas indispensable de les mettre mal à l'aise en le leur signalant maintenant.

— Vous avez l'air emballés, dis-je en regardant leur visage rayonnant de chaleur et d'euphorie à l'idée d'avoir enfin trouvé une maison dans laquelle ils se sentent bien.

— C'est vrai, acquiesce Linda. Nous nous sommes montrés difficiles jusqu'à présent, vous êtes bien placée pour le savoir. Mais la situation a changé, il nous faut quitter l'appartement et trouver quelque chose de plus grand dès que possible, vu que la famille s'agrandit, ou en tout cas mon tour de taille s'agrandit, plaisante-t-elle, nerveuse.

C'est seulement à cet instant que je remarque la légère rondeur sous sa jupe, et son nombril qui appuie contre le tissu.

— Oh ! Génial...

Boule dans la gorge, genoux qui se remettent à flageoler, larmes aux yeux. Pourvu que ce moment passe vite, pourvu qu'ils cessent de me regarder. Ils ont du tact et se détournent.

— C'est formidable. Félicitations, dit ma voix joyeusement, et même moi, j'entends qu'elle sonne creux, manque totalement de sincérité ; les mots vides se réverbèrent presque en eux-mêmes.

— Et donc, la pièce du haut serait parfaite, reprend Joe en désignant la chambre d'enfant d'un mouvement de tête.

— Bien sûr, c'est merveilleux.

Je me transforme en ménagère des années soixante et passe le reste de la conversation à me répandre en onomatopées.

— Je ne peux pas croire qu'ils ne veuillent garder aucun meuble, remarque Linda en regardant autour d'elle.

— Ils déménagent tous les deux dans des logements plus petits, et le mobilier n'ira pas.

— Mais ils n'emportent rien du tout ?

— Non.

Je souris, regarde autour de moi.

— Sauf le rosier dans le jardin de derrière.

Et une valise de souvenirs.

Justin se laisse tomber sur la banquette avec un énorme soupir.

— Qu'est-ce qui vous est arrivé ?

— Rien. Vous pourriez aller directement à l'aéroport, s'il vous plaît ? Je suis un peu en retard.

Justin pose le coude sur le rebord de la vitre et se couvre le visage de la main. Il se déteste, il déteste le minable égoïste qu'il est devenu. Lui et Sarah ne se convenaient pas, mais quel droit avait-il de l'utiliser ainsi, de l'entraîner dans son gouffre de désespoir et d'égoïsme ?

— J'ai quelque chose qui va vous remonter le moral, annonce Thomas en tendant la main vers la boîte à gants.

— Non, je ne suis vraiment pas d'...

Justin se tait en voyant Thomas sortir du compartiment une enveloppe familière et la lui tendre.

— Où est-ce que vous avez eu ça ?

— Mon patron m'a appelé, il m'a dit de vous la remettre avant qu'on arrive à l'aéroport.

— Votre patron, répète Justin, yeux plissés. Comment est-ce qu'il s'appelle ?

Thomas se tait un moment.

— John, dit-il enfin.

— John Smith ? suggère Justin d'un ton lourd de sarcasme.

— Lui-même.

410

Comprenant qu'il n'arrachera pas la moindre information à Thomas, il reporte son attention sur l'enveloppe. Il la fait tourner lentement entre ses mains, essayant de décider s'il doit l'ouvrir ou non. Il pourrait la laisser fermée et mettre fin à tout cela, remettre sa vie en ordre, arrêter d'essayer d'utiliser et exploiter les autres. Rencontrer une femme agréable, la traiter convenablement.

— Alors, vous ne l'ouvrez pas ? s'enquiert Thomas.

Justin continue de la faire tourner entre ses mains.

— Peut-être.

Papa m'ouvre la porte, iPod en main et écouteurs dans les oreilles. Il examine ma tenue de haut en bas.

— Oooh ! Tu es très élégante aujourd'hui, Gracie ! s'époumone-t-il.

Un homme qui promène son chien sur le trottoir d'en face se retourne vers nous.

— Tu allais quelque part ?

Je souris. Enfin un peu de comique pour alléger tout ce drame. Je pose un doigt sur mes lèvres et lui retire les écouteurs.

— Je montrais la maison à un couple de clients.

— Elle leur a plu ?

— Ils vont revenir dans quelques jours prendre des mesures. C'est bon signe. Mais en y retournant, je me suis rendu compte que j'avais beaucoup de choses à revoir.

— À quoi bon remuer les souvenirs ? Tu n'as pas besoin de pleurer pendant des semaines pour te sentir mieux.

— Je voulais dire que je dois trier nos affaires, dis-je en souriant. Ce que j'ai laissé là-bas. Je ne crois pas qu'ils garderont beaucoup de meubles. Je pourrais les entreposer dans ton garage ?

— Mon atelier ?

— Où tu n'as pas mis les pieds depuis dix ans.

— Si ! Bon, d'accord, tu peux y mettre tes affaires. Est-ce que j'arriverai un jour à me débarrasser de toi ? demande-t-il avec un léger sourire.

Je m'assois à table et papa s'active, remplit la bouilloire comme chaque fois que quelqu'un pénètre dans la cuisine.

— Alors comment ça s'est passé hier, au club du lundi ? Je parie que Donal McCarthy n'en a pas cru ses oreilles. Il devait en faire, une tête !

Je me penche en avant, avide de l'entendre raconter sa soirée.

— Il n'était pas là.

Papa me tourne le dos, prend une tasse et une soucoupe pour lui, un mug pour moi.

— Comment ça ? Pourquoi ? Avec tout ce que tu avais à lui raconter ! Quel culot. Enfin, ce sera pour la semaine prochaine.

Il se retourne lentement.

— Il est mort pendant le week-end. L'enterrement est pour demain. On a passé la soirée à parler de lui et de toutes les histoires qu'il nous avait racontées cent fois.

— Oh, papa ! Je suis désolée.

— Enfin. S'il n'avait pas passé pendant le week-end, il serait tombé raide mort en apprenant que j'ai rencontré Michael Aspel. C'est peut-être aussi bien.

Il sourit tristement.

— Ce n'était pas un mauvais bougre. On rigolait bien, même si on se prenait le bec de temps en temps.

J'ai de la peine pour lui. C'est insignifiant comparé à la mort d'un ami, mais il avait tellement envie de raconter ses histoires à son grand rival.

Nous restons assis en silence.

— Tu vas garder le rosier, hein ? demande enfin papa.

Je sais tout de suite de quoi il parle.

— Bien sûr. Je me disais qu'il ferait bien dans ton jardin.

Il regarde par la fenêtre et examine son jardin, cherchant probablement le meilleur emplacement.

— Il te faudra être prudente lors du déménagement, Gracie. Un choc trop violent peut provoquer un grave traumatisme.

Je souris tristement.

— Que de mélodrame ! Je m'en sortirai, papa, ne t'inquiète pas.

— Je parlais du rosier, corrige-t-il, dos toujours tourné.

Mon téléphone sonne, vibre sur la table et manque tomber.

— Allô ?

— Joyce ? C'est Thomas. Je viens de laisser ton jeune homme à l'aéroport.

— Ah ! Merci beaucoup. Il a eu l'enveloppe ?

— Oui. Enfin, je la lui ai bien donnée, mais je viens de regarder sur la banquette arrière et elle est toujours là.

— Quoi ?

Je bondis de ma chaise.

— Fais demi-tour ! Tu dois la lui donner. Il l'a oubliée !

— Tu comprends, il n'était pas certain de vouloir l'ouvrir.

— Quoi ? Pourquoi ?

— Je ne sais pas, mon petit. Je la lui ai donnée quand il est remonté dans la voiture pour aller à l'aéroport, comme tu l'avais demandé. Il avait l'air complètement abattu, alors j'ai pensé que ça lui remonterait un peu le moral.

— Abattu ? Pourquoi ? Qu'est-ce qu'il avait ?

— Joyce, mon petit, je n'en sais rien. Tout ce que je sais, c'est qu'il était bouleversé en remontant dans la voiture, alors je lui ai donné l'enveloppe et il est resté à la regarder. Je lui ai demandé s'il allait l'ouvrir et il a répondu « peut-être ».

— Peut-être...

Est-ce que j'avais fait quelque chose qui l'avait blessé ? Est-ce que Kate lui avait dit quelque chose ?

— Il était bouleversé en sortant du musée ?

— Non, pas au musée. On s'est arrêtés à la clinique du sang, sur D'Ollier Street, avant d'aller à l'aéroport.

— Il allait donner son sang ?

— Non, il a dit qu'il allait voir quelqu'un.

Oh mon Dieu ! Il a peut-être découvert que c'est moi qui ai reçu son sang, et ça ne l'intéresse plus.

— Thomas, est-ce que tu sais s'il l'a ouverte ?

— Tu l'avais collée ?

— Non.

— Alors, je n'ai aucun moyen de le savoir. Je ne l'ai pas vu faire. Désolé. Tu veux que je passe chez toi en revenant de l'aéroport ?

— S'il te plaît.

Une heure plus tard, j'ouvre la porte à Thomas et il me remet l'enveloppe. Je sens les billets à l'intérieur et mon cœur se serre. Pourquoi Justin ne l'a-t-il pas ouverte et emportée avec lui ?

— Tiens, papa, dis-je en faisant glisser l'enveloppe sur la table de la cuisine. Un cadeau pour toi.

— Qu'est-ce que c'est ?

— Des places au premier rang pour l'opéra, le week-end prochain. C'était un cadeau pour quelqu'un d'autre, mais apparemment, il n'en veut pas.

— L'opéra.

Papa fait une drôle de grimace et j'éclate de rire.

— J'ai été élevé bien loin de l'opéra.

Il ouvre quand même l'enveloppe et je me lève pour refaire du café.

— Je pense que je vais laisser tomber l'opéra, ma chérie. Mais merci quand même.

Je pivote sur moi-même.

— Pourquoi, papa ? Tu as aimé le ballet, alors que tu pensais t'ennuyer.

— Oui, mais j'étais avec toi. Je n'irai pas là-bas tout seul.

— Tu n'y es pas obligé, il y a deux billets.

— Non, un seul.

— Deux, regarde mieux.

Il retourne l'enveloppe et la secoue. Un morceau de papier en tombe.

Mon cœur s'arrête.

Papa pose ses lunettes au bout de son nez et examine le message.

— On se retrouve là-bas ? lit-il lentement. Ah, ma chérie, comme c'est gentil...

— Fais-moi voir ça.

Je lui arrache le papier, incrédule, et le lis moi-même. Puis je le relis. Et encore et encore.

On se retrouve là-bas ? Justin.

36

— Il veut me rencontrer, dis-je à Kate, pleine d'appréhension, en entortillant autour de mon doigt un fil qui pend de mon pull.

— Fais attention, tu vas te bloquer la circulation, me répond Kate, maternelle.

— Kate, tu m'entends ? Il dit qu'il veut me rencontrer !

— Et il a raison. Tu n'avais pas pensé que ça finirait par arriver ? Enfin, Joyce, ça fait des semaines que tu le fais marcher. Et s'il t'a sauvé la vie, comme tu le prétends, il ne peut que vouloir rencontrer la personne qu'il a sauvée. Pour stimuler son ego de mâle. Enfin, Joyce, c'est l'équivalent d'un cheval blanc et d'une armure étincelante !

— Non, pas du tout.

— Si, à ses yeux d'homme. Ses yeux *baladeurs* d'homme, crache-t-elle.

Je l'observe attentivement, yeux plissés.

— Ça va ? Tu parles comme Frankie.

— Arrête de te mordre la lèvre, elle commence à saigner. Oui, tout va très bien. Je nage dans le bonheur.

— Me voilà ! annonce Frankie en franchissant la porte d'un pas léger pour nous rejoindre sur les chaises longues.

Nous sommes sur un balcon perché au-dessus de la piscine du quartier de Kate. En dessous de nous, Eric et Jayda barbotent bruyamment avec leurs camarades. Sam est assis dans sa poussette, à côté de nous, il regarde autour de lui.

— Ça lui arrive de faire quelque chose ? s'enquiert Frankie d'un air soupçonneux.

Kate l'ignore.

— La question numéro un de la réunion d'aujourd'hui, c'est pourquoi est-ce qu'on doit toujours se retrouver dans des endroits remplis de ces choses grouillantes ?

Elle regarde tous les marmots.

— Où sont passés les bars sympas, les nouveaux restaurants, les inaugurations de magasins ? Vous vous rappelez ? On sortait et on s'amusait.

— Je m'amuse un max, répond Kate d'un ton un peu trop fort et défensif. Je rigole sans arrêt.

Elle détourne les yeux.

Frankie ne remarque pas la nuance inhabituelle dans la voix de Kate, ou alors elle l'entend et décide de continuer malgré tout.

— Oui, à des dîners avec d'autres couples qui eux non plus ne sont pas sortis depuis un mois. Je n'appelle pas ça s'amuser.

— Tu comprendras quand tu auras des enfants.

— Je n'ai pas prévu d'en avoir. Tout va bien ?

— Oui, elle nage dans le bonheur, dis-je en dessinant des guillemets en l'air avec mes doigts.

— Ah. Je vois, fait lentement Frankie avant d'articuler « Christian » silencieusement vers moi.

Je hausse les épaules.

— Tu n'aurais pas envie de vider ton sac ? demande Frankie.

— En fait, si.

Kate se tourne vers elle, les yeux flamboyants.

— J'en ai marre de tes petits commentaires sur ma vie. Si tu n'es pas bien ici, ou avec moi, alors casse-toi. Mais ce sera sans moi.

Elle détourne la tête, rouge de fureur.

Frankie se tait un moment, observant son amie.

— D'accord, fait-elle avec entrain en se tournant vers moi. Ma voiture est garée devant. On pourrait aller dans ce nouveau bar au bout de la rue ?

— On ne va nulle part.

— Depuis que tu as quitté ton mari et que ta vie est partie en lambeaux, tu es devenue une vraie rabat-joie, me reproche-t-elle, boudeuse. Et quant à toi, Kate, depuis que tu as embauché cette nounou suédoise et que ton mari s'est mis à la reluquer, tu es malheureuse comme les pierres. En ce qui me concerne, j'en ai assez des aventures sans lendemain avec de beaux inconnus, et de manger des plats réchauffés au micro-ondes seule tous les soirs. Là, je l'ai dit.

Ma bouche s'ouvre. Celle de Kate aussi. Nous nous efforçons toutes les deux de rester fâchées contre elle, mais ses commentaires sont si justes que c'est plutôt drôle. Elle me donne un coup de coude et ricane à mon oreille. Les lèvres de Kate commencent elles aussi à s'incurver.

— J'aurais dû embaucher un homme, finit par dire Kate.

— Non, même avec un homme, je ne me fierais pas à Christian, répond Frankie. Tu fais de la paranoïa, Kate, poursuit-elle plus sérieusement. Je sais de quoi je parle. Je l'ai vu. Il est fou de toi et elle n'a aucun charme.

— Tu crois ?

— Hon hon.

Mais dès que Kate a le dos tourné, elle articule « superbe » à mon intention.

— Tu penses vraiment tout ce que tu as dit ? demande Kate, rassérénée.

— Non, fait Frankie en éclatant de rire. J'adore les aventures sans lendemain. Il faut que je fasse quelque chose pour les dîners au micro-ondes, par contre. Mon médecin m'a dit que je manquais de fer. Bon.

Elle tape dans ses mains et fait sursauter Sam.

— Quel est l'objet de cette réunion ?

— Justin veut rencontrer Joyce, explique Kate avant de me lancer : Arrête de te mordre la lèvre.

J'arrête.

— Génial ! s'extasie Frankie.

Elle remarque mon expression terrifiée.

— Où est le problème ?

— Il va se rendre compte que je suis moi.

— Par opposition à... ?

— Quelqu'un d'autre.

Je recommence à me mordre la lèvre.

— Ça me rappelle vraiment le bon vieux temps. Tu as trente-trois ans, Joyce. Pourquoi est-ce que tu te conduis comme une adolescente ?

— Parce qu'elle est amoureuse, soupire Kate, excédée, avant de se tourner vers la piscine pour applaudir Jayda, qui tousse, le visage à moitié sous l'eau.

— Elle ne peut pas être amoureuse, objecte Frankie en plissant le nez de réprobation.

— Vous croyez que c'est normal ?

Kate, qui commence à s'inquiéter pour Jayda, essaie d'attirer notre attention.

— Bien sûr que non, rétorque Frankie. Elle le connaît à peine, ce type.

— Hé, les filles, arrêtez une minute ! tente Kate.

— J'en sais plus sur lui que n'importe qui au monde, dis-je. À part lui-même.

Kate renonce à attirer notre attention et s'adresse à voix basse à la monitrice installée sous le balcon :

— Hé, madame ! Vous croyez qu'elle va bien ?

— Tu es vraiment amoureuse ? se récrie Frankie, comme si je venais de lui annoncer mon intention de changer de sexe.

La monitrice plonge pour sauver Jayda, quelques enfants crient, je souris.

— Tu vas devoir nous emmener en Irlande avec toi, s'exclame Doris en posant un vase sur le rebord de la fenêtre, dans la cuisine.

L'appartement est presque terminé et elle s'occupe des touches finales.

— C'est peut-être un dingue, tu ne t'en rendrais même pas compte. Il faut qu'on soit dans les parages, au cas où il arriverait quelque chose. C'est peut-être un assassin, un tueur en série qui donne rendez-vous aux gens pour les massacrer. J'ai vu quelque chose là-dessus dans l'émission d'Oprah.

Al entreprend de planter des clous dans le mur et Justin se tape la tête en cadence, doucement, sur la table de la cuisine.

— Je ne vous emmènerai pas à l'opéra avec moi, décrète-t-il.

— Tu m'as emmené à un de tes rendez-vous quand tu sortais avec Delilah Jackson, proteste Al en cessant de marteler. Pourquoi pas maintenant ?

— Al, j'avais douze ans.

— Quand même.

Il hausse les épaules et retourne à ses clous.

— Et si c'était une célébrité ? s'exclame Doris. Oh mon Dieu ! C'est possible ! C'est sûrement ça ! Si ça se trouve, tu vas voir Jennifer Aniston assise au premier rang, avec une place libre à côté d'elle ! Oh mon Dieu, imaginez !

Elle se tourne vers Al, les yeux brillants.

— Justin, il faut que tu lui dises que je suis sa plus grande fan !

— Ho, ho, ho, calme-toi, tu vas faire de l'hyperventilation. Qu'est-ce qui t'a donné cette idée ? On ne sait même pas si c'est une femme. Tu fais une fixation sur les célébrités, soupire Justin.

— Oui, Doris, renchérit Al. C'est sûrement une personne normale.

— Oui, répète Justin, les yeux au ciel, en imitant son frère. Parce que les célébrités ne sont pas des personnes normales. En réalité, ce sont des monstres qui vivent sous terre, qui ont des cornes et trois jambes.

Al et Doris interrompent leurs activités de décoration pour le foudroyer du regard.

— Nous irons à Dublin demain, décrète Doris. C'est l'anniversaire de ton frère et un week-end à Dublin, dans un hôtel vraiment bien comme le Shelbourne – j'ai... enfin, Al a toujours eu envie d'y faire un séjour –, c'est le plus beau cadeau que tu puisses lui faire.

— Je n'ai pas les moyens pour le Shelbourne, Doris.

— Bon, il faudra trouver quelque chose près d'un hôpital, au cas où il ferait une crise cardiaque. En tout cas, on part tous les trois !

Elle tape des mains, tout excitée.

37

Dans l'autobus qui m'emmène en ville rejoindre Frankie et Kate qui doivent m'aider à choisir une tenue pour l'opéra, mon téléphone sonne.

— Allô ?

— Joyce ? C'est Steven.

Mon patron.

— Je viens de recevoir un autre appel.

— C'est génial, mais tu n'es pas forcé de m'appeler à chaque fois.

— C'est encore une plainte, Joyce.

— De qui et à quel sujet ?

— Le couple à qui tu as fait visiter le nouveau cottage hier.

— Oui ?

— Ils se sont rétractés.

— Oh, comme c'est dommage ! dis-je sans la moindre sincérité. Ils ont expliqué pourquoi ?

— Oui. Apparemment, une certaine personne de chez nous leur a conseillé, pour recréer parfaitement l'aspect d'un cottage ancien, de demander à l'entrepreneur des travaux supplémentaires. Je te le donne en mille, l'entrepreneur n'était pas ravi en voyant la liste qui comprend...

J'entends un bruissement de papiers, puis il continue.

— « Poutres apparentes, briques apparentes, poêle à bois, vraies cheminées... » Et j'en passe. Alors ils se sont rétractés.

— Ça me paraît plutôt raisonnable. L'entrepreneur recrée des cottages anciens qui n'ont rien d'ancien. Ça te paraît sensé ?

— Et alors ? Joyce, tu étais supposée leur ouvrir pour qu'ils puissent prendre des mesures. Douglas leur avait déjà vendu la maison pendant que tu étais... absente.

— Apparemment non.

— Joyce, il faut que tu arrêtes de décourager les clients. Dois-je te rappeler que ton travail, c'est de vendre, et que si tu ne le fais pas...

— Si je ne le fais pas ?

— Rien, s'adoucit-il. Je sais que tu as traversé une période difficile, commence-t-il, maladroitement.

— Cette période est passée et elle n'a rien à voir avec ma capacité de vendre une maison, dis-je sèchement.

— Alors vends-en une.

— Très bien.

Je referme mon téléphone et regarde la ville par la vitre du bus, furieuse. J'ai repris depuis une semaine et j'ai déjà besoin de vacances.

— Doris, c'est vraiment indispensable ? grogne Justin depuis la salle de bains.

— Oui ! crie-t-elle. C'est pour ça qu'on est venus. Pour être sûrs que tu seras bien habillé ce soir. Dépêche-toi ! Et on dit que ce sont les femmes qui mettent des heures à se préparer !

Doris et Al sont assis sur le lit dans leur hôtel dublinois. Ce n'est pas le Shelbourne, au grand regret de Doris. C'est plutôt le genre Holiday Inn, mais il est situé en plein centre, près des rues commerçantes, ce qui suffit à son bonheur. Dès leur arrivée dans la matinée, Justin s'est empressé de leur faire visiter les plus beaux lieux, les musées, églises et châteaux, mais Doris et Al avaient d'autres plans : le shopping. Le Viking Tour était largement assez culturel pour eux, et, lors du passage dans la Liffey, Doris avait reçu de l'eau en pleine figure et s'était mise à hurler. Ils avaient dû foncer vers les toilettes les plus proches pour que Al essuie le mascara qui avait coulé sur ses joues.

Il ne reste que quelques heures avant l'opéra, avant qu'il puisse enfin découvrir l'identité de son inconnu. Il déborde d'anxiété, d'excitation et de nervosité à cette idée. Ce sera une soirée de torture ou de pur plaisir, selon sa chance. Il devrait prévoir un plan d'évasion au cas où le pire se produirait.

— Dépêche-toi, Justin ! crie encore Doris.

Il noue sa cravate, sort de la salle de bains et fait son entrée dans la chambre, vêtu de son plus beau costume. Il s'arrête devant eux en gigotant nerveusement, il a l'impression d'être un petit garçon en costume de communiant.

Ils se taisent. Al, qui enfournait du pop corn à toute vitesse, s'arrête de manger.

— Quoi ? s'affole Justin. Qu'est-ce qui ne va pas ? J'ai quelque chose sur la figure ? Il y a une tache sur mon costume ?

Il s'inspecte.

Doris lève les yeux au ciel et secoue la tête.

— Très drôle. Ha ha. Maintenant, montre-nous ton vrai costume.

— Doris ! C'est mon vrai costume !

— C'est ton plus beau costume ? se récrie-t-elle en le regardant de haut en bas.

— Je crois bien que c'est celui qu'il portait à notre mariage, déclare Al, les yeux plissés.

Doris se lève et prend son sac.

— Enlève-le, ordonne-t-elle, très calme.

— Quoi ? Mais pourquoi ?

— Enlève-le, je te dis. Tout de suite.

— C'est bien trop habillé, Kate, dis-je, nez en l'air, en regardant les robes qu'elle a sélection-nées. Ce n'est pas un bal. Il me faut quelque chose de...

— Sexy, coupe Frankie en agitant une petite robe devant moi.

— Elle va à l'opéra, pas en boîte, s'insurge Kate en lui arrachant l'objet du délit. Regarde celle-là : ni trop habillée, ni trop osée.

— Oui, elle serait parfaite pour une bonne sœur, commente Frankie, sarcastique.

Toutes deux vont reprendre leurs recherches sur les portants.

— Ah ! Je l'ai ! annonce Frankie.

— Non, j'en ai trouvé une parfaite.

Toutes deux se retournent vers moi. Elles brandissent la même robe, Kate en rouge, et Frankie en noir. Je me mords la lèvre.

— Arrête ! m'enjoignent-elles en chœur.

— Oh mon Dieu ! murmure Justin.

— Quoi ? Tu n'as jamais vu un prince-de-galles rose ? Il est divin. Avec cette chemise et cette cravate roses... Oh ! Ce sera parfait. Al, j'aimerais tellement que tu portes ce genre de costume !

— Je préfère le bleu, la contredit Al. Le rose, ça fait un peu homo. Enfin, c'est peut-être une bonne idée, au cas où ça se passerait mal. Tu pourrais lui dire que ton petit copain t'attend. Je peux jouer le petit copain, offre-t-il.

Doris lui lance un regard haineux.

— Regarde, ce n'est pas mieux que la chose que tu portais tout à l'heure ? Justin ! Justin, ici la Terre ! Mais qu'est-ce que tu regardes ? Oh, elle est très jolie.

— C'est Joyce, chuchote-t-il.

Il a lu quelque part que le cœur d'un colibri effectue mille deux cent soixante battements par minute, et il s'était demandé comment on pouvait survivre à ça. Il comprend maintenant. À chaque battement, son cœur déverse le sang dans son corps. Il se sent palpiter tout entier, son cou, ses poignets, son cœur, son ventre.

— C'est Joyce ? se récrie Doris, stupéfaite. La femme du téléphone ? Mais elle a l'air... normal. Qu'est-ce que tu en penses, Al ?

Al l'examine des pieds à la tête et donne un coup de coude à son frère.

— Ouais, elle a vraiment l'air normal. Tu devrais lui proposer un rendez-vous, une bonne fois pour toutes.

— Pourquoi est-ce que ça vous surprend tant qu'elle ait l'air normal ?

Boum-boum. Boum-boum.

— Eh bien, mon chou, le simple fait qu'elle existe est une surprise, rétorque Doris. Le fait qu'elle soit jolie tient pratiquement du miracle. Allez, invite-la à dîner ce soir.

— Je ne peux pas ce soir.

— Pourquoi ?

— J'ai l'opéra !

— Au diable l'opéra. On s'en fiche !

— Ça fait plus d'une semaine que tu ne parles que de ça, et maintenant c'est « au diable l'opéra » ?

Boum-boum. Boum-boum.

— En fait, je ne voulais pas t'inquiéter, mais j'ai réfléchi dans l'avion et...

Elle inspire profondément et pose la main sur son bras.

— Ça ne peut pas être Jennifer Aniston. Il y aura une vieille dame assise au premier rang, qui t'attendra avec un bouquet de fleurs qui ne te plaira même pas, ou alors un gros bonhomme à mauvaise haleine. Désolée, Al, je ne parlais pas de toi.

Elle lui touche le bras pour s'excuser.

Al ne relève pas l'insulte. Il est trop bouleversé par la bombe qu'elle vient de lancer.

— Quoi ? Mais j'ai apporté mon carnet d'autographes !

Le cœur de Justin bat aussi vite que celui d'un colibri, son esprit fonctionne à la vitesse de ses ailes. Il peut à peine réfléchir, tout va trop vite. Joyce, bien plus belle, de près, que dans son souvenir, avec ses cheveux courts qui lui encadrent le visage en douceur. Elle commence à s'éloigner. Il doit agir vite. *Réfléchis, réfléchis, réfléchis !*

— Donne-lui rendez-vous pour demain soir, propose Al.

— Je ne peux pas, j'ai mon exposition demain.

— Sèche-la. Tu n'as qu'à dire que tu es malade.

— Je ne peux pas, Al ! Ça fait des mois que je travaille dessus. Je suis conservateur, bordel, il faut absolument que je sois là.

Boum-boum. Boum-boum.

— Si tu ne l'invites pas, c'est moi qui vais le faire, menace Doris, le poussant en avant.

— Elle est avec des amies.

Joyce commence à s'éloigner.

Fais quelque chose !

— Joyce ! crie Doris.

— Seigneur !

Justin tente de se retourner et de filer de l'autre côté mais Al et Doris lui barrent la route.

— Justin Hitchcock, fait une voix forte.

Il cesse ses tentatives d'évasion et se retourne lentement. La femme qui se tient près de Joyce lui est familière. Elle a un bébé près d'elle, dans une poussette.

— Justin Hitchcock. Kate McDonald.

Elle lui donne une ferme poignée de main.

— J'ai assisté à votre conférence la semaine dernière à la National Gallery. C'était incroyablement intéressant, sourit-elle. Je ne savais pas que vous connaissiez Joyce.

Elle lui adresse un sourire rayonnant et donne un coup de coude à Joyce.

— Joyce, tu ne me l'avais pas dit ! J'étais à la conférence de M. Hitchcock la semaine dernière ! Tu te rappelles ? Je t'en ai parlé. Sur la femme qui écrit une lettre ? Et le fait qu'elle l'écrive ?

Joyce a les yeux agrandis de stupéfaction. Son regard fait la navette entre son amie et Justin.

— Elle ne me connaît pas vraiment, finit par dire Justin.

Il sent sa voix trembler. Le flux d'adrénaline est si intense en lui qu'il a l'impression qu'il va s'envoler comme une fusée et traverser le plafond du grand magasin.

— Nous nous sommes croisés souvent mais nous n'avons jamais eu l'occasion de nous présenter dans les règles, reprend-il en lui tendant la main. Joyce, je m'appelle Justin.

Au moment où leurs mains se touchent, l'électricité statique les secoue tous deux.

Ils retirent leur main. Elle pousse un petit cri et tient la sienne comme si elle s'était brûlée.

— Oooh ! s'exclame Doris.

— C'est de l'électricité statique. Ça se produit quand l'air et les tissus sont secs. Ils devraient mettre un humidificateur, récite Justin comme un robot, sans détacher les yeux du visage de Joyce.

Frankie penche la tête de côté et essaie de ne pas rire.

— Charmant.

— C'est ce que je lui répète sans arrêt, renchérit Doris, agacée.

Au bout d'un moment, Joyce tend la main à nouveau pour finir leur poignée de main.

— Excusez-moi, j'ai senti une...

— Ce n'est pas grave, je l'ai sentie aussi, sourit-il.

— Ravie de faire enfin votre connaissance, dit-elle.

Ils se tiennent toujours la main en se dévisageant. Doris, Justin et Al sont en rang en face de Joyce et ses deux amies.

Doris s'éclaircit la gorge à grand bruit.

— Je suis Doris, sa belle-sœur, annonce-t-elle.

Elle tend la main en diagonale, au-dessus des bras de Justin et Joyce, pour saluer Frankie.

— Je m'appelle Frankie.

Elles se serrent la main. Pendant ce temps, Al tend la main en diagonale pour serrer celle de Kate. La scène tourne au marathon de poignées de main. Justin et Joyce finissent par se lâcher.

— Vous voulez bien dîner ce soir avec Justin ? bredouille Doris.

— Ce soir ?

La bouche de Joyce s'arrondit.

— Elle en sera ravie, répond Frankie.

— Ce soir ? demande Justin à Doris, yeux écarquillés.

— Oh, ce n'est pas un problème. De toute façon, Al et moi préférons dîner en tête à tête. On n'a pas besoin que tu nous tiennes la chandelle, ajoute-t-elle en lui donnant un coup de coude.

— Vous êtes sûr que vous ne préféreriez pas vous en tenir à ce que vous aviez déjà prévu ? insiste Joyce, un peu déroutée.

— Sûr, répond Justin. J'adorerais dîner avec vous. Sauf si vous avez d'autres projets, naturellement.

— Ce soir, répète Joyce en se tournant vers Frankie. J'ai ce truc, tu sais bien...

— Oh, ne dis pas de bêtises. Ça n'a plus d'importance à présent. On ira prendre un verre un autre jour. Où allez-vous l'emmener ? s'enquiert-elle en souriant à Justin.

— Au Shelbourne, suggère Doris. À huit heures ?

— Ah, j'ai toujours rêvé de dîner là-bas ! soupire Kate. Huit heures, c'est parfait pour elle.

Justin sourit à Joyce.

— C'est vrai ?

Joyce paraît réfléchir. Son esprit fonctionne à la même vitesse que son cœur.

— Vous êtes certain de vouloir annuler vos autres projets ? demande-t-elle, le front plissé.

Elle le regarde dans les yeux. Justin pense à l'inconnu à qui il va faire faux bond et la culpabilité l'envahit.

Il hoche la tête, sans savoir s'il est convaincant.

Doris s'en aperçoit et entreprend de l'éloigner.

— C'était très sympa, mais il nous faut continuer nos courses. Ravie de vous avoir rencontrées, Kate, Frankie, ma petite Joyce.

Elle l'étreint brièvement.

— Passez une bonne soirée. Huit heures. Au Shelbourne. N'oubliez pas.

— La rouge ou la noire ?

Joyce montre les deux robes à Justin, avant que Doris l'entraîne.

Il pèse la question.

— La rouge.

— Alors je prends la noire, sourit-elle, en souvenir de leur première et unique conversation, au salon de coiffure, le jour de leur rencontre.

Il éclate de rire et laisse Doris l'emmener.

38

— Bon sang, Doris, pourquoi est-ce que tu as fait ça ? demande Justin pendant qu'ils rentrent à pied à leur hôtel.

— Ça fait des semaines que tu nous rebats les oreilles avec cette femme, et enfin, tu as rendez-vous avec elle. De quoi tu te plains ?

— J'ai des projets pour ce soir ! Je ne peux pas poser un lapin à l'inconnu.

— Tu ne sais même pas qui c'est.

— C'est quand même grossier.

— Justin, sérieusement. Toute cette histoire de messages pourrait bien n'être qu'une blague cruelle, franchement.

— Ah bon ? demande-t-il, yeux plissés de suspicion.

— À vrai dire, je n'en sais rien.

— Aucune idée, grogne Al qui commence à haleter.

Doris et Justin ralentissent immédiatement et se mettent à marcher à tout petits pas.

Justin soupire.

— Est-ce que vous préféreriez aller quelque part sans savoir du tout à quoi vous attendre ? Ou aller dîner avec une belle jeune femme dont vous êtes fou et à qui vous pensez depuis des semaines ?

— Allons, intervient Al. C'était quand, la dernière fois que tu as ressenti ça pour quelqu'un ? Même avec Jennifer, je ne crois pas que tu étais dans cet état-là.

Justin sourit.

— Alors, frérot, qu'est-ce que je choisis ?

— Vous devriez vraiment prendre quelque chose pour vos brûlures d'estomac.

J'entends Frankie prodiguer ses conseils à papa dans la cuisine.

— Oui, mais quoi ? demande papa, ravi de la compagnie de ces deux jeunes femmes.

— Il y a un médicament que Christian prend tout le temps, dit Kate.

Je perçois le bruit de bulles émis par Sam.

— Hum, ça s'appelle... Je ne me souviens plus du nom.

— Vous êtes comme moi, conclut papa. Vous avez la MQPC.

— La quoi ?

— La Mémoire Qui Part en Cou...

— Bon, j'arrive ! dis-je depuis le haut de l'escalier.

— C'est bon, la caméra est prête ! crie Kate.

Papa se met à émettre des bruits de trompette tandis que je descends l'escalier en riant. Je regarde la photo de maman dans l'entrée et ne la quitte pas des yeux avant d'arriver au rez-de-chaussée. Elle aussi me regarde. Je lui fais un clin d'œil au passage.

Je m'arrête sur le seuil de la cuisine, et tous se taisent.

Mon sourire s'efface.

— Qu'est-ce qu'il y a ?

— Oh, Joyce, murmure Frankie comme si c'était une mauvaise nouvelle. Tu es magnifique.

Je pousse un soupir de soulagement et entre.

— Tourne, ordonne Kate, caméra en main.

Je tourbillonne dans ma robe rouge toute neuve et Sam tape dans ses mains potelées.

— Monsieur Conway, vous ne dites rien, remarque Frankie en lui donnant un coup de coude. Vous ne trouvez pas qu'elle est magnifique ?

Nous nous tournons toutes trois vers papa, qui se tait, les yeux pleins de larmes. Il hoche la tête très vite, mais aucun mot ne sort.

— Oh, papa, dis-je en le serrant dans mes bras, ce n'est qu'une robe.

— Tu es magnifique, ma chérie, réussit-il enfin à dire. Tu vas l'avoir, ma puce !

Il m'embrasse sur la joue et se précipite vers le séjour, gêné de son émotion.

— Alors, sourit Frankie, est-ce que tu t'es décidée entre l'opéra et le restaurant ?

— Toujours pas.

— Il t'a invitée à dîner, rappelle Kate. Qu'est-ce qui te fait penser qu'il préférera l'opéra ?

— D'abord, ce n'est pas lui qui m'a invitée à dîner, c'est sa belle-sœur. Et ce n'est pas moi qui ai accepté, c'est toi. Je crois qu'il est désespéré de ne pas savoir à qui il a sauvé la vie. Il n'avait pas l'air très convaincu, juste avant de quitter le magasin.

— Arrête de te poser tant de questions, dit Frankie. Il t'a invitée, alors vas-y.

— Mais il avait l'air de culpabiliser pour son rendez-vous à l'opéra.

— Je ne sais pas, objecte Kate. Il avait l'air d'avoir vraiment envie de dîner avec toi.

— C'est une décision difficile, résume Frankie. Tu dois être dans tes petits souliers.

— Hé, ce sont *mes* souliers ! s'insurge Kate. Et si tu déballais tout et lui disais que c'était toi ?

— J'avais prévu de tout déballer en apparaissant à l'opéra. C'était censé être la soirée de la révélation.

— Alors va au restaurant et dis-lui que c'était toi.

— Et s'il va à l'opéra ?

Nous tournons en rond encore un moment, puis elles partent. Je pèse le pour et le contre toute seule jusqu'à en avoir le vertige et ne plus pouvoir réfléchir. Quand le taxi arrive, papa m'accompagne à la porte.

— Je ne sais pas de quoi vous parliez entre filles, mais je sais que tu avais une décision à prendre. Tu l'as prise ? me demande-t-il doucement.

— Je ne sais pas, dis-je en déglutissant à grand-peine. Je ne sais pas quelle est la bonne décision.

— Bien sûr que si. Tu choisis toujours ton propre chemin, ma chérie.

— Qu'est-ce que tu veux dire ?

— Tu vois ces traces, là ? demande-t-il en désignant le jardin.

— L'allée ?

Il secoue la tête et désigne une trace dans la pelouse où l'herbe est piétinée et où la terre transparaît.

— C'est toi qui as fait ce chemin.

— Quoi ?

— Quand tu étais petite. On appelle ça des lignes de désir chez les jardiniers. Ce sont les sentes que les gens se tracent. Tu as toujours évité les chemins créés par d'autres, ma chérie. Tu as toujours suivi ta propre route, même si tu finis par arriver au même endroit que les autres. Tu ne prends jamais la voie officielle. Non, jamais. Tu es bien la fille de ta mère, tu coupes tout droit, tu te crées des sentiers spontanés, alors que moi, je reste sur la route et je prends le chemin le plus long.

Il sourit, tout à ses souvenirs.

Nous examinons ensemble le mince ruban d'herbe piétinée dans le jardin, qui mène au chemin.

— Des lignes de désir, dis-je en me revoyant petite fille, adolescente, adulte, coupant par cette pelouse, à chaque fois. Je suppose que le désir n'est pas linéaire. Il n'y a pas de route rectiligne pour aller où l'on veut.

— Est-ce que tu sais ce que tu vas faire maintenant ? me demande-t-il à l'arrivée du taxi.

Je souris et l'embrasse sur le front.

— Oui.

39

Je descends du taxi sur Stephen's Green et vois le flot de gens qui se dirigent vers le Gaiety Theatre, tous sur leur trente et un pour cette production de l'Opéra national irlandais. Je n'ai encore jamais assisté à un opéra, n'en ai vu qu'un à la télévision. Mon cœur, fatigué d'un corps incapable de suivre son rythme, tente d'en sortir pour se précipiter dans le bâtiment. Je suis emplie de nervosité, d'impatience, et du plus grand espoir que j'aie jamais ressenti, à l'idée de voir la dernière partie de mon plan se mettre en place. Je crains que Justin ne se fâche contre moi, même si je ne vois pas pourquoi il le ferait. J'ai tout tourné une centaine de milliers de fois dans ma tête, sans jamais parvenir à une conclusion rationnelle.

Je m'arrête à mi-chemin entre le Shelbourne et le Gaiety Theatre, il y a bien trois cents mètres entre les deux. Je regarde tour à tour les deux bâtiments, ferme les yeux sans me soucier d'avoir l'air complètement idiote, plantée au milieu de la rue, dans la masse des passants, un samedi soir. J'attends de sentir l'attraction. De quel côté aller. À droite, au Shelbourne, à gauche au Gaiety. Mon cœur tambourine dans ma poitrine.

Je me tourne vers la gauche et me dirige à grands pas vers le théâtre, pleine d'assurance. Dans le foyer bondé, j'achète un programme et vais m'installer. Trop tard pour un verre avant le spectacle ; s'il arrive en avance et ne me voit pas assise, je ne me le pardonnerai jamais. Des sièges au premier rang – je ne pouvais croire à ma chance, même si j'avais appelé à l'instant même où les billets étaient mis en vente, pour m'assurer d'obtenir ces précieuses places.

Je m'assois sur le fauteuil recouvert de velours rouge, ma robe rouge s'étale sur les côtés, j'ai mon sac sur les genoux et les escarpins de Kate brillent par terre devant moi. Je suis juste en face de l'orchestre, les musiciens vêtus de noir accordent leurs instruments, dans leur monde souterrain aux sonorités fabuleuses.

L'atmosphère est magique. La salle s'emplit du brouhaha de milliers de personnes ravies d'être là, l'orchestre finit de s'accorder, à la recherche de la perfection, les corps se pressent dans la salle. Sur les côtés, les loges ressemblent aux alvéoles d'une ruche, débordantes. L'air s'enrichit de parfum et de lotion après-rasage, un vrai miel.

Je regarde à ma droite, le siège vide, et frémis d'impatience.

Les haut-parleurs annoncent que la représentation va commencer dans cinq minutes, que les retardataires ne seront pas autorisés à entrer avant l'entracte, mais qu'ils pourront rester dehors et suivre le spectacle sur les écrans jusqu'à ce que les ouvreuses leur permettent de gagner leur place.

Dépêche-toi, Justin. Dépêche-toi. Sous moi, mes jambes tremblent de nervosité.

Justin quitte son hôtel à toute allure et s'engage dans Kildare Street. Il sort à peine de la douche, mais déjà sa peau lui semble moite, sa chemise lui colle au dos et son front luit de sueur. Il s'arrête au bout de la rue. Le Shelbourne est juste à côté de lui, le Gaiety Theatre se trouve à deux cents mètres à sa droite.

Il ferme les yeux et respire à fond l'air de Dublin en octobre.

De quel côté ? De quel côté ?

Le spectacle vient de commencer et je ne peux détacher les yeux de la porte à ma droite. À côté de moi, la seule présence du siège vide fait grossir une boule dans ma gorge. Alors que, sur scène, une femme chante avec émotion, je continue de me tourner sans cesse vers la porte, au grand mécontentement de mes voisins de gauche et de derrière. Malgré l'annonce des haut-parleurs, quelques personnes ont pu entrer et s'empressent de gagner leur place. Si Justin n'arrive pas tout de suite, il risque de ne pouvoir s'asseoir qu'après l'entracte. Je compatis avec la femme qui chante devant moi : après tout, moi aussi je suis séparée de mon amoureux, même si ce n'est que par une porte et une ouvreuse.

Je me retourne une fois encore et vois la porte s'ouvrir. Mon cœur manque un battement.

Justin tire la porte et, dès qu'il entre, tous les visages se tournent vers lui. Il cherche Joyce dans la salle, cœur battant, doigts moites et tremblants.

Le maître d'hôtel s'approche :

— Bonsoir, monsieur. Puis-je vous aider ?

— Bonsoir. J'ai réservé une table pour deux, au nom de Hitchcock.

Il regarde autour de lui, nerveusement, sort un mouchoir de sa poche et se tamponne le front.

— Est-ce que mon invitée est déjà arrivée ?

— Non, monsieur, vous êtes le premier. Voulez-vous que je vous montre votre table ou préférez-vous prendre un verre au bar en attendant ?

— La table, s'il vous plaît.

Si elle arrive et ne le voit pas assis, il ne se le pardonnera jamais.

Le maître d'hôtel le conduit à une table pour deux, au centre de la salle.

Il s'assoit sur la chaise qu'on a tirée pour lui et immédiatement les serveurs s'empressent, lui versent de l'eau, lui déplient sa serviette sur les genoux, lui apportent du pain.

— Voulez-vous regarder le menu, monsieur, ou attendrez-vous l'autre personne ?

— Je vais attendre, merci.

Il regarde la porte et profite de ce moment de solitude pour se calmer.

Une heure a passé. À plusieurs reprises, des gens sont entrés et ont été conduits vers leur place, mais aucun d'eux n'était Justin. Le siège près de moi reste vide et froid. La femme assise de l'autre côté y jette un coup d'œil de temps en temps et me regarde me tordre le cou en fixant la porte d'un œil possessif, et elle me sourit poliment, avec compassion. Les larmes m'en montent aux yeux, j'éprouve un sentiment de solitude absolue dans cette salle emplie de monde, de bruit, de musique. L'entracte arrive, le rideau se baisse, les lumières s'intensifient.

Chacun se lève et se dirige vers le bar ou l'extérieur pour fumer une cigarette ou se dégourdir les jambes.

Je reste assise, j'attends.

Plus je me sens seule, plus je sens l'espoir grandir dans mon cœur. Il peut encore venir. Il peut encore sentir que c'est aussi important pour lui que pour moi. Dîner avec une femme qu'il a rencontrée une fois ou passer la soirée avec une personne dont il a aidé à sauver la vie, une personne qui a fait exactement ce qu'il désirait et l'a remercié exactement comme il l'avait demandé.

Ce n'était peut-être pas assez.

— Voudriez-vous consulter le menu maintenant, monsieur ?

— Euh...

Il regarde la pendule. Elle a une demi-heure de retard. Son cœur s'alourdit mais il reste plein d'espoir.

— Elle est un petit peu en retard, voilà tout, explique-t-il.

— Bien sûr, monsieur.

— J'aimerais voir la carte des vins, s'il vous plaît.

— Tout de suite, monsieur.

L'amoureux de la cantatrice est arraché à ses bras, et elle supplie qu'on le libère. Son chant crie et gémit, la femme près de moi renifle. Mes yeux s'emplissent de larmes eux aussi, en repensant au visage de papa quand il m'a vue dans ma robe neuve. « Tu vas l'avoir », disait-il.

Eh bien non, je ne l'ai pas eu. Encore un de perdu. Je me suis fait poser un lapin par un homme qui a préféré dîner avec moi. Malgré l'absurdité apparente de cette idée, elle me paraît claire comme de l'eau de roche. Je voulais qu'il vienne ici. Je voulais que le lien que je ressens, et qu'il a créé, soit ce qui nous rapprocherait, et non une rencontre de hasard dans un grand magasin un peu plus tôt. Cela paraît si futile de sa part de me choisir moi, plutôt que quelque chose de bien plus important.

Mais peut-être que je regarde toute cette affaire du mauvais angle. Peut-être que je devrais me réjouir qu'il ait préféré dîner avec moi. Je consulte ma montre. Peut-être qu'il est là-bas maintenant, et qu'il m'attend. Mais si je sors d'ici et qu'il arrive, il me manquera. Non, mieux vaut rester où je suis plutôt que de tout embrouiller.

Le tumulte se poursuit, dans ma tête et sur scène.

Mais s'il est au restaurant en ce moment, pendant que je suis ici, alors il est seul, depuis plus d'une heure. Pourquoi donc ne renoncerait-il pas à son rendez-vous avec moi pour courir quelques mètres et chercher son inconnu ? Sauf s'il est venu. Sauf s'il a jeté un coup d'œil à la porte, découvert que c'était moi et refusé d'entrer. Mes pensées me submergent, je perds de vue ce qui se passe sur scène, les questions dans ma tête ne me laissent aucun répit.

Je ne me suis pas rendu compte que l'opéra s'achevait. Les sièges sont vides, le rideau est baissé, les lumières sont revenues. Je sors dans l'air froid de la nuit. La ville s'agite, pleine de badauds qui profitent de leur samedi soir. Cinglées par le vent, mes larmes me glacent les joues.

Justin vide le fond de la deuxième bouteille de vin dans son verre et la repose sur la table avec une brusquerie involontaire. Il a perdu toute coordination, il peine à lire l'heure sur sa montre mais il sait qu'il est trop tard pour espérer raisonnablement que Joyce arrive.

Il s'est fait poser un lapin.

Par la seule femme qui ait éveillé son intérêt depuis le divorce. Sans compter la pauvre Sarah. La pauvre Sarah n'a jamais compté.

Je suis un être ignoble.

— Je suis désolé de vous déranger, monsieur, dit poliment le maître d'hôtel, mais nous avons reçu un appel de votre frère, Al.

Justin hoche la tête.

— Il voulait vous informer qu'il est toujours en vie et qu'il espère que... enfin, que vous profitez de votre soirée.

— En vie ?

— Oui, monsieur. Il a dit que vous comprendriez, puisqu'il est minuit. Son anniversaire ?

— Minuit ?

— Oui monsieur. J'ai également le regret de vous informer que nous fermons. Si vous voulez bien régler votre addition ?

Justin lève vers lui des yeux larmoyants et tente de hocher la tête, mais il la sent retomber sur le côté.

— On m'a posé un lapin.

— J'en suis navré, monsieur.

— Oh, ce n'est pas la peine. Je l'ai bien mérité. J'ai posé un lapin à une personne que je ne connais même pas.

— Oh. Je vois.

— Alors qu'elle a été si gentille avec moi. Si gentille. Elle m'a donné des muffins et du café, une voiture avec chauffeur, et moi, j'ai été affreux avec elle, ou lui.

Il s'interrompt brusquement.

C'est peut-être encore ouvert ?

— Voilà.

Il lui jette sa carte de crédit.

— J'ai peut-être encore le temps.

Je marche lentement dans les rues tranquilles de mon quartier en serrant mon cardigan autour de moi. J'ai demandé au chauffeur de taxi de me déposer au coin de la rue pour pouvoir respirer un peu et m'éclaircir les idées avant de rentrer. Et puis, je veux aussi m'être débarrassée de mes larmes avant que papa me voie. Je suis sûre qu'il est assis dans son fauteuil, comme autrefois, aux aguets, impatient de savoir ce qui s'est passé, mais feignant le sommeil au bruit de ma clef dans la serrure.

Je passe devant mon ancienne maison, que j'ai réussi à vendre quelques jours plus tôt, mais pas à Linda et Joe, qui ont découvert qu'il s'agissait de ma maison et craignent que mon malheur ne soit de mauvais augure pour eux et leur futur enfant, ou pire, que l'escalier n'ait causé ma chute, et ne soit peut-être trop dangereux pour Linda durant sa grossesse. Je remarque que personne n'assume la responsabilité de ses actes. Ce n'était pas l'escalier, mais moi. Je voulais aller vite. C'était ma faute. Tout simplement. Il me faudra creuser profond pour pardonner cette erreur, puisqu'elle ne sera jamais oubliée.

Peut-être ai-je voulu aller vite toute ma vie, me suis-je précipitée bille en tête sans réfléchir. Courant toute la journée sans remarquer les minutes. Les rares fois où j'ai ralenti pour préparer un plan, le résultat n'a guère été encourageant. Mes parents avaient tout planifié, toute leur vie : leurs vacances d'été, un enfant, leurs économies, leurs sorties. Tout était fait selon les règles. Le départ prématuré de maman fut la seule chose qu'ils n'avaient pas prévue. Le grain de sable qui avait tout fait capoter.

Conor et moi avions fait un mauvais drive dès le début, et notre balle était partie droit dans les buissons.

L'argent de la maison doit être partagé entre nous deux. Je vais devoir commencer à chercher quelque chose de plus petit, de moins cher. Je n'ai aucune idée de ce qu'il va faire. C'est une pensée étrange.

Je m'arrête et fixe les briques rouges, la porte dont nous avions choisi la couleur après de longues discussions, les fleurs que nous avions plantées après mûre réflexion. Tout cela n'est plus à moi, mais les souvenirs, oui. Le toit qui a abrité mes rêves d'autrefois représente désormais quelqu'un d'autre, tout comme pour les habitants avant nous, et je me sens heureuse de le quitter. Heureuse que cette époque soit révolue, heureuse de pouvoir repartir de zéro, malgré les cicatrices du passé. Elles signalent des blessures qui ont guéri.

Il est minuit quand j'arrive chez papa. Derrière les rideaux l'obscurité règne. Aucune lampe n'est allumée, ce qui est inhabituel, puisqu'il laisse d'ordinaire la lumière du perron, surtout si je suis sortie.

J'ouvre mon sac pour y prendre mes clefs et trouve mon téléphone. Il s'éclaire pour indiquer que j'ai raté dix appels, dont huit venaient de la maison. Je l'ai mis sur vibreur à l'opéra et, sachant que Justin n'en avait pas le numéro, n'ai pas pensé à le consulter. Je cherche ma clef frénétiquement, j'essaie de l'insérer dans la serrure, les mains tremblantes. Le trousseau tombe par terre, le bruit se réverbère dans la rue silencieuse. Je m'agenouille sans me soucier de ma robe neuve et tâtonne sur le béton, dans le noir. Enfin mon doigt touche le métal et je franchis le seuil comme une fusée, en allumant toutes les lumières.

— Papa ?

La photo de maman est par terre, sous la tablette. Je la ramasse et la remets en place, en essayant de rester calme, mais mon cœur en décide autrement.

Pas de réponse.

J'entre dans la cuisine et actionne l'interrupteur. Une tasse de thé, pleine, est posée sur la table, avec une tartine de confiture dont on a pris une bouchée. J'appelle plus fort.

— Papa ?

J'entre dans le séjour et allume la lumière.

Ses cachets se sont répandus sur le sol, tous les flacons sont ouverts et vides, toutes les couleurs mélangées.

Je commence à paniquer, retourne à la cuisine en courant, puis dans l'entrée. Je me précipite à l'étage, en allumant partout et en criant à pleins poumons.

— Papa ! Papa ! Où est-ce que tu es ? C'est moi, Joyce. Papa ?

Mes larmes coulent, je peux à peine parler. Il n'est pas dans sa chambre, ni dans la salle de bains, ni dans ma chambre ni ailleurs. Je m'arrête sur le palier, essaie d'écouter le silence au cas où il appellerait. Je n'entends que les battements de mon cœur dans mes oreilles, dans ma gorge.

— Papa !

J'ai du mal à respirer, la boule dans ma gorge menace de me couper la respiration. Je ne sais plus où chercher. Je me mets à ouvrir les armoires, regarder sous son lit. J'attrape un de ses oreillers et le respire, le serre contre moi, et tout de suite je l'inonde de larmes. Je regarde par la fenêtre dans le jardin de derrière : aucun signe de lui.

Les genoux trop flageolants pour tenir debout, la tête trop confuse pour réfléchir, je me laisse tomber sur la dernière marche de l'escalier, en essayant de deviner où il peut être.

Puis je pense aux cachets répandus par terre et je hurle comme je n'ai jamais hurlé, de toute ma vie.

— Papaaaaa !

Le silence me répond, je ne me suis jamais sentie si seule. Plus seule qu'à l'opéra, plus seule que dans un mariage malheureux, plus seule qu'à la mort de maman. Totalement et profondément seule, la dernière personne de ma vie m'a été enlevée...

— Joyce ?

Une voix m'appelle depuis la porte d'entrée que j'ai laissée ouverte.

— Joyce, c'est moi, Fran.

Elle est dans l'entrée, en robe de chambre et pantoufles, son fils aîné se tient derrière elle, avec une lampe électrique.

— Papa a disparu, dis-je d'une voix tremblante.

— Il est à l'hôpital, j'ai essayé de t'app...

— Quoi ? Pourquoi ?

Je me lève et descends l'escalier en courant.

— Il a cru qu'il avait une nouvelle crise car...

— Il faut que j'y aille. Il faut que je sois près de lui.

Je cherche mes clefs de voiture, frénétique.

— Quel hôpital ?

— Calme-toi, ma chérie, calme-toi.

Les bras de Fran sont autour de moi.

— Je vais t'emmener.

40

Je cours dans les couloirs, en examinant chaque porte, à la recherche de la bonne chambre. Je panique, les larmes me brouillent la vue. Une infirmière m'arrête et m'aide, tente de me calmer. Elle compend tout de suite de qui je parle. Elle ne devrait pas me laisser le voir à cette heure mais elle voit bien que je suis affolée, et veut me rassurer. Elle m'accorde quelques minutes.

Je la suis dans une succession de couloirs et enfin elle me fait entrer dans sa chambre. Je vois papa allongé, d'une pâleur mortelle, tout petit sous les couvertures, avec des tubes fixés aux poignets et au nez.

— C'était toi, tout ce raffut ? demande-t-il d'une voix faible.

— Papa...

J'essaie de rester calme, mais ma voix s'étouffe.

— Tout va bien, ma chérie. J'ai eu un choc, voilà tout. J'ai cru que c'était encore mon cœur qui me jouait des tours. Je suis allé prendre mes cachets, mais j'ai eu un vertige et je suis tombé. Une histoire de sucre, à ce qu'on m'a dit.

— Vous avez du diabète, Henry, précise l'infirmière. Le médecin viendra tout vous expliquer demain matin.

Je renifle, tente de me reprendre.

— Ah, viens là, espèce de nouille.

Il tend les bras vers moi.

Je me précipite et le serre très fort, son corps paraît frêle mais protecteur.

— Je ne vais pas te quitter maintenant. Calme-toi.

Il passe les doigts dans mes cheveux et me tapote le dos.

— J'espère que je ne t'ai pas gâché ta soirée, ma chérie. J'ai dit à Fran de ne pas t'embêter.

— Tu aurais dû m'appeler, dis-je, contre son épaule. J'ai eu tellement peur quand j'ai vu que tu n'étais pas à la maison.

— Mais je vais bien. Par contre, il va falloir que tu m'aides, avec tout ça, murmure-t-il. J'ai dit au docteur que je comprenais, mais en fait, non, explique-t-il, un peu inquiet. Il ne se prend pas pour la queue d'une cerise, celui-là.

Il fronce le nez.

— Bien sûr.

Je m'essuie les yeux et tente de me contrôler.

— Alors, comment ça s'est passé ? s'anime-t-il. Raconte.

— Il... il n'est pas venu.

Mes larmes se remettent à couler.

Papa se tait, triste, puis furieux, puis triste à nouveau. Il me serre plus fort.

— Ah ! Ma chérie. Quel imbécile, ce type !

41

Justin finit de raconter à Bea son désastreux week-end. Elle est assise sur le canapé, bouche bée.

— Je n'arrive pas à croire que j'ai manqué tout ça. Je suis vexée !

— Tu ne l'aurais pas manqué si tu avais accepté de me parler.

— Merci de t'être excusé auprès de Peter. J'apprécie. Et lui aussi.

— Je me suis conduit comme un imbécile. Je ne voulais pas admettre que mon bébé était devenu adulte.

— Tu as intérêt à t'y faire, sourit-elle. Je n'arrive toujours pas à imaginer que quelqu'un ait pu t'envoyer tout ça. Qui ça peut être ? Le pauvre, il a dû t'attendre des heures à l'opéra.

Justin se cache le visage et se ratatine.

— Arrête, ça me tue.

— Mais en tout cas, tu as choisi Joyce.

Il hoche la tête en souriant tristement.

— Tu dois l'aimer vraiment beaucoup.

— Elle non, sans doute, puisqu'elle n'est pas venue. Non, Bea, fini tout ça. Il est temps de passer à autre chose. Je fais du mal à trop de gens en essayant de trouver l'inconnu. Si tu ne te rappelles pas en avoir parlé à quelqu'un d'autre, on ne saura jamais.

Bea réfléchit intensément.

— Je n'en ai parlé qu'à Peter, à la chef costumière et son père. Mais qu'est-ce qui te fait croire que ce n'est pas eux ?

— J'ai fait la connaissance de la chef costumière ce soir-là. Elle n'avait pas l'air de me connaître, et elle est anglaise. Pourquoi serait-elle allée en Irlande pour une transfusion ? Je l'ai appelée et je lui ai parlé de son père. Laisse tomber, lui enjoint-il en évitant son regard. En tout cas, il s'avère que son père est polonais.

— Attends, d'où est-ce que tu tiens ça ? Elle n'est pas anglaise, elle est irlandaise, coupe Bea en fronçant les sourcils. Ils sont irlandais tous les deux.

Boum-boum. Boum-boum.

— Justin.

Lawrence entre dans la pièce avec du café pour lui et Bea.

— Je me demandais si on pourrait discuter, quand vous aurez une minute.

— Pas maintenant, Lawrence, refuse Justin en se redressant sur son siège. Bea, tu as encore le programme du ballet ? Il y a sa photo dessus.

— Franchement, Justin, commence Jennifer à la porte, bras croisés. Tu ne pourrais pas montrer un peu de respect pendant quelques minutes ? Lawrence a quelque chose à t'annoncer et tu dois l'écouter.

Bea se précipite dans sa chambre, en se frayant un chemin entre sa mère et Lawrence, qui fulminent, et revient, le programme à la main. Elle les ignore, Justin aussi.

Il lui arrache la brochure et la feuillette rapidement.

— Là ! s'écrie-il en tapant du doigt sur la page.

— Hé ! intervient Jennifer, en se plantant entre eux. Il faut vraiment régler ça maintenant.

— Pas maintenant, maman, s'il te plaît, c'est important, crie Bea.

— Et ça non ?

— Ce n'est pas elle, affirme Bea en secouant la tête. Ce n'est pas la femme avec qui j'ai bavardé.

Justin se lève.

— De quoi elle avait l'air ?

Boum-boum. Boum-boum.

— Attends, laisse-moi réfléchir, s'écrie Bea, survoltée. Je sais ! Maman !

— Quoi ? demande Jennifer, déroutée, regardant tour à tour Justin et Bea.

— Où sont les photos qu'on a prises le premier soir où j'ai remplacé Charlotte dans le ballet ?

— Euh...

— Dépêche-toi !

— Elles sont dans le placard d'angle de la cuisine, intervient Lawrence, sourcils froncés.

— Bien, Lawrence ! fait Justin en donnant un coup de poing en l'air. Le placard d'angle de la cuisine. Allez les chercher ! Vite !

Effrayé, Lawrence court dans la cuisine, tandis que Jennifer le regarde, bouche bée. On entend un remue-ménage de papiers. Justin fait les cent pas à toute vitesse, sous le regard de Jennifer et Bea.

— Les voilà.

Bea lui arrache les photos des mains.

Jennifer tente de protester mais les paroles et les gestes de Bea et Justin vont bien trop vite.

Bea feuillette les photos frénétiquement.

— Tu n'étais pas encore arrivé au bar, papa. Tu avais disparu, mais on a fait une photo de groupe et... la voilà !

Elle court vers son père.

— Les voilà. La femme et son père, au bout de la rangée.

Elle les désigne du doigt.

— Papa !... Papa, ça va ?

— Justin ? intervient Jennifer en s'approchant. Il est tout pâle. Lawrence, va lui chercher un verre d'eau. Vite !

Lawrence repart en courant dans la cuisine.

— Papa.

Bea claque des doigts devant son visage.

— Papa, tu es là ?

— C'est elle, murmure-t-il.

— Qui ça, elle ? demande Jennifer.

— La femme qu'il a sauvée, s'exclame Bea en trépignant d'excitation.

— Tu as sauvé une femme ? se récrie Jennifer, interloquée. Toi ?

— C'est Joyce, murmure-t-il.

— La femme qui m'a appelée ? hoquette Bea. Il fait oui de la tête.

— Celle à qui tu as posé un lapin ? continue de hoqueter Bea.

Justin ferme les yeux et se maudit en silence.

— Tu as sauvé une femme, et après, tu lui as posé un lapin ? s'esclaffe Jennifer.

— Bea, où est ton téléphone ?

— Pourquoi ?

— Elle t'a appelée, tu te souviens ? Tu as son numéro en mémoire.

— Mais papa, c'était il y a des siècles. Ma mémoire ne garde que les dix derniers numéros. Il s'est passé des semaines !

— Merde !

— Je l'avais donné à Doris, tu te rappelles ? Elle l'a noté. Tu l'as appelée de chez toi.

Tu as flanqué le papier dans la benne, abruti ! La benne ! Elle est encore là !

— Tiens, fait Lawrence en lui tendant un verre d'eau, essoufflé.

— Lawrence !

Justin le saisit par les joues et lui dépose un baiser sur le front. Il en fait autant avec Jennifer puis l'embrasse en plein sur les lèvres.

— Tu as ma bénédiction. Bonne chance.

Il sort de l'appartement en courant, sous les encouragements de Bea, tandis que Jennifer s'essuie les lèvres, dégoûtée, et que Lawrence éponge l'eau renversée sur ses vêtements.

Justin sort du métro et rentre chez lui au pas de course. Les nuages déversent la pluie comme un tissu qu'on essore. Il s'en fiche. Il lève les yeux vers le ciel en riant, il adore la sensation sur son visage, il n'arrive pas à croire que Joyce était l'inconnu. Il aurait dû le savoir. Tout s'expliquait, pourquoi elle lui avait demandé s'il était sûr de vouloir changer ses plans pour la soirée, pourquoi son amie avait assisté à sa conférence, tout !

Il bifurque dans l'allée devant chez lui et voit que la benne est maintenant pleine à ras bord. Il saute à l'intérieur et commence ses recherches.

Doris et Al cessent de faire leurs bagages et l'observent par la fenêtre, inquiets.

— Merde, je croyais vraiment qu'il était redevenu normal, grogne Al. On devrait peut-être rester ?

— Je ne sais pas. Qu'est-ce qu'il fait ? Il est dix heures du soir. Les voisins vont sûrement appeler les flics, s'inquiète Doris.

Son tee-shirt gris est détrempé, ses cheveux s'aplatissent sur son crâne, l'eau lui coule sur le nez, son pantalon lui colle à la peau. Ils le regardent crier de joie en jetant le contenu de la benne par terre.

42

Allongée dans mon lit, je fixe le plafond, en essayant de comprendre ce qui m'arrive. Papa est encore à l'hôpital pour des examens, il rentrera demain. N'avoir personne près de moi m'oblige à réfléchir sur ma vie. J'ai traversé des phases de désespoir, culpabilité, tristesse, colère, solitude, dépression et cynisme avant d'atteindre enfin l'espoir. Comme une droguée en plein sevrage, j'ai arpenté les planchers de ces pièces en sentant les émotions jaillir de mes pores. J'ai parlé toute seule, crié, hurlé, pleuré et regretté.

Il est onze heures du soir, la nuit est froide, venteuse et sombre, les mois d'hiver arrivent, batailleurs. Le téléphone sonne. Je me précipite en bas, croyant à un appel de papa. J'attrape le combiné et m'assois en bas des marches.

— Allô ?

— C'était vous.

Je me fige. Mon cœur bat. J'écarte le téléphone de mon oreille et respire à fond.

— Justin ?

— C'était vous, n'est-ce pas ?

Je me tais.

— Je vous ai vue sur la photo avec votre père et Bea. C'était le soir où elle vous a parlé de mon don. De mon envie d'être remercié.

Il éternue.

— À vos souhaits.

— Pourquoi ne m'avoir rien dit ? Toutes les fois où je vous ai vue ? Vous m'avez suivi ou... Qu'est-ce qui se passe, Joyce ?

— Vous êtes fâché contre moi ?

— Non. Enfin, je ne sais pas. Je ne comprends pas. Je ne sais plus où j'en suis.

— Je vais vous expliquer.

Je respire à fond et tente de maîtriser ma voix, j'essaie de parler bien que mon cœur me batte dans la gorge.

— Je ne vous ai suivi dans aucun des endroits où nous nous sommes croisés, alors je vous en prie, ne vous inquiétez pas. Je ne suis pas une dingue. Il s'est passé quelque chose, Justin, quand j'ai été transfusée. Quand votre sang s'est mêlé au mien, je me suis soudain sentie reliée à vous. Je me retrouvais sans arrêt dans des endroits où vous étiez, comme au salon de coiffure ou au ballet. C'étaient des coïncidences.

Je parle trop vite mais ne peux ralentir.

— Puis Bea m'a raconté que vous aviez donné votre sang à l'époque où j'ai été transfusée et...

— Quoi ?

Je ne sais pas très bien ce qu'il veut dire.

— Vous voulez dire que vous n'êtes pas certaine d'avoir reçu mon sang ? Parce que je n'ai rien pu savoir, personne n'a voulu m'aider. Est-ce que quelqu'un vous l'a dit ?

— Non. C'était inutile. Je...

— Joyce.

Son ton m'inquiète.

— Je ne suis pas une tordue, Justin. Croyez-moi. Il ne m'était jamais rien arrivé de ce genre.

Je lui raconte toute l'histoire, lui explique que je possède ses compétences et son savoir, que je partage ses goûts.

Il se tait.

— Dites quelque chose, Justin.

— Je ne sais pas quoi dire. C'est tellement... étrange.

— C'est étrange, mais c'est la vérité. Ça va vous paraître encore pire, mais j'ai aussi acquis certains de vos souvenirs.

— Ah bon ?

Sa voix est froide, lointaine. Je suis en train de le perdre.

— Des souvenirs du parc à Chicago, de Bea qui danse en tutu rose sur une nappe à carreaux rouges, du panier de pique-nique, de la bouteille de vin. Des cloches de la cathédrale, du marchand de glaces, de la balançoire à bascule avec Al, de l'arrosage automatique, du...

— Oh, oh ! Arrêtez. Qui êtes-vous ?

— Justin, c'est moi !

— Qui vous a raconté tout ça ?

— Personne, je le sais, voilà tout !

Je me frotte les yeux, épuisée.

— Je sais que ça paraît bizarre, Justin, vraiment. Je suis un être humain normal et respectable, je ne suis pas moins cynique qu'une autre, mais c'est ma vie et c'est ce qui m'arrive. Si vous ne me croyez pas, j'en serai désolée, je raccrocherai et reprendrai le cours de ma vie, mais je vous en prie, croyez-moi, ce n'est pas une blague, ni un canular, ni un piège.

Il se tait un moment, puis :

— J'ai envie de vous croire.

461

— Vous sentez quelque chose entre nous ?

— Oui, je sens quelque chose, répond-il lentement, comme s'il pesait chaque lettre de chaque mot. Mes souvenirs, mes goûts, mes hobbies, et tout ce que vous avez cité, vous auriez pu m'entendre en parler. Je ne dis pas que vous le faites volontairement, vous ne vous en rendez peut-être même pas compte, mais vous avez lu mes livres. Je donne beaucoup de détails sur moi dans mes livres. Vous avez vu la photo dans le médaillon de Bea, vous avez assisté à mes conférences, vous avez lu mes articles. J'ai pu parler de moi, en fait j'en suis certain. Comment être sûr que vous savez tout ça grâce à une transfusion ? Comment être sûr que – ne vous fâchez pas – vous n'êtes pas une folle qui s'est mis dans le crâne une histoire trouvée dans un livre ou dans un film ? Comment pourrais-je en être sûr ?

Je soupire. Je n'ai aucun moyen de le convaincre.

— Justin, je ne crois en rien ces temps-ci, mais je crois à ça.

— Je suis désolé Joyce, dit-il, s'apprêtant à mettre fin à la conversation.

— Non, attendez. C'est tout ?

Silence.

— Vous n'allez même pas essayer de me croire ?

Il pousse un profond soupir.

— Je vous ai prise pour quelqu'un d'autre, Joyce. Je ne sais pas pourquoi, parce que je ne vous connais même pas, mais je vous ai prise pour quelqu'un de différent. Tout ça... je n'y comprends rien. Tout ça... ça ne va pas, Joyce.

Chaque phrase me poignarde au cœur, me frappe au ventre. Je pourrais supporter de les entendre de n'importe qui d'autre au monde, mais pas de lui. N'importe qui, sauf lui.

— Vous avez traversé une période difficile, apparemment. Vous devriez peut-être... voir quelqu'un.

— Pourquoi est-ce que vous ne me croyez pas ? Je vous en prie, Justin. Il doit exister une façon de vous convaincre. Quelque chose que je sais et dont vous n'avez pas parlé dans un article, un livre ou une conférence...

Je laisse ma phrase en suspens, une idée m'est venue. Non, je ne peux pas me servir de ça.

— Adieu, Joyce. J'espère que tout ira bien pour vous, sincèrement.

— Attendez ! Ne raccrochez pas ! Il y a quelque chose. Une chose que vous êtes seul à savoir.

— Quoi ?

Je ferme les yeux de toutes mes forces et respire à fond. Le dire ou non. Le dire ou non. Je rouvre les yeux et bredouille :

— Votre père.

Silence.

— Justin ?

— Quoi, mon père ?

Sa voix est glaciale.

— Je sais ce que vous avez vu. Ce que vous n'avez jamais pu dire à personne.

— De quoi est-ce que vous parlez ?

— Je sais que vous étiez dans l'escalier, que vous le regardiez entre les barreaux de la rampe. Moi aussi, je le vois. Je le vois fermer la porte, avec la bouteille et les cachets. Et puis je vois les pieds verts, par terre...

— Taisez-vous ! hurle-t-il.

Le choc me réduit au silence.

Mais je dois poursuivre mes efforts, sinon je n'aurai plus jamais la possibilité de dire tout cela.

— Je sais combien ça a dû être difficile, pour un enfant. Combien ça a dû être difficile de ne rien dire...

— Vous ne savez rien. Rien du tout. Laissez-moi tranquille, s'il vous plaît. Je ne veux plus jamais avoir affaire à vous.

— D'accord.

Je parle tout bas, mais pour moi-même, parce qu'il a déjà raccroché.

Je reste assise sur les marches dans la maison vide et obscure, secouée par le vent d'octobre.

Et voilà.

UN MOIS PLUS TARD

43

— La prochaine fois, il vaudrait mieux prendre la voiture, Gracie, dit papa à notre retour du jardin botanique. Je lui prends le bras et suis aussitôt entraînée vers le haut, puis vers le bas, au rythme de sa démarche chaloupée. En haut, en bas, en bas et en haut. Le mouvement me calme.

— Non, papa, tu as besoin de faire de l'exercice.

— Parle pour toi, marmotte-t-il. Salut, Sean. Quel temps pourri, hein ? crie-t-il au vieil homme qui progresse avec un déambulateur sur le trottoir d'en face.

— Pourri, confirme Sean.

— Alors, qu'est-ce que tu penses de cet appartement ?

C'est la troisième fois que j'aborde le sujet en quelques minutes.

— Tu ne peux plus te défiler maintenant.

— Je ne me défile pas, ma chérie. Salut, Patsy ! Salut, Suki !

Il s'arrête et se penche pour caresser le teckel.

— Que tu es mignon !

Nous reprenons notre chemin.

— Cette espèce de saucisse aboie toute la nuit quand Patsy n'est pas là, je la déteste.

Une violente bourrasque nous fouette et il renfonce sa casquette sur ses yeux.

— Seigneur, mais où est-ce qu'on va ? J'ai l'impression d'être sur un tapis rouleur avec ce vent.

— Tapis roulant. Alors, cet appartement, il te plaît ou pas ?

— Je ne sais pas. Il avait l'air minuscule et la tête du type qui est entré à côté ne me revient pas.

— Il m'a paru très amical.

— Rien d'étonnant.

Il lève les yeux au ciel et secoue la tête.

— Il me semble qu'en ce moment, n'importe quel homme ferait l'affaire pour toi.

— Papa !

— Bonjour, Graham. Quel temps pourri, hein ? lance-t-il à son voisin.

— Un temps affreux, renchérit Graham en enfonçant les mains dans ses poches.

— En tout cas, je ne crois pas que tu devrais le prendre, Gracie. Reste là encore un peu, jusqu'à ce que quelque chose de mieux se présente. Ce serait absurde de prendre le premier appartement venu.

— Papa, on en a visité dix et aucun ne t'a plu.

— C'est moi qui dois y habiter, ou toi ?

En haut, en bas, en bas et en haut.

— Moi.

— Alors, qu'est-ce que ça peut te faire ?

— Ton opinion compte pour moi.

— Tu parles ! Bonjour, Kathleen !

— Tu ne peux pas me garder à la maison éternellement, tu sais.

— Éternellement, c'est dépassé, ma chérie. Pas moyen de te déloger. Tu es un vrai dolmen.

— Je peux venir au club du lundi, ce soir ?

— Encore ?

— Je dois finir ma partie d'échecs avec Larry.

— Larry se contente de placer ses pions de façon que tu te penches, pour lorgner dans ton décolleté. Cette partie ne finira jamais.

— Papa !

— Quoi ? Ce n'est pas le genre de vie sociale qu'il te faut, traîner avec des gens comme Larry et moi.

— J'aime bien traîner avec toi.

Il sourit tout seul, ravi.

Nous arrivons devant la maison et il s'engage de son pas chaloupé dans la petite allée qui mène à la porte.

Je m'arrête net à la vue de ce qu'il y a sur le perron.

Un petit panier de muffins, recouvert d'un emballage de Cellophane retenu par un ruban rose. Je regarde papa, qui enjambe le panier et ouvre la porte. Je ne sais plus si je dois en croire mes yeux. Ces muffins n'existent-ils que dans mon imagination ?

— Papa, qu'est-ce que tu fais ?

Je regarde derrière moi, interloquée, mais il n'y a personne.

Papa me fait un clin d'œil. Son expression s'attriste un instant, puis il me fait un grand sourire et me ferme la porte au nez.

Je prends l'enveloppe scotchée au plastique et, les doigts tremblants, en sors la carte.

Merci

— Je suis désolé, Joyce.

La voix dans mon dos manque m'arrêter le cœur. Je me retourne.

Il est là, debout au portillon du jardin, un bouquet de fleurs dans ses mains gantées, l'expression la plus contrite qui soit sur le visage. Il est enveloppé d'une écharpe et d'un manteau d'hiver, ses joues et le bout de son nez sont rougis par le froid, ses yeux verts scintillent dans la lumière grise. C'est une apparition ; j'en ai le souffle coupé, le sentir si proche est presque insupportable.

— Justin...

Et me voilà incapable de dire un mot de plus.

— Est-ce que tu crois, demande-t-il en faisant un pas en avant, que tu arriveras à pardonner à un imbécile comme moi ?

Il s'arrête.

Je ne sais pas très bien quoi dire. Il s'est passé un mois. Pourquoi maintenant ?

— Au téléphone, tu as touché un point sensible, explique-t-il avant de s'éclaircir la gorge. Personne n'est au courant pour mon père. Je ne sais pas comment tu as fait.

— Je te l'ai dit.

— Je ne comprends pas.

— Moi non plus.

— Mais je ne comprends pas non plus la plupart des choses ordinaires qui se produisent tous les jours. Je ne comprends pas ce que ma fille trouve à son petit copain. Je ne comprends pas comment mon frère a pu défier les lois de la science en ne se transformant pas en frite. Je ne comprends pas comment fait Doris pour ouvrir les cartons de lait avec des ongles si longs. Je ne comprends pas pourquoi je ne suis pas venu tambouriner à ta porte il y a un mois pour te dire ce que j'éprouvais... Il y a tant de choses simples que je ne comprends pas, je ne vois pas pourquoi ceci serait différent.

Je savoure son visage, ses cheveux frisés sous son chapeau en feutre, son petit sourire timide. Lui aussi me dévisage et je frissonne, mais pas à cause du froid, je ne le sens plus. On a chauffé le monde rien que pour moi. Comme c'est gentil. J'adresse mes remerciements au-delà des nuages.

Il me regarde, front plissé.

— Quoi ?

— Rien. Tu viens de me rappeler quelqu'un, ça n'a pas d'importance.

Il s'éclaircit la gorge, sourit, tente de reprendre là où il s'est arrêté.

— Eloise Parker.

Son sourire s'efface.

— Mais comment tu peux savoir ça ?

— Elle habitait la maison d'à côté, tu as été amoureux d'elle pendant des années. À cinq ans, tu as décidé d'agir, alors tu as cueilli des fleurs dans ton jardin et tu es allé la voir. Elle a ouvert la porte avant que tu n'arrives à son allée, elle portait un manteau bleu et une écharpe noire, dis-je en serrant mon manteau bleu autour de moi.

— Et ensuite ? essaie-t-il, interloqué.

— Ensuite rien. Tu as laissé tomber tes fleurs et déguerpi.

Il secoue la tête lentement, sourit.

— Mais comment...

Je hausse les épaules.

— Qu'est-ce que tu sais d'autre sur Eloise Parker ? demande-t-il, en plissant les yeux.

Je souris et détourne le regard.

— Tu as perdu ta virginité avec elle quand tu avais seize ans, dans sa chambre, pendant que ses parents étaient en croisière.

Il lève les yeux au ciel et abaisse son bouquet, les fleurs pointent vers le sol.

— Ce n'est vraiment pas juste. Tu n'as pas le droit de savoir ce genre de choses sur moi.

J'éclate de rire.

— Tu as été baptisée Joyce Bridget Conway, mais tu racontes à tout le monde que ton deuxième prénom est Angeline, contre-attaque-t-il.

Ma bouche s'ouvre.

— Tu avais un chien qui s'appelait Bunny quand tu étais petite.

Il hausse le sourcil d'un air canaille.

Je plisse les yeux.

— Tu t'es soûlée au whisky frelaté quand tu avais...

Il ferme les yeux et réfléchit intensément.

— ... quinze ans. Avec tes amies Kate et Frankie.

À chaque nouvelle information, il avance d'un pas, et cette odeur, son odeur, que j'ai tant rêvé de sentir, s'approche, encore et encore.

— Ton premier baiser avec la langue, c'était à dix ans, avec Jason Hardy.

J'éclate de rire.

— Tu n'es pas la seule à avoir le droit de savoir des trucs.

Il avance encore d'un pas et ne peut s'approcher davantage. Ses chaussures, le tissu de son manteau épais, chaque partie de lui me touche.

Mon cœur trouve un trampoline et commence un marathon de bonds. J'espère que Justin ne l'entend pas crier de joie.

— Qui t'a raconté tout ça ?

Mes mots touchent son visage dans un panache de fumée froide.

— Ç'a été une opération compliquée pour m'amener ici, sourit-il. Vraiment. Tes amies m'ont fait passer une batterie de tests destinés à prouver que j'étais assez désolé pour être jugé digne de venir.

Je me mets à rire, épatée que Frankie et Kate aient enfin réussi à se mettre d'accord sur quelque chose. Quant à garder un secret de cette ampleur...

Silence. Nous sommes si près l'un de l'autre que si je lève les yeux vers lui, mon nez lui touchera le menton. Je garde la tête baissée.

— Tu as encore peur de dormir dans le noir, chuchote-t-il, en me prenant le menton pour me faire lever la tête, de sorte que je ne peux regarder que lui. Sauf s'il y a quelqu'un avec toi, ajoute-t-il avec un petit sourire.

— Tu as triché à ton premier examen à l'université.

— Tu détestais l'art.

Il m'embrasse sur le front.

— Tu mens quand tu dis que tu ad*es *la Joconde*.

Je ferme les yeux.

— Jusqu'à l'âge de cinq ans, tu as *u* u*n mi* invisible qui s'appelait Horatio. *le ven-*

Il m'embrasse le nez. Je m'app*rennes si* ger, mais ses lèvres effleuren*t avant* doucement, que les mots *ment dans* d'atteindre ma boîte voca*n qui sort de* leur banque de données. *e qui passe en*

J'ai vaguement consc*dans le lointain* chez elle et me parle

klaxonnant, mais to

et je me perds dans cet instant avec Justin, en créant un nouveau souvenir pour lui, pour moi.

— Tu me pardonnes ? demande-t-il en reculant.

— Je n'ai pas le choix. C'est dans mon sang.

Je souris, et il éclate de rire. Je regarde les fleurs dans sa main, qui ont été écrasées entre nous.

— Tu vas les laisser tomber par terre et filer ?

— En fait, elles ne sont pas pour toi.

Ses joues rougissent encore plus.

— Elles sont pour quelqu'un à la clinique du sang, auprès de qui il faut vraiment que je m'excuse. J'espérais que tu viendrais avec moi, pour m'aider à expliquer les raisons de mon comportement dément, et que peut-être elle aussi pourrait nous expliquer quelques petites choses.

Je me retourne vers la maison et vois papa qui nous observe, caché derrière le rideau. Je lui lance un regard interrogateur. Il lève le pouce et mes yeux s'emplissent de larmes.

— Lui aussi était dans le coup ?

— Il m'a traité de pauvre imbécile et de bon à rien.

Il fait la grimace et j'éclate de rire.

Je souffle un baiser à papa et commence à marcher lentement. Je le sens qui me regarde, et je croise les yeux de maman aussi, tandis que je coupe de désherber la pelouse pour suivre la ligne de trottoir que j'avais tracée, petite fille, jusqu'au Mais la ligne de la maison où j'ai grandi.

je ne suis pas seule.

Remerciements

Merci à ceux qui me sont chers pour leur amour, leurs conseils, leur soutien : David, Mimmie, papa, Georgina, Nicky, Rocco, Jay, Breda et Neil. À Marianne, pour son don de changer en or tout ce qu'elle touche et sa vision « retentissante ». Merci à Lynne Drew, Amanda Ridout, Claire Bord, Moira Reilly, Tony Purdue, Fiona McIntosh et toute l'équipe de chez HarperCollins. Je dois comme toujours une immense reconnaissance à Vicki Satlow et son incroyable énergie, et à Pat Lynch. J'aimerais remercier tous les amis qui m'ont soutenue et ont partagé l'aventure avec moi. Merci tout particulièrement à Sarah d'être la plus fidèle d'entre les fidèles. Merci à Mark Monaham de Trinity College, Karen Breen du Service de transfusion sanguine irlandais et à Bernice du Viking Splash Tours.

Remerciements

9875

Composition
NORD COMPO

Achevé d'imprimer en Slovaquie
par NOVOPRINT SLK
le 5 mars 2012.
Dépôt légal mars 2012.
EAN 9782290035856

ÉDITIONS J'AI LU
87, quai Panhard-et-Levassor, 75013 Paris

Diffusion France et étranger : Flammarion